P9-DHD-893

INTRODUCCIÓN A LA LITERATURA MEDIEVAL ESPAÑOLA

BIBLIOTECA ROMÁNICA HISPÁNICA

DIRIGIDA POR DÁMASO ALONSO

III. MANUALES, 4

FRANCISCO LÓPEZ ESTRADA

INTRODUCCIÓN A LA LITERATURA MEDIEVAL ESPAÑOLA

TERCERA EDICIÓN RENOVADA

BIBLIOTECA ROMÁNICA HISPÁNICA
EDITORIAL GREDOS
MADRID

EDITORIAL GREDOS, S. A.

Sánchez Pacheco, 81, Madrid. España.

REIMPRESIÓN.

Depósito Legal. M. 38491 - 1974.

ISBN 84-249-1107-5. Rústica.
ISBN 84-249-1108-3. Tela.

Gráficas Cóndor, S. A., Sánchez Pacheco, 81, Madrid, 1974. — 4383.

A mis padres
Francisco (†) y María

PRÓLOGO

En este libro se tratan con brevedad las cuestiones más importantes que los estudios críticos y eruditos han planteado sobre la literatura medieval española. No es, pues, ni una historia ni un ensayo cultural sobre la época; el libro quiere ser sólo una guía para el estudiante universitario que pretenda conocer esta materia en términos generales, en una primera impresión de conjunto, para luego partir desde ella hacia conocimientos más particulares. Por esto menciono sólo en el grado indispensable las monografías, y predominan las citas de las obras que pueden informar de modo extenso sobre una cuestión, o las que resultan de importancia por su método, o aquellas otras que estimo que son ejemplares en algún sentido. He dado también preferencia a los estudios más recientes (cuando menciono un texto, procuro hacerlo por la versión última que conozco), y a los puntos de vista que aún no han alcanzado las páginas de los manuales de la historia de la literatura; también procuro citar por la versión española de un libro, si es que fue escrito en otra lengua y sé que se tradujo. También quise resumir los aspectos más importantes de las controversias críticas recientes, y soy más prolijo en las referencias de las obras de estos últimos años, si suponen una renovación en la crítica de un autor o dan amplia información sobre el mismo. Sin embargo, a poco que se abriese la mano en la cita de los libros esta obra perdería su carácter, y aun pensada con esta limitación, el logro está lejos de ser alcanzado por la complejidad del propósito.

Este libro se ocupa fundamentalmente de las obras literarias escritas en castellano, y en segundo lugar de las que lo fueron en los dialectos pericastellanos: leonés y aragonés. Sólo se citan las obras catalanas o gallegoportuguesas (o de otros dialectos iberorrománicos) en la medida que pueden servir para completar el conjunto señalado. La importancia de las literaturas catalana y gallegoportuguesa es de tal naturaleza, que se requerirían otros tantos libros como este para poder estudiarlas con el mismo propósito. El título de Literatura medieval española se usa, pues, en una significación restringida. Con lo de española se quiere indicar que las obras aquí estudiadas son el antecedente más directo, tanto por la lengua como por su condición, de la literatura de los Siglos de Oro de España. Sólo este punto de vista justifica el contenido del libro.

Con este criterio se han reunido en haces los asuntos que convergen en el estudio y en la inteligencia poética de la obra literaria del Medievo. Con ello he formulado una guía general de orientación, en la que he querido que el orden procediese del mismo sentido de la obra medieval, puesta en el trance de ser estudiada y comprendida en su legítima intención. No es ni un tratado ni un diccionario de ideas o materias, sino una exposición, intencionadamente limitada, que prepara con tiento el conocimiento de la obra poética, unidad absoluta y primera en la consideración histórica, descriptiva y valoradora de la creación literaria.

También quiero hacer presente que en los casos en que cito un texto de la época, lo doy en forma adaptada a la lengua moderna; el lector sabe siempre que esto es una convención arbitraria, y que ha de acudir a una edición responsable (casi siempre señalada en nota) para hallar el aspecto del trozo en la grafía medieval. De esta manera me atengo al carácter de este libro, que es una obra de introducción general, propia para ser leída aun por los que no tienen otra intención que conocer estas materias en términos generales. De su lectura, sin embargo, han de sacar la conclusión de que, en los estudios de la literatura de la Edad Media, la obra poética constituye una unidad delicadísima en la que cada elemento, desde el más menudo detalle de la letra hasta el más complejo postulado de su significación estética o cultural, ha de ser considerado como integrando una sola e irremplazable estructura, creada por un proceso de elaboración artística.

Finalmente en el comienzo de esta tercera edición quiero dar las gracias a cuantos se ocuparon de las anteriores. He querido recoger lo que se me dijo en aquellas ocasiones e incorporarlo a esta edición renovada con objeto de que el libro resulte lo más completo que pueda. Un estudio de esta naturaleza es un poco obra de todos porque el autor sólo pone la trama que sostiene la exposición, y el orden de los datos, guiado por una finalidad pedagógica. No quiere decir esto que, junto a la noticia o juicio ajenos, esté por completo ausente el comentario o dato aportado por mí.

Aun reconociendo la modestia de su fin, anima a este libro el propósito, que estimo inexcusable en esta coyuntura histórica, de manifestar la relación de España con la cultura medieval europea de la que formó parte integrante; y esto en los dos sentidos: España, presente en los destinos literarios de Europa; y Europa (o sea la comunidad occidental entonces constituida como hacedora de un determinado estilo colectivo) actuante en España con un grado de eficacia que hay que señalar con precisión. En nuestro tiempo es necesario que se tenga un justo conocimiento de lo que se hizo en el recinto peninsular en aquella Edad Media, cada vez menos oscura y más cercana. También se puede laborar por el entendimiento común en la Europa de hoy acercándonos veraz y cordialmente a la época de los orígenes comunes. Y esto con singular dedicación investigadora lo hacen críticos, historiadores y eruditos de muchos países, junto a los españoles. El hispanismo sigue teniendo un campo fecundo en la Edad Media. Y los investigadores, y en general los curiosos de la obra medieval, saben que su estudio resulta menos espectacular que el de otras épocas, pero es más propicio a la penetración detenida y minuciosa. La inventiva crítica se muestra más audaz puesto que los textos y los datos conservados son menos y más esparcidos en el tiempo, y por tanto domina el claroscuro alternante de la noticia y el vacío.

Finalmente, manifiesto que este libro se escribió sobre todo imaginando que podría ser un instrumento de iniciación para los estudiantes; pensé en los que fueron mis alumnos en esta Universidad y en las otras de Europa y de América en que enseñé, y quise que esta obra fuese para ellos una primera fuente de información. Mi empeño fue mostrarles que la ciencia literaria se abre para todos por igual, y que su estudio es en la actualidad como el ejercicio de un humanismo a la medida de los tiempos que nos tocó vivir. Puede que para algunos la problemática que les muestro en este libro les resulte enojosa, y que hubiesen preferido en muchos casos soluciones definidas. Pero pienso que el conocimiento universitario conviene que ponga a prueba la calidad humana, manteniéndola siempre en vilo y con asomos de insatisfacción, pensando en que, a la vez que conviene hacer el recuento de carácter informativo, hay que proseguir también, camino adelante, por la vía de la investigación.

F. L. E.

Universidad de Sevilla, 1966.

CAPÍTULO I

FUENTES DE INFORMACIÓN SOBRE LA LITERATURA MEDIEVAL

LA HISTORIA DE LA LITERATURA MEDIEVAL DESDE NICOLÁS ANTONIO HASTA EL ROMANTICISMO

Hasta hace poco la literatura medieval se estudió junto con la de otras épocas como parte de un conjunto de noticias y juicios sobre sus obras. Casi todos coincidieron en afirmar que por lo menos el estudio de la Edad Media literaria era necesario como antecedente y preparación para poder entender mejor los Siglos de Oro. Poco a poco, sin embargo, el estudio de la literatura medieval ha ganado sustantividad en sí mismo, sobre todo a medida que la Edad Media ha sido mejor conocida y enjuiciada desde un punto de vista cultural y estético. Por eso el estudio de la literatura medieval ha logrado un trato propio en su consideración cuando los recientes estudios de la crítica han descubierto y valorado adecuadamente grandes obras como el *Poema del Cid* y el *Libro de Buen Amor* o autores señalados como Juan de Mena y Jorge Manrique, y las relaciones entre la Edad Media y las épocas siguientes se han puesto más en claro, sobre todo con el estudio profundo de los períodos de transición.

La evolución de la ciencia literaria, cada vez más exigente en cuanto a precisión de datos y con métodos de estudio más afinados y perspicaces, ha desarrollado una labor que, en lo que va de siglo, ha renovado muchas apreciaciones y juicios. No ha habido, sin embargo, grandes descubrimientos en cuanto al caudal de obras, pero las que se encontraron, aunque parvas (valieron hasta fragmentos de folios de códices), han ido abriendo nuevas perspectivas, y con esto se ha enriquecido el conjunto. El dominio de la literatura medieval española es mucho más limitado que el de las épocas que siguieron. En la Edad Media se escribieron menos obras en número, y son más las perdidas; por otra parte, aunque la diferencia entre el español moderno y el medieval no es mucha, resulta que, para el estudio de esta literatura, se necesita conocer la lengua de acuerdo con una técnica filológica más rigurosa que la que vale para los otros períodos posteriores. Con todo lo dicho, el estudio de la literatura medieval ofrece siempre el apasionado atractivo de los orígenes envueltos en el misterio, y plantea los problemas del primer desarrollo de la creación romance, en el marco de unos siglos menos conocidos, junto con el enigma de la vida y obra de unos escritores de los que suele saberse poco desde el punto de vista documental.

En principio, una consideración de la literatura medieval conduce, en primer término, hasta las obras generales que estudian la literatura española. El primer cuerpo orgánico de información fue la *Bibliotheca Hispana vetus* (desde Augusto hasta 1500) de Nicolás Antonio (1617-1684); es un inestimable conjunto de noticias que reunió el erudito más leído y documentado en su tiempo. Francisco Pérez Bayer (1714-1794) completó con adiciones esta obra en su segunda edición. Con ella la erudición literaria de España inicia el estudio sistemático de la vida y obra de los escritores. En el siglo XVIII comienza a estudiarse la literatura desde un punto de vista histórico. Luis José Velázquez, Marqués de Valdeflores (1722-1772), escribió unos *Orígenes de la Poesía Castellana* (Málaga, 1754), obra que ya articula, aunque de manera elemental, el período medieval, del que dice, según un criterio neoclásico: "los poetas de este tiempo carecían de invención y de numen, apenas acertaban a ser buenos rimadores". De mayor enjundia fue la obra de Fray Martín Sarmiento (1695-1771), discípulo de Feijoo y seguidor de sus afanes renovadores; con una información mejor establecida, escribió unas *Memorias para la historia de la poesía y poetas españoles,* obra que apareció póstuma en 1775.

Una obra fundamental para el conocimiento de la poesía medieval fue la *Colección de poesías castellanas anteriores al siglo XV...,* ilustradas con notas por Tomás Antonio Sánchez, publicada en Madrid (1779-90) en cuatro volúmenes. El autor (1723-1802) reunió un importante grupo de textos literarios, y les añadió notas y comentarios tomando como punto de partida la Carta al Condestable de Portugal, escrita por el Marqués de Santillana. Esta *Colección,* incompleta e inútil hoy por haber sido recogida en un tiempo en que la disciplina de la filología no se había aún desarrollado, fue, sin embargo, de gran valor; en vísperas del Romanticismo, estos viejos textos medievales, por vez primera impresos muchos de ellos, mostraban el ejemplo de una poesía diferente de la del tiempo; la Edad Media se hallaba así presente en el período prerromántico preparando una radical renovación de los gustos literarios.

La actividad de las Academias que se crearon en el siglo XVIII en Madrid, Sevilla, Barcelona y otras ciudades removió la erudición, y también la literatura medieval salió a luz en las disertaciones de estos centros. El *Diccionario de Autoridades* de la Real Academia Española se publicó otra vez en Madrid, 1770 (Tomo I), con el número de palabras "anticuadas" aumentado, y entre las Autoridades mencionadas para documentar el uso de las voces se encuentran, entre otros, el Arcipreste de Talavera, Berceo, el Marqués de Santillana, Juan de Mena, el Romancero, las *Partidas,* Fueros y Crónicas, el viaje de Ruy González de Clavijo a Persia. Rafael de Floranes (1743-1801), aunque publicó poco, fue un buen conocedor de la Edad Media, como Francisco Cerdá y Rico (1739-1800). Leandro Fernández de Moratín (1760-1828) escribió unos *Orígenes del Teatro Español,* de aparición póstuma. Y como estos, otros muchos autores trataron de este período al estudiar históricamente los géneros poéticos. También en los primeros intentos de escribir una literatura general, la Edad Media española fue comparada con la de otras partes de Europa por el jesuita Juan Andrés (1740-1817).

DESDE EL ROMANTICISMO HASTA LA ACTUAL HISTORIA LITERARIA

Con la difusión del Romanticismo (obra, doctrina y moda), la Edad Media ganó un gran favor en la consideración literaria, y la erudición se sintió como experiencia espiritual, primero de los románticos combatientes, y después, ya triunfante como moda literaria, logró una gran difusión e incluso popularidad. Los románticos consideraron esta época desde un punto de vista renovador. El conocimiento de obras y autores iba unido a una nueva valoración de la tradición europea, y la poesía medieval les resultaba atractiva por ser distinta de la de los antiguos y modernos. La Edad Media se entendió también como romántica, y en su exaltación a veces se confundieron la creación imaginativa y el dato histórico. Un traductor de la *Historia* de J. Ch. L. Simonde de Sismondi escribe: "Otros toman la palabra romanticismo para expresar la literatura de Europa de los Siglos Medios"; F. Bouterwek consideró la Edad Media como "die romantische Jahrhunderte" (1804). Para que se formulasen estas expresiones había sido necesario que arraigase el criterio romántico en la apreciación de la poesía, expuesto, entre otros, por Federico Schlegel (1772-1829), y su hermano Augusto Guillermo (1767-1845). La consideración de una España romántica se extendió por Europa, y el mencionado Bouterwek (1804) y Simonde de Sismondi (1813) dedicaron en sus obras sendas partes a nuestra literatura. Las historias de la Literatura de Jorge Ticknor (1849) y de Fernando José Wolf (1859, refundiendo y ampliando estudios de 1831-32) fueron las contribuciones más serias del naciente hispanismo erudito, que aparecía al mismo tiempo que se aseguraba la opinión de que España era un país romántico por naturaleza y por razón de su historia.

Dos impedimentos contrariaban, sin embargo, la progresión en el estudio de la Edad Media: una trivial consideración de la época según el gusto romántico que ya se había hecho común y manido, y la falta de un sistema ordenado en la exploración. Y esto vino a superarlo la obra de varios eruditos e historiadores. Es notable la actividad de Bartolomé José Gallardo (1776-1852), investigador incansable, el bibliófilo que mayor número de libros raros conoció en su tiempo, pero que no tuvo ocasión de organizar la gran cantidad de noticias que poseyó en una obra de conjunto. Con la obra de José Amador de los Ríos (1818-1878) se entra en el período moderno de los estudios sobre la literatura medieval. Sintiendo el fervor propio del romántico por la Edad Media, su obra resulta, sin embargo, mesurada y objetiva, y constituye la más extensa revisión de la literatura medieval que se realizó en su tiempo en la forma de una historia crítica [1].

Con la abundante cosecha bibliográfica de Gallardo y esta Historia de Amador de los Ríos, quedó asegurado el estudio de la literatura medieval. Por otra parte, la metodología positivista, que tanto impulso había dado a la Filología románica, también halló su eco en España, templada casi siempre por afanes poéticos, como es el caso de Manuel Milá y Fontanals (1818-1864), cuyos estudios en el campo medieval fueron básicos. "La implantación en España de los modernos métodos de investigación crítica a Milá se debe principalmente", escribió en 1908 Menéndez Pelayo [2]. Desde entonces la mayor parte de los historiadores de la Filosofía, Ciencias, Religión y de los demás

---

[1] G. DÍAZ-PLAJA publicó un *Esquema historiográfico de la literatura española*, que encabeza la *Historia General de las Literaturas Hispánicas*, I, LXI-LXXV (mencionada en la nota 11). Las referencias completas de los libros citados pueden hallarse en las Bibliografías que luego señalaré de H. SERÍS (principalmente números 1-16), y de J. SIMÓN DÍAZ, I (2.ª ed.) por orden alfabético (págs. 9-65). En cuanto a la diversa valoración que de la Edad Media hizo la progresión de la crítica literaria, véase el tratado de R. WELLEK, *Historia de la crítica moderna*, tomo I (La segunda mitad del XVIII). Madrid, 1959, II (El Romanticismo), Madrid, 1962. También H. BIHLER, *Spanische Versdichtung des Mittelalters im Lichte der spanischen Kritik der Aufklärung und Vorromantik*, Münster, 1957.

[2] Véase M. MENÉNDEZ PELAYO, *El Doctor D. Manuel Milá y Fontanals (semblanza literaria)*, *Estudios y Discursos de Crítica Histórica y Literaria*, V, ed. Obras Completas, Santander, 1942, págs. 137.

aspectos de la cultura española ha tenido ocasión de ocuparse de este período, y muchos de ellos han publicado textos y estudios cuyo conocimiento es necesario para completar una idea sobre el mismo. En el aspecto literario, la figura más relevante de esta parte del siglo XIX fue Marcelino Menéndez Pelayo (1856-1912). Discípulo de Amador de los Ríos y de Milá, supo recoger la erudición de sus maestros, y reuniéndola con una lectura muy extensa y profunda de las obras literarias, creó un sistema de crítica personal, que resulta el más documentado en su tiempo. Sus propósitos de historiar la literatura española lograron sus mejores frutos en los libros que dedicó a la lírica, la novela y la estética, sobre todo en lo referente a la parte medieval, que resultó tratada en forma más completa que las otras épocas, por ser el comienzo de obras que no logró dar fin por resultar excesivas para una vida. Su dilatada labor de crítica, impresionante por el número y extensión de los libros consultados, está llena de ponderación; en muchos casos estableció juicios que después probaría una erudición más detenida que la suya. Sus trabajos están guiados más por su soberana intuición que por un método determinado[3].

---

[3] Véase el libro de D. ALONSO, *Menéndez Pelayo, crítico literario*, Madrid, 1956; y más en concreto, J. LOVELUCK, *Menéndez y Pelayo y la literatura española medieval*, Santiago de Chile, 1957, que trata sobre todo de los juicios sobre Berceo, Juan Ruiz y la *Celestina* y su relación con la crítica posterior. Sobre las orientaciones metodológicas de la obra crítica de Menéndez Pelayo, véase C. REAL DE LA RIVA, *Menéndez Pelayo y la crítica literaria*, "Boletín de la Biblioteca Menéndez Pelayo", XXXII, 1956, págs. 293-341. Para fijar las ideas que tuvo sobre conceptos de crítica e historia literarias, lenguaje, estilo, filología y la diversa creación poética, y en particular sobre la Edad Media, resulta útil para el estudiante la *Antología General de Menéndez Pelayo. Recopilación orgánica de su doctrina.* Por J. M. SÁNCHEZ DE MUNIAIN, Madrid, 1956, 2 tomos. Las *Obras Completas* de M. MENÉNDEZ PELAYO han sido publicadas otra vez (repitiendo los textos anteriores y añadiendo algún nuevo material); comenzó esta edición el año 1940 y en el de 1958 la colección había alcanzado el tomo 65, que se daba como último de la serie; algunas colecciones de obras han sido editadas por segunda vez, como los *Orígenes de la novela*, 1962. Por los índices que tienen las diversas obras en esta Colección, aunque desiguales, útiles para la consulta, cito los estudios de Menéndez Pelayo por estas *Obras Completas*.

Otros eruditos y críticos siguieron trabajando sobre la literatura de la Edad Media, aunque sin contar muchas veces con los métodos del positivismo filológico. Sobre todo resultó patente la conveniencia de asimilar los métodos que la filología románica había establecido en relación con la edición de textos, y la minuciosa investigación de datos documentales sobre las obras y los autores, paso necesario para una segura interpretación de la literatura. Y así ocurrió que algunos esfuerzos se frustraron por esto, como el de la Historia de la literatura (1915-22) de Julio Cejador, libro que contiene muchos datos, pero que por su descuido y por los violentos juicios que formuló desde su posición casticista apenas resulta aprovechable.

La función de poner la filología española al corriente de estos métodos fue el gran cometido de Ramón Menéndez Pidal (1869), cuyos estudios sobre la Edad Media marcan la nueva orientación en la materia. Su obra personal de investigación se convirtió pronto en magisterio y en principio de una escuela ordenada de crítica. Fundó en 1914 la "Revista de Filología Española", cuya información bibliográfica fue durante muchos años la fuente más importante para el estudio de la lengua y literatura españolas, con minuciosa atención para la parte medieval.

La escuela de Menéndez Pidal cuenta con un importante grupo de eruditos y críticos que, aunque diversos en su orientación, tienen de común como punto de partida un básico conocimiento de la lengua que se aplica a la interpretación del texto literario, y un afán de renovar y ampliar los datos mediante la investigación en los archivos y bibliotecas. Desde estos principios se ha llegado a nuevas concepciones de la crítica, según los autores. Ejemplo de esto se halla en la obra de Antonio García Solalinde (1892-1937) con sus ediciones y estudios de Alfonso X. Américo Castro y Quesada (1885), que comenzó publicando textos medievales (Fueros, Glosarios, etc.), reunió una gran documentación de la época que le sirvió como fundamento de su polémica sobre España. Tomás Navarro Tomás (1884) puso base científica a la Fonética y Métrica españolas. Samuel Gili Gaya (1892) se aplicó al estudio de la prosa y de autores del fin del Medievo. Homero Serís (1879) tiene recién publicada una bibliografía sobre la lengua española, la más extensa y completa que existe, y en curso de publicación una gran bibliografía sobre la literatura española, así como ha proseguido el gran esfuerzo de Gallardo con una continuación de su *Ensayo...* bibliográfico. Pedro Salinas (1892-1951) fue poeta y profesor, y su libro sobre Jorge Manrique es un cabal logro en el que se equilibra la erudición con el esfuerzo por penetrar en el hondo sentido de la poesía. También poeta y profesor es Dámaso Alonso (1898), empeñado en asegurar unos principios en la Estilística española y su aplicación al estudio de las grandes obras y autores de la literatura, colector de una ponderada Antología medieval, y autor de estudios sobre el *Poema del Cid,* Berceo, los libros de caballerías, etcétera. Eduardo Martínez Torner (1888-1955) se especializó en el estudio de la lírica popular tanto en su relación con la literatura como con la música, alcanzando los orígenes medievales. Manuel García Blanco (1902-1966) en Salamanca estudió entre otros el *Libro de Apolonio,* el Romancero, y el *Cancionero* de Baena. Rafael Lapesa Melgar (1908), documentado conocedor de varios autores de la Edad Media, en especial de Santillana, escribió un importante manual sobre la lengua española, en el que la parte medieval trata en afortunada síntesis del proceso de la lengua literaria de la época. Los eruditos y críticos de una nueva generación, prosiguiendo en parte la labor de los investigadores citados, hoy en la plenitud de su madurez creadora, y en parte buscando en las más recientes orientaciones los nuevos caminos de la crítica, continúan laborando en el dominio de la literatura medieval. En las páginas siguientes se hallará su mención y se percibirá la orientación de estos trabajos.

Por otra parte, la traducción de los libros básicos para el estudio de la filología española ha tenido un gran incremento en estos últimos años. Muchos tratados y estudios que se citan en este libro, escritos en su edición primera en otras lenguas, han pasado al español, y así se ha establecido una intensa divulgación de teorías y puntos de vista que hasta hace poco quedaba limitada a estrechos círculos.

Conviene también señalar que los hispanoamericanos cooperan de manera activa en el estudio de una tradición que es común a cuantos nos valemos del español. Andrés Bello (1781-1865) vivió en tiempos en que la libertad romántica tuvo para los americanos un claro signo político en favor de la independencia de sus naciones; en esta situación supo establecer una distinción entre la actividad política, referente a una circunstancia determinada, y la permanente tradición cultural que podía seguir uniendo España con las nuevas naciones americanas de habla española. Y dando el ejemplo escribió notables estudios sobre la literatura medieval, que así pasaba a ser también patrimonio de estas referidas naciones [4]. Federico Hanssen (1857-1919) puede ser considerado como americano, y dio un rigor positivista al estudio de la lengua y la literatura medievales que sirvió de guía. En el actual siglo ha crecido el número de investigadores que han estudiado estos dominios comunes de la filología española. Siguiendo la disciplina metodológica que marcó el Instituto de Filología de Buenos Aires, en el que trabajó con tanto fruto Amado Alonso (1896-1952), se han escrito diversos trabajos sobre la literatura medieval. La intensa actividad de María Rosa Lida de Malkiel (1910-1962) será mencionada en diversas partes de este libro, así como la de otros eruditos y críticos formados en esta escuela. La "Revista de Filología Hispánica" se publicó desde 1939 a 1946 en Buenos Aires; hoy la revista del Instituto se titula "Filología". La "Nueva Revista de Filología Hispánica", publicada desde 1947 en Méjico, continúa con la misma orientación, y su bibliografía es una excelente fuente de información. En las publicaciones de la Universidad de Chile se halla otro grupo de estudios sobre la Edad Media; la actividad de Rodolfo Oroz es notable. También se considera el período medieval en el Instituto Caro y Cuervo, de Bogotá, y el Boletín del mismo, "Thesaurus", se ocupa de estos estudios.

---

[4] J. CAILLET-BOIS, *Las investigaciones de Andrés Bello en torno a la poesía medieval*, "Humanidades" XXXIV, 1954, págs. 7-36.

LOS ESTUDIOS GENERALES

Las obras literarias en la Edad Media aparecieron con unos caracteres generales que se pueden considerar comunes en la Europa de la tradición cultural germanorrománica. H. J. Chaytor plantea de manera inteligente [5] el estudio de estos principios generales, y su obra es una excelente introducción para conocer las circunstancias en que aparecieron las primeras obras en lengua vernácula hasta que la imprenta hizo que se cambiasen por las que, ya impresas, son las del mundo moderno, el precedente de estas nuestras, de hoy.

De otros períodos de la literatura española hay tratados de conjunto en que se estudia el arte literario de la época; en cuanto a la Edad Media, sólo Agustín Millares Carlo [6] publicó una historia literaria de esta época con un criterio cronológico en el desarrollo, y que es una fuente de información general. Los libros más recientes sobre la historia literaria de España tienen partes y capítulos en que tratan de la Edad Media, y pueden suplir en cierto modo esta falta de tratados específicos. Así ocurre con las Historias de Hurtado y González Palencia [7], Valbuena Prat [8], Ángel del Río [9], Díez-Echarri y Roca [10].

---

[5] H. J. CHAYTOR, *From Script to Print (An Introduction to Medieval Vernacular Literature)*, 2.ª ed., Cambridge, 1950. Para una visión de conjunto (con escasa representación de la parte española): W. T. H. JACKSON, *The Literature of the Middle Ages*, New York, 1961. Con igual precaución por la parte medieval: Th. R. PALFREY y otros, *A Bibliographical Guide to the Romance Languages and Literatures*, cuarta edición, Evanston, 1951.

[6] A. MILLARES CARLO, *Literatura española hasta fines del siglo XV*, México, 1950. El antecedente más completo en el siglo XIX fue la obra de L. CLARUS, *Darstellung der Spanischen Literatur im Mittelalter*, Mainz, 1846, 2 tomos. También L. VIARDOT (1835) y el Conde de PUYMAIGRE (1861-2) dedicaron estudios a esta parte de la literatura española.

[7] J. HURTADO y A. GONZÁLEZ PALENCIA, *Historia de la literatura española*, 6.ª edición, Madrid, 1949 (objetiva exposición de datos, con referencia primordial a los juicios de Menéndez Pelayo).

[8] A. VALBUENA PRAT, *Historia de la literatura española*, 7.ª edición, I, Barcelona, 1964 (selección de datos con criterio idealista, acompañada de bibliografía básica).

[9] A. DEL RÍO, *Historia de la literatura española*, 2.ª ed., I, New York, 1963

En cuanto a obras de más empeño, la Historia dirigida por Guillermo Díaz-Plaja contiene una colaboración de varios autores que se ocupan del período [11]. Otras obras servirán también como fuentes generales de información, y se irán citando en los lugares convenientes.

La bibliografía de la literatura española se encuentra recogida desde 1914 en la "Revista de Filología Española" [12]. La publicación de grandes bibliografías sobre la literatura comenzó hace poco [13], y en 1948 apareció el tomo primero de la obra de Homero Serís [14] y en 1950 el de la de José Simón Díaz [15]. Sobre cuestiones de literatura

---

(hábil resumen de la información y bibliografía muy selecta, propio para estudiantes extranjeros).

[10] E. DÍEZ-ECHARRI y J. M. ROCA, *Historia de la literatura española e hispanoamericana,* Madrid, 1960; Edad Media, págs. 19-164. Ya en pruebas este libro, aparecieron: la *Historia de la Literatura Española,* de J. M. CASTRO CALVO, Barcelona, 1965; la parte medieval, en el I, págs. 19-133; y la de igual título, de J. L. ALBORG, Madrid, 1966, I, págs. 35-308.

[11] *Historia General de las Literaturas Hispánicas,* publicada bajo la dirección de G. DÍAZ-PLAJA, Barcelona, I, 1949 (Desde los orígenes hasta 1400); II, íd., 1951 (Prerrenacimiento y Renacimiento). La parte medieval abarca hasta la pág. 315.

[12] En el volumen XLVI, 1964, con ocasión de los cincuenta años de la publicación de la revista, se publicará un índice general, y la bibliografía completa de su fundador Menéndez Pidal. A. M. Pollin y R. Kersten han publicado una *Guía* para la consulta de esta Revista, New York, 1964.

[13] Para los años precedentes, de 1905 a 1917, puede verse la *Bibliographie Hispanique, 1905-1917,* publicada por "The Hispanic Society of America", New York, 1909-1919. Aún resulta útil una guía bibliográfica del mismo R. FOULCHÉ-DELBOSC y de L. BARRAU-DIHIGO, *Manuel de l'Hispanisant,* I, New York, 1920; II, 1925, incompleto.

[14] H. SERÍS, *Manual de Bibliografía de la Literatura Española,* Syracuse, I, 1948-1954 (en curso de publicación).

[15] J. SIMÓN DÍAZ, *Bibliografía de la literatura hispánica,* I (2.ª ed.), Madrid, 1960; II, 1951 (Cuestiones generales); III, 2.ª ed. ampliada, vol. I, Madrid, 1963 (comprende los cuatro primeros siglos, las fuentes generales del siglo XV y los cancioneros. III, 2.ª ed. ampliada, Vol. II, Madrid, 1965, con el resto hasta el fin de la Edad Media). J. SIMÓN-DÍAZ es autor también de un *Manual de Bibliografía de la literatura española,* Barcelona, 1963, de utilidad para una iniciación en la materia. (La parte medieval va de la página 57 a la 111). La "Revista de Literatura" publica una información bibliográfica, que dirige el mismo y que también abarca la parte medieval. Pueden

comparada, el libro más importante es el de Fernand Baldensperger y Werner P. Friederich [16].

Se han reunido algunas Antologías generales sobre este período. Como tal se puede considerar la ya anticuada *Antología de poetas líricos* de Marcelino Menéndez Pelayo [17]. Dámaso Alonso juntó con criterio poético una buena Antología de la poesía medieval, y otras, como la *Crestomatía* preparada por Menéndez Pidal, responden a criterios de orden lingüístico o pedagógico [18].

---

verse también las informaciones sobre la literatura (e historia) medieval en "The Year's Work in Modern Language and Studies", por R. B. TATE.

16 F. BALDENSPERGER y W. P. FRIEDERICH, *Bibliography of Comparative Literature,* Chapel Hill, 1950. Para informar al estudiante de las cuestiones fundamentales del comparatismo como técnica de estudio de la literatura, es útil el manual de A. CIORANESCU, *Principios de literatura comparada,* La Laguna, 1964.

17 M. MENÉNDEZ PELAYO, *Antología de poetas líricos castellanos,* vols. XVII-XXVI, 1944-1945.

18 D. ALONSO, *Poesía de la Edad Media y poesía de tipo tradicional,* 2.ª ed., Buenos Aires, 1942. Son de orden general: J. D. M. FORD, *Old Spanish Readings,* Boston, 1906...; V. GÓMEZ BRAVO, *Tesoro Poético Castellano de los siglos XII a XV,* Madrid, [1911]; J. DE ENTRAMBASAGUAS, *Antología histórica de la lengua española,* I (Orígenes a Nebrija), Madrid, 1941; L. BIANCOLINI, *Literatura española medieval* (del *Cid* a la *Celestina),* Roma, 1955; E. KOHLER, *Antología de la literatura española de la Edad Media* (1140-1500), París, 1957; *Antología Mayor de la Literatura Española,* dirigida por G. DÍAZ-PLAJA, tiene el tomo I dedicado a la Edad Media, Barcelona, 1958; *Edad Media Española,* ed. de F. C. R. MALDONADO, Madrid, 1959; D. J. GIFFORD, *Textos lingüísticos del Medioevo español,* Oxford, 1959; F. TATIANA, *An Antology of Old Spanish,* Washington, 1962; en la diversidad de obras recogidas en la antología histórica de M. ALVAR, *Textos Hispánicos Dialectales,* Madrid, 1960, dos tomos, hay numerosos ejemplos de la literatura medieval; lo mismo ocurre con la *Crestomatía del español medieval,* por Ramón Menéndez Pidal, acabada y revisada por Rafael Lapesa y María Soledad de Andrés, que reúne muestras muy diversas y publicadas con gran cuidado filológico de textos medievales, tomándolos de diversas ediciones. El tomo I (Madrid, 1965) comprende desde los orígenes hasta la herencia alfonsí, 1325. Una antología general de la lírica europea medieval, con ejemplos de poesías latinas y de las diversas lenguas romances, es el libro de F. BRITTAIN, *The Medieval Latin and Romance Lyric to A. A. 1300,* Cambridge, 1951; la representación castellana es muy deficiente.

EL HISPANISMO EN EL ESTUDIO DE LA LITERATURA MEDIEVAL

Quedaría incompleta esta referencia general de fuentes si no señalase la contribución del Hispanismo en el conocimiento de la literatura medieval española. Investigadores de todo orden, filólogos, historiadores, críticos y de los más varios campos de la erudición literaria, han escrito estudios de gran importancia sobre esta parte; igual que en el caso de los españoles, ocurre que a veces no son medievalistas tan sólo, sino que conjugan el estudio de esta época con el de otras, y frecuentemente, situados en un punto de vista comparativo, con diversas literaturas. Sus nombres pueden encontrarse en el índice de esta obra, y noticias más extensas de su aportación se hallan en los estudios particulares sobre el Hispanismo, algunos de los cuales cito en seguida. Los estudiosos de la literatura española acogidos en esta orientación se han reunido en la "Asociación Internacional de Hispanistas", y muchos de ellos cultivan el período medieval [19].

La vecindad de España con Portugal y la común historia de los reinos hispánicos (en particular, de Aragón y Cataluña) obligan a una consideración de estas literaturas de los orígenes peninsulares. Así de la literatura catalana y de sus estudiosos: J. Rubió y Balaguer y F. Vendrell de Millás, cuyos trabajos se refieren en particular a los reyes de Aragón relacionados con Nápoles, Cancioneros, etc., dominio en cierto modo común; P. Bohigas, G. Díaz-Plaja, Martín de Riquer están en ambas literaturas, con una labor muy provechosa para matizar la complejidad de la literatura medieval en lengua castellana. Así ocurre con los lingüistas J. Corominas, cuya aportación bibliográfica para el estudio del español es básica, como ya se dirá, y A. M. Badía y Margarit, orientado hacia los estudios filológicos [20].

---

19 Bajo la presidencia de honor de R. Menéndez Pidal, fue presidente efectivo (1962-1965) D. Alonso, y actualmente lo es M. Bataillon.

20 Un libro de A. M. BADIA Y MARGARIT, *Llengua i cultura als paisos catalans*, Barcelona, 1964, puede servir como orientación general sobre las actividades lingüísticas en lengua catalana.

Muchas cuestiones literarias del Medievo son comunes entre Portugal, Galicia y Castilla, y de ahí que muchos autores las hayan tratado conjuntamente. La obra de los grandes eruditos del siglo XIX, Teófilo Braga, Carolina Michäelis, etc., fue continuada en el presente por los estudios de Manuel Paiva Boléo, J. J. Nunes, Manuel Rodrigues Lapa, Luis Felipe Lindley Cintra, entre otros más.

La Universidad de Poitiers ha publicado un repertorio general de los medievalistas europeos, entre los que se encuentran los que se ocupan de estudios literarios [21]. El Hispanismo francés desde Morel-Fatio hasta hoy ha sido estudiado recientemente por Albert Cécile Coutu [22]. J. C. J. Metford trató de la aportación británica a los estudios hispánicos [23]. La dedicación de los estadounidenses a España fue estudiada por Stanley T. Williams [24]. J. J. A. Bertrand [25] reunió lo fundamental de la bibliografía hispanista en Alemania [26]. El hispanismo checo ha sido estudiado por Z. Hampejs [27].

Hay algunas revistas extranjeras que tratan exclusivamente de la lengua y literatura españolas, y que pueden considerarse como el cen-

---

[21] *Répertoire International des Médiévistes* (Publicación de los "Cahiers de Civilisation Médiévale"), 2.ª ed., Poitiers, 1965.

[22] A. C. Coutu, *Hispanism in France from Morel-Fatio to the present (circa 1875-1950)*, Washington, 1954.

[23] J. C. J. Metford, *British Contributions to Spanish and Spanish-American Studies*, Londres, 1950; hay traducción: *La aportación británica a los estudios hispánicos e hispanoamericanos*, Barcelona, 1952.

[24] S. T. Williams, *La huella española en la literatura norteamericana* (I, págs. 9-12 y cap. IV), Madrid, 1957. En la parte referente al hispanismo americano ha sido completado por F. S. Stimson, *Present Status of Studies in North America*, "Hispania", XL, 1957, págs. 440-443.

[25] J. J. A. Bertrand, *L'Hispanisme allemand*, "Bulletin Hispanique", XXXVII, 1935, págs. 220-235.

[26] Téngase en cuenta también la aportación de los hispanistas de Italia, Suiza, Holanda, Bélgica y Suecia y otros países, de la que se hallará noticia en la *Bibliografía* de H. Serís, I, núms. 736-745 y 6845-6854. Sobre Rusia: G. Baudot, *Les études hispaniques en U. R. S. S.*, "Les Langues Néo-Latines", 55, 1961, págs. 64-68.

[27] Z. Hampejs, *El hispanismo en Checoslovaquia*, "Thesaurus", XVIII, 1963, págs. 186-193.

tro de los estudios hispanísticos de la nación en que aparecen. Así ocurre con el "Bulletin Hispanique", que se publica en Burdeos; el "Bulletin of Spanish Studies", en Liverpool; la "Hispanic Review", en Philadelphia; y los "Quaderni Ibero-americani", en Turín.

Finalmente, los libros que se han publicado en homenajes dedicados a diversos profesores contienen también un buen número de artículos sobre la literatura medieval española [28].

---

[28] Su referencia se halla en H. H. GOLDEN y S. O. SIMCHES, *Modern Iberian Language and Literature: A Bibliography of Homage Studies*, Cambridge, Mass., 1958.

CAPÍTULO II

LA FILOLOGÍA EN EL ESTUDIO DE LA LITERATURA MEDIEVAL

LENGUA Y LITERATURA EN LA CONSIDERACIÓN DE LA OBRA MEDIEVAL

En el comienzo de un libro referente a la literatura medieval hay que referirse a las cuestiones lingüísticas [1] por una razón, no por evidente menos importante en sus consecuencias: la obra literaria es siempre, por la condición de su esencia expresiva, un hecho lingüístico, una comunicación que se establece entre un autor o intérprete y un lector o público. Esta comunicación tiene en términos generales ciertas peculiaridades: es reiterable con un mismo contenido (o texto), y el lector o público es un receptor del mismo, pasivo hasta cierto punto. Por tanto, la conservación del texto es una cuestión básica para su conocimiento y crítica, y la receptividad del lector o público, el factor decisivo en su vigencia o mantenimiento de sus valores estéticos.

---

[1] Punto de partida básico es la obra de H. SERÍS, *Bibliografía de la lingüística española*, Bogotá, 1964, donde se halla ordenada la gran cantidad de obras escritas sobre estas cuestiones, y entre ellas las referentes a la Edad Media.

Por su condición lingüística la obra literaria puede estudiarse desde distintos puntos de vista: a) es fuente de documentación para los estudios lingüísticos, lo mismo que lo es cualquier testimonio escrito (del Derecho, Ciencias, etc.). b) ha de considerarse un resultado del uso de la lengua, en el que, lo mismo que en otros semejantes el autor ha elegido unos determinados medios de expresión de entre los que presenta la lengua que habla (y escribe). No cabe, pues, considerar como distintos lenguaje y creación literaria: si la elección de estos medios presenta un grado de complejidad diferente en la obra literaria que en el diálogo cotidiano, esto no afecta a la esencia de la comunicación. Esta consideración de principios es válida para cualquier literatura y época, y para la medieval, de una manera determinada, con sus propias cuestiones que resumiré brevemente.

En primer lugar, la literatura de la Edad Media ha recibido un gran beneficio de los estudios que los filólogos realizaron sobre el lenguaje de esta época. La gran variedad de disciplinas que junta la Filología, muchas de ellas con una técnica de trabajo de especialización, contribuye a que el crítico disponga de estudios sobre datos concretos, de un gran valor en muchos casos. Así es indudable que la Gramática y el Vocabulario que acompañaron a la edición crítica del *Poema del Cid,* realizada por Menéndez Pidal, sirvieron para que esta obra se valorase sobre una firme base filológica. Los conceptos creados por la Filología y por la Lingüística que pueden hallar aplicación en el estudio y recta inteligencia de la obra literaria medieval [2], no han de entenderse como divergentes o pertenecientes a campos diversos del literario: pueden incluso identificarse con él, como ocurre con algunos aspectos de la teoría de Menéndez Pidal sobre los cambios lingüísticos y la poesía tradicional. Partiendo, pues, de que la obra literaria es un hecho entre los de comunicación lingüística, el crítico se adentra en la consideración de su especial calidad *creadora.* Esta

2 Sobre el desarrollo de los conceptos básicos y métodos de los distintos autores, véase la exposición de conjunto de Y. MALKIEL, *Filología española y Lingüística general,* en las *Actas del Primer Congreso Internacional de Hispanistas,* Oxford, 1964, págs. 107-126.

condición creadora tiene un complejo sentido: va desde el proceso de la invención hasta la realidad objetiva que es la poesía manifestada. Trance y logro se implican en el resultado. La creación es invención (resultado de una combinación imaginativa) y selección (por cuanto que el autor escoge los elementos lingüísticos más adecuados para su cometido significativo). Esto se verifica en una circunstancia personal (en tanto que el escritor vive en un tiempo, lugar y clase social determinados, y va recogiendo una experiencia de la vida), y sigue una orientación genérica (pues en el ambiente literario en que se desenvuelve el escritor existen unos cauces de creación dominantes que son altamente eficientes en la literatura medieval, si bien ha de ser el *género*, como luego se dirá, debidamente entendido en su función y limitado). Los análisis han de resolverse en síntesis constructiva, pues la intuición del crítico debe gobernar el doble proceso en una correlación diversa según la obra. En la formación de este entramado los datos lingüísticos ocupan un lugar preferente. El lenguaje es un medio idóneo para conocer los gustos, preferencias y disparidades del escritor, y a través de él, para entender el pueblo al que pertenece en la manifestación más cabal de la comunicación.

Desde cualquier punto de vista que se considere, la lengua de la España medieval ha de ser conocida, en grado suficiente, por los que quieran estudiar la literatura de la época, pues el tiempo trascurrido hizo que quedase fuera de la comprensión directa e inmediata que es la propia del uso lingüístico común; hallándose dentro de la misma dimensión histórica del español, sin embargo, no participa de las condiciones de expresividad de la lengua moderna. Para llegar a la poesía hay que salvar esto que pudiera ser una dificultad, y la ayuda más eficaz es el conocimiento de los medios lingüísticos que pudo usar cada autor, y la significación que estos tuvieron para constituir la unidad de creación que es cada una de las obras.

Ahora bien, la lengua *literaria* no es sino un aspecto del complejo conjunto del lenguaje medieval. La lingüística histórica agrupa esta abundante complejidad de datos distribuyéndolos en los dialectos iberorrománicos, cuyo estudio se establece siguiendo la evolución de los mismos en el tiempo y el espacio. Si imaginamos este conjunto en toda su variedad espacial a través del tiempo, tendremos una idea evolutiva del lenguaje, creada por abstracción y análisis de los datos conservados en los documentos. La realidad de la lengua fue, sin embargo, el habla de cada persona, es decir, el uso que hizo de los medios de comunicación para entenderse con sus semejantes. Cada obra literaria entonces se nos presenta como uno de estos hechos de comunicación, en el que confluyen los recursos elegidos por el autor de entre el conjunto de la lengua, aplicados en toda su intensidad con el fin de que los efectos de esta relación resulten creadores, esto es *poéticos* (independientemente de si se utiliza el verso o la prosa). Puede decirse que el testimonio resultante de la poesía es el más valioso de todos, porque en él hallamos el lenguaje en el más alto grado del poder comunicativo que le es inherente, aplicado así a la expresión de los más complejos y matizados contenidos de la vida del hombre. La lengua de la obra literaria pretende abarcarlo todo: relatos de cualquier especie, expresión de sentimientos, diálogos, las veras y las burlas, la risa y el llanto en palabras, voz a veces de la colectividad, o de una clase social, o de unos pocos, o de la más recatada intimidad. El oyente o el lector ha de percibir que en la comunicación establecida hay una intención de llegar a este límite, y esto se consigue casi siempre, al menos en la literatura medieval, identificando el cauce de la expresividad en alguno de los géneros reconocidos como literarios y admitiendo una reconocida maestría. La condición artificiosa de esta lengua (a la que me referiré después extensamente) no impide reconocer su intención vital. "Y la Lengua *vive* en la lengua de los poetas...", escribe Spitzer.

La obra literaria, hecho de "habla" en el lenguaje, aparece ante la consideración del crítico, en la mayor parte de los casos, en trasmisión escrita, como testimonio textual, uno de los muchos que sirven para el estudio del lenguaje histórico. He aquí, pues, señalada su condición de texto, y entonces viene la aplicación de cuanto se conoce para estudiar las condiciones de esta trasmisión. El autor se propuso usar los recursos de la lengua con el fin de *expresar* aquello que pretendía que *impresionase* al lector u oyente. Conviene, pues, reconocer qué se propuso expresar y los medios empleados para lograr que el lector u oyente percibiese esta impresión (lingüística descriptiva); el texto que se conserva hay que encajarlo en el curso de una evolución histórica y encontrar sus relaciones con otros documentos lingüísticos en lo que afecta al tiempo (fechar el texto, calar a través de las copias superpuestas, etc.), y al espacio (lugar o región de donde pueda proceder) y a la condición social (obra culta, popular, cortesana, vulgar, etc.). La obra literaria, por tanto, queda integrada en el campo del lenguaje, en los diversos aspectos de su técnica de estudio; y uno de ellos, el de la Estilística, quiere establecer un sistema de penetración en la irreductible condición personal e intencionada de la obra literaria [3].

ASPECTOS DE LA LENGUA MEDIEVAL

El castellano, el gran tronco del árbol literario español, posee un período en su evolución que se llama precisamente así: medieval. Este período del lenguaje español llamado medieval comprende desde las primeras manifestaciones escritas hasta mediados del siglo XVI; o sea, que sobrepasa el límite estricto de la literatura medieval en cerca de medio siglo, y penetra, por tanto, en el Renacimiento, o comienzos de los Siglos de Oro. Conviene, pues, conocer el aspecto fonológico, fonético y gráfico de este lenguaje castellano, que en su forma medieval era diferente de la moderna, pues de su documentación segura depende que se establezca con firmeza el estudio de los otros aspectos: morfosintáctico, léxico, dialectal, etc., y, en último

[3] Una excelente guía para conocer estos conceptos previos para el estudio de la obra literaria es el libro de R. WELLEK y A. WARREN, *Teoría literaria*, [1948] Madrid, 1953; de "verdadera enciclopedia sobre este tema" lo califica D. Alonso en unos comentarios preliminares a esta edición española. La cita de L. Spitzer poco antes mencionada pertenece a su estudio "La interpretación lingüística de las obras literarias", en la colección de trabajos estilísticos *Introducción a la Estilística Romance*, Buenos Aires, 1942, página 148.

término, la misma penetración en la esencia poética de la obra. Y esto es importante porque la preparación y edición de un texto medieval es siempre un cometido delicado, en el que van implicadas muchas cuestiones.

Después de la gran actividad literaria del reinado de Alfonso X (de 1252 a 1284) quedó establecida una escritura o sistema gráfico (representación de los sonidos con letras) que con ligeras modificaciones y variantes sirvió, aun a través de lo que se llama la crisis del castellano en el siglo XVI, hasta que la Real Academia Española aseguró las bases de la actual ortografía. No hay que creer que entonces se constituyera una *orto-grafía* según se entiende hoy, con normas fijas. En la Edad Media no hubo un criterio riguroso, y el establecimiento de la correspondencia entre signo y sonido representa un término medio en el uso de las letras, establecido sobre todo en relación con el más *recto* castellano. No es lícito, por tanto, corregir el texto de un manuscrito literario siguiendo un lenguaje medieval arquetípico, sino que hay que atenerse al estado que manifieste el documento; y si se corrige algo, ha de ser de manera siempre justificada y apoyándolo con razones críticas internas o externas. Cuando se quiera leer y estudiar una obra de la Edad Media, una primera comprobación ha de consistir en asegurarse de que la edición escogida ofrece las garantías necesarias de rigor en el establecimiento del texto primero, y de pulcritud en la impresión después, con objeto de tener la certeza de que con los datos citados se pueden formular juicios, comentarios y apreciaciones de cualquier índole que sea, con una base firme.

Los tratados generales sobre la lengua española (en particular los que se refieren más detenidamente al período medieval) son libros indicados como instrumentos de trabajo indispensables para comenzar el estudio de esta época. Un buen punto de partida es el conocimiento de los orígenes de la lengua escrita, pues la vacilación propia de los comienzos se prolonga hasta cierto punto en los siglos siguientes, y ayuda a formarse una idea de lo que fue el mantenimiento de una relativa libertad dentro de la unidad que representó la grafía alfonsí.

La información de la lingüística histórica es siempre conveniente, y más si se establece de manera conjunta a través de períodos. La literatura medieval necesita siempre de esta iniciación en los asuntos lingüísticos para que las cuestiones de orden gramatical que puedan presentar los textos se interpreten en forma adecuada. También el crítico ha de contar con una cuidadosa descripción gramatical del texto, que le ha de valer en los análisis conducentes al establecimiento de la estructura expresiva de la obra poética, en el reconocimiento e identificación de los elementos retóricos que le dan una trama de determinada intención literaria, y para elegir los datos concretos sobre los que fundamentar la interpretación estilística [4].

Uno de los aspectos que puede presentar dificultad en la lectura de una obra medieval es el léxico. Si bien en las ediciones comenta-

---

[4] Un buen manual de información sobre el proceso de la lengua, articulado con el desarrollo de la literatura, es la obra de R. LAPESA, *Historia de la lengua española,* 5.ª ed., Madrid, 1962; W. J. ENTWISTLE, *The Spanish Language,* 2.ª ed., Londres, 1948. El mecanismo de la evolución desde un punto de vista fonético se analiza en el libro de R. MENÉNDEZ PIDAL, *Manual de Gramática histórica española,* 12.ª ed., Madrid, 1966, que se completa con la aún útil *Gramática Histórica* de F. HANSSEN [1913], Buenos Aires, 1945. Para el estudio del período crítico anterior a la fijación del castellano alfonsí es fundamental: R. MENÉNDEZ PIDAL, *Orígenes del español,* 3.ª edición, Madrid, 1950. Para la grafía y la pronunciación del castellano medieval, puede verse: R. J. CUERVO, *Disquisiciones sobre antigua ortografía y pronunciación castellana,* "Revue Hispanique", II, 1895, págs. 1-60; V, 1898, págs. 273-307; y en *Obras...*, Bogotá, 1954, II. H. GAVEL, *Essai sur l'évolution de la prononciation du castillan depuis le XIVe siècle,* Paris, 1920. La transición entre el español medieval y el moderno se estudia detenidamente en la obra de A. ALONSO, *De la pronunciación medieval a la moderna en español,* Madrid, 1955 (II, en curso de publicación; libro que ultimó y preparó para la imprenta R. Lapesa). Desde un punto de vista estructural, el asunto se plantea en la obra de E. ALARCOS LLORACH, *Fonología española,* 3.ª ed., Madrid, 1961, y *Gramática estructural,* Madrid, 1951. Como un ejemplo de la aplicación de las modalidades del examen estructural a la literatura puede verse: L. H. ALLEN, *A Structural Analysis of the epic Style of the Cid,* publicado en *Structural Studies on Spanish Theme,* Salamanca, 1959, págs. 341-414. La guía de información más completa sobre los asuntos relativos a la lengua española es la obra de H. SERÍS, *Bibliografía de la Lingüística Española,* citada en la nota 1: sobre la historia del español desde sus orígenes, págs. 228-239.

das esto se salva en las notas aclaratorias, citaré algunas obras que pueden orientar al lector: El *Diccionario* de la Real Academia Española contiene las palabras medievales bajo la indicación de *anticuadas*. El número recogido no es muy grande y sujeto a revisión. El *Diccionario Histórico de la Lengua Española*, que sería el específico para estas cuestiones, está en curso de edición [5]. Como las palabras difíciles de los textos medievales implican problemas de interpretación en los que cuenta la etimología, puede resultar útil la consulta del *Diccionario Etimológico* de J. Corominas [6]. Los Diccionarios medievales que existen hoy son sólo tentativas [7], y los glosarios de obras literarias, de muy desigual valor [8].

La dialectología es otro orden de estudios lingüísticos que tiene gran importancia. Aun cuando el contenido del presente libro se centra en la literatura castellana, hay que considerar también la aragonesa y la leonesa en directa relación con ella (y aun las relaciones con la catalana y gallego-portuguesa). En el caso del grupo formado por el castellano con el leonés y aragonés, ocurre que casi nunca se encuentran textos con formas dialectales "perfectas" en su caracterización; la obra literaria, y más la de acentuado carácter poético, está escrita en un habla *impresionante* (pues aún los usos retóricos más comúnmente admitidos pueden serlo por lo que el autor les ha confiado), con un gran poder de insinuación sobre el lector u oyente, y

---

[5] Real Academia Española, *Diccionario Histórico de la Lengua Española*, Madrid, 1960... (en 1965 alcanza la palabra *aducción*).

[6] J. COROMINAS, *Diccionario Crítico Etimológico de la Lengua Castellana*, 4 vols., Madrid, 1954 [terminado en 1957] (en las págs. XXXIII-LIX, referencia de los textos medievales que han sido utilizados). Hay una edición reducida del mismo autor que puede ser conveniente para la consulta del estudiante: *Breve Diccionario Etimológico de la Lengua Castellana*, Madrid, 1961 (véase en la pág. 11 la relación de obras medievales usadas para la fechación).

[7] Véase H. SERÍS, *Bibliografía de la Lingüística Española*, obra citada, "Vocabularios generales de voces medievales", págs. 425-427.

[8] Véase su relación, junto a las otras obras medievales de otro carácter, en H. SERÍS, ídem. "Glosarios correspondientes a la Edad Media", páginas 464-468.

por tanto sobrepasa los esquemas de la lingüística, constituidos por abstracción de los rasgos más peculiares, reunidos en recuentos establecidos sobre la frecuencia de los usos testimoniados. No hay, pues, que forzar tampoco su caracterización dialectal, aunque puede señalarse el predominio de determinados esquemas básicos, y sea de gran conveniencia penetrar a través de ellos en el conocimiento de las diversas manos que fueron copiando el texto, y a veces recreándolo. Esta transformación puede variar el carácter de la obra de un manuscrito a otro, desde matices levísimos de orden fonético hasta sustituciones y añadidos que pueden cambiar su sentido poético. De esta manera la obra literaria medieval se ha de concebir en esta activa fluencia, y contar con que los textos conservados son unos poquísimos testimonios de su documentación, que nunca se logrará completa. La obra literaria participa así del carácter mismo de la lengua, tal como aparece en la consideración histórica y geográfica, aun contando con que cada pieza conservada sea única en su propia entidad. Un buen ejemplo de la colaboración entre lingüística y literatura lo ofrece el establecimiento, interpretación e inteligencia de los cantos andalusíes o cancioncillas mozárabes [9].

AUTORÍA Y ANONIMIA EN EL ESTUDIO DE LA LITERATURA MEDIEVAL

Todo cuanto se ha dicho sobre las características lingüísticas de la literatura medieval, obliga a revisar cuidadosamente la postura general

---

[9] Se hallará amplia información y la bibliografía correspondiente en A. ZAMORA VICENTE, *Dialectología española,* Madrid, 1960. Sobre los dialectos colindantes con el castellano puede verse el libro de M. ALVAR, *El dialecto aragonés,* Madrid, 1953, con mención de los textos literarios conservados en él mismo; y los artículos de R. MENÉNDEZ PIDAL sobre *El dialecto leonés,* en la "Revista de Archivos, Bibliotecas y Museos", X, 1906, págs. 128-172 y 294-311, reeditados en Oviedo (con prólogo, notas y apéndices de C. BOBES), 1962. Una exposición informativa sobre la lengua mozárabe se hallará en M. SANCHÍS GUARNER, *El mozárabe peninsular,* publicado en la *Enciclopedia Lingüística Hispánica,* I, Madrid, 1960, págs. 293-342.

del crítico moderno con respecto a la obra del escritor. No hay duda alguna de la función del escritor con respecto a la obra, que se estima de orden creador, con todas las consecuencias que esto implica: intangibilidad del texto, que es el fundamento único del comentario crítico y la base de la valoración estilística y estética. En el caso de la obra medieval, aun cuando se conozca con seguridad al autor, siempre resulta difícil de verificar si el texto responde por completo a la creación; suele haber variantes entre los manuscritos, cuya cronología es aventurada, con retoques que pueden ser o no del autor; después existen las modificaciones dialectales ya indicadas, que complican mucho la cuestión por la imposibilidad de referirse a una lengua general literaria, etc. La autoría se encuentra, por tanto, en cierto modo condicionada por factores imprevisibles; y la exploración crítica cuenta con esto, aun procurando que no le impida el juicio sobre la condición única y personal, esto es, creadora, de la obra literaria. El crítico, pues, se ha de mostrar muy perspicaz buscando desenredar los elementos adheridos a la creación; pero, por otra parte, ha de contar también con ellos, y cuando los encuentra en un manuscrito, los ha de considerar integrando la obra misma, puesto que sabemos con certeza que allí los leyeron los que quisieron conocer aquella obra. Pero la dificultad crece aún más si la obra no tiene autor conocido; y obliga a adoptar un criterio diferente si la obra es anónima por voluntad de creación. En este punto alcanzamos la concepción de la poesía *tradicional*, existente dentro de una comunidad como patrimonio de todos y conservada no en documento, sino en la memoria del pueblo que la tiene como suya.

La existencia de la poesía tradicional se ha visto afirmada desde el punto de vista metodológico, con más motivo aún en el caso de la literatura primitiva. Menéndez Pidal [10] traza con este motivo el cuadro de condiciones de esta poesía diciendo que: a) la obra es siempre creación de un autor, pues no hay otra forma de llegar a la realidad

---

[10] R. Menéndez Pidal, *La primitiva lírica europea*, "Revista de Filología Española", XLIII, 1960, pág. 311.

poética, pero este autor es *anónimo* por su voluntad y porque la naturaleza de la obra lo pide así; ningún efecto tiene conocer el nombre del autor, y por otra parte este deja la obra para el gusto de todos los que constituyen la comunidad; y aun cuando en un principio se pudo saber quién fue el autor, después el público ha mantenido la obra como algo propio, con olvido del nombre de su creador. Para esto es necesario que la comunidad posea un sentido literario en el que aparece un sistema colectivo de perduración de la literatura, cuyas características se señalan en seguida; b) la trasmisión es oral; c) así el "texto" resulta fluido, *vive de variantes;* d) es obra de *arte colectivo;* e) pero un autor puede escribir siguiendo el gusto de la colectividad que tiene por suya y presente una *tradición popular nacional;* f) la moda desvía poco esta tradición, y en forma distinta a como lo hace con la obra literaria escrita. La concepción de una poesía tradicional es básica para el estudio de la lírica primitiva; se plantea también en relación con las manifestaciones de la épica, y el concepto tiene allí otro orden de precisiones, frente a piezas poéticas no breves, como las líricas, sino de gran entidad; y, finalmente, resulta sustancial para la perduración del Romancero. La oposición entre autoría y anonimia no ha de estimarse como radical, considerada desde el punto de vista de la creación. El poeta se halla siempre en el punto de partida, y el que no se conozca el nombre del autor no supone admitir, sin más averiguaciones, el vago concepto de una poesía "brotada del alma de todo un pueblo", tan propio de los románticos. Ha de existir siempre un autor, alguien con poder de creación que, dentro de un gusto literario colectivo, en un ambiente predeterminado por múltiples circunstancias dé cuerpo de expresión poética a la obra. No importa que luego vengan otros que reformen, pulan, enriquezcan el poema, lo adapten a otros gustos. No se trata en estos casos sólo de la aparición de las variantes que son propias de una trasmisión oral, sino de algo más: participaciones creadoras, aparecidas en la difusión de la obra, que se hacen entendiendo que el poema es de todos. Este *poeta* (pues así se llamó al creador) no declara su nombre por saber que eso poco hace al caso, y esta misma anonimia es conciencia de creación, que todos entienden y cuya condición poética aprecian en razón de una maestría que reconocen en la obra, si esta se encuentra lograda. El poema entonces supone un doble movimiento creador: del autor, a la comunidad, y de esta a aquel. Y ambos, autor y comunidad, se sienten identificados en un grado mucho más próximo que en el caso de la obra escrita por un autor que se atiene a un orden de valores personales. Se trata, pues, de diferentes especies de esta relación que ocurre en todos los casos (pues sin ella no existe obra literaria), y que en la situación de los tiempos actuales sólo puede apreciarse en algunos aspectos de la lírica, y cuyo estudio se confía a los límites entre el folklore y la ciencia literaria. En la Edad Media Menéndez Pidal extiende estas diferencias hasta constituir dos maneras de concebir la obra, que en forma elemental y despojada de matices radica en lo que llama voluntades de autor y de anonimia. Pensando sobre todo en el caso de la poesía épica, el más difícil de ajustar a esta separación, escribe lo siguiente, que puede entenderse de manera general: "El arte individualista, el de la canción cortés, por ejemplo, es obra de un poeta que con *voluntad de autor*, quiere situarse aparte de sus predecesores, de sus contemporáneos y de sus sucesores, siente el orgullo de su nombre, y exige al juglar fidelidad en la repetición; mientras que el arte tradicional es obra de un primer poeta popular y de sucesivos refundidores que, con *voluntad de anonimia,* quieren hacer obra para todos y de todos, trabajan sin la menor pretensión personal de renombre, por generosa devoción a la obra que despierta interés en la colectividad, y trabajan en inextricable colaboración con el juglar que repite libremente y en absorbente intimidad con los gustos de su público" [11].

Este carácter tan especial de parte de la obra medieval ha constituido una dificultad para su correcta inteligencia. El lector actual (y con más razón, el crítico) ha de contar con estas condiciones peculiares, que obligan a un enfrentamiento con la obra diferente del que

---

11 R. Menéndez Pidal, *La "Chanson de Roland" y el neotradicionalismo (Orígenes de la épica románica)*, Madrid, 1959, pág. 55.

se tiene con la de los tiempos posteriores, en que la función del autor asegura un texto único, con todas las consecuencias. Y esto es a su vez independiente del problema que plantea el conocimiento intrínseco de los textos que se nos conservan de la literatura medieval, bien procedan del criterio de autoría o del de anonimia, o de los matices relativos de transición entre uno y otro, que en muchos casos son los que realmente se hallan en el caso de las obras conocidas.

LOS TEXTOS DE LA LITERATURA MEDIEVAL: MANUSCRITOS E INCUNABLES

Las obras medievales se conservan en rarísimos ejemplares, y casi siempre se sabe dónde se guardan. Conviene, sin embargo, seguir con la exploración de los fondos de las bibliotecas y archivos que no tengan un catálogo bien establecido [12]. A veces se logra dar con textos de los que se tenía la presunción de su existencia; otras se hallan restos de obras incompletas, continuaciones que otro autor prolongó más allá de lo que hizo un primero; otras se descubren textos que

---

[12] Puede valer como guía informativa la parte V, "Archivos, Bibliotecas y Museos", del *Manuel de l'Hispanisant* de FOULCHÉ-DELBOSC y BARRAU-DIHIGO, mencionado en el capítulo anterior, n. 13. Es ejemplar el *Catálogo de los manuscritos poéticos castellanos existentes en la Biblioteca de The Hispanic Society of America,* New York, 1965 (vols. I, II y III, en curso de publicación), de A. RODRÍGUEZ-MOÑINO y M. BREY, que da a conocer un gran número de obras reunidas en la mencionada Biblioteca, de gran importancia y rareza. Sobre textos de los que se tiene noticia indirecta y que hay que buscar, puede servir como ejemplo una *Crónica del Maestre Pelayo Pérez Correa,* obra con repercusiones literarias y que J. B. AVALLE ARCE estudia en lo posible en su artículo *Sobre una Crónica medieval perdida,* en "Boletín de la Real Academia Española", XLII, 1962, págs. 255-297.

M. D'ARRIGO-BONA ha dado noticia muy recientemente de una continuación de las *Coplas contra los siete pecados mortales,* de Juan de Mena, debida a Pero Guillén, que así se reúne con las que escribieron Manrique y Fray Jerónimo de Olivares, publicada en *Un inedito di Pero Guillén,* artículo de los *Studi di lingua e letteratura Spagnola,* Turín, 1965, págs. 195-210 y láminas.

mejoran las lecciones de una obra, completan lagunas, etc. Este trabajo es el filón siempre abierto del que proceden a veces noticias menudas y otras, de relieve, pero unas y otras igualmente indispensables para que haya un progreso en el conocimiento de la obra medieval, y en consecuencia, una mejor valoración crítica de la misma. Los casos más importantes han sido la incorporación de un nuevo siglo en el conocimiento de la lírica primitiva, el hallazgo de un fragmento del *Poema de Roncesvalles* y de otros del *Amadís* medieval; el texto de los *Proverbios Morales* ha resultado depurado; hace poco se han descubierto un *planto* narrativo del siglo XIII y otros dos poemillas religiosos [13]; y es reciente el hallazgo de la *Vida e historia del rey Apolonio*, un incunable acaso de Zaragoza, 1488, que ha llenado un hueco entre el *Poema de Apolonio* del mester de clerecía y un cuento anovelado de Juan Timoneda (*Patrañuelo*, Valencia, 1567) sobre el mismo asunto [14].

La mayor parte de las obras medievales se conservan en manuscritos, y algunas de los últimos tiempos, en incunables (o libros impresos antes de 1500) [15]. La imprenta señaló el comienzo de una

---

13 M. C. PESCADOR, *Tres nuevos poemas medievales*, "Nueva Revista de Filología Hispánica", XIV, 1960, págs. 242-250, encontrados en el Archivo Histórico Nacional de Madrid.

14 H. SERÍS, *La novela de Apolonio. Texto en prosa del siglo XV descubierto*, en "Bulletin Hispanique", LXIV, 1962, págs. 5-29; el autor lo encontró en los fondos de "The Hispanic Society of America", y es traducción de un episodio de las *Gesta romanorum*.

15 C. HAEBLER es autor de amplios estudios sobre los incunables españoles: *Typographie ibérique du quinzième siècle*, La Haya-Leipzig, 1901-2, y la *Tipografía ibérica del siglo XV*, Íd., 1903; los tipos usados en las imprentas de incunables quedan recogidos en su obra *Geschichte des spanischen Fruehdrucks in Stammbaeumen*, Leipzig, 1923. Véase también la rica colección que viene publicándose en Madrid sobre *El arte tipográfico en España durante el siglo XV* [Editor: Ministerio de Asuntos Exteriores]. Aun cuando no trata de autores españoles, sino de unos pocos de interés universal: E. PH. GOLDSCHMIDT, *Medieval Texts and their first appearance in print*, Londres, 1943. Estas indicaciones que hago son de orden general, y hay que pensar que en torno de ellas existe un gran número de cuestiones que hay que plantear en relación con cada autor, cada género y cada época; aunque referidos a los siglos siguientes, son de un gran interés los problemas que ex-

nueva época para la trasmisión y conservación de las obras literarias; entre la lenta labor de la copia manuscrita y la actividad de la imprenta, puesta en manos de maestros que crean un arte de imprimir que es al mismo tiempo un oficio, hay notable diferencia. El número de ejemplares de una obra fue siempre escaso en la época de los manuscritos; con la imprenta creció en cantidad, y por tanto los índices de difusión y el riesgo de que se perdiese una obra cambiaron radicalmente. También la técnica de la reproducción: en el caso de la copia de un códice, el error es fácil; el amanuense suele intervenir activamente, a veces con función poética, sobre la obra reduciendo o ampliando el texto; puede cambiarse el matiz dialectal del original que se copia; el proceso de refundición y modernización de la obra suele ser más activo. La imprenta creó una técnica nueva: para imprimir un libro, primero había que elegir el mejor texto, y después con él componer cuidadosamente la obra; los errores se convertirían en erratas, reproducidas en todos los ejemplares. Una incipiente filología cuidaba de las obras en razón de su valor económico, pues la imprenta fue una artesanía. Se imprimen los libros que pagan los mecenas y los que los lectores buscan, y el concierto entre el público y la obra se hace más intenso. Los clérigos medievales habían reunido en torno de la Biblia una disciplina de conocimiento filológico para conservar con fidelidad la palabra de Dios. Esta técnica, sobre todo en el caso de los humanistas que quisieron acercarse más y mejor a los antiguos, se aprovechó también para el estudio e impresión de los autores profanos de la literatura latina (y también de la griega), y finalmente llegó hasta aplicarse a la edición de los autores del siglo XV en lengua romance ennoblecida, y en España esto se hizo sobre todo con Juan de Mena, que resultó el más favorecido. Así los incunables cambiaron las condiciones de la difusión de la obra lite-

---

pone con valentía crítica A. RODRÍGUEZ-MOÑINO, en *Construcción crítica y realidad histórica en la poesía española de los siglos XVI y XVII*, Madrid, 1965; en este estudio van implicadas muchas cuestiones referentes al texto poético de carácter lírico, y sobre la realidad de su difusión, que afectan también a la literatura medieval.

En las mayores alturas
De la ſelua pervenido
De las biuas criaturas
Que frecuenta ſus figuras
Quien ſera tan entendido.
Ca de muy grande eſtrañeza
Los cubrio naturaleza
Que non ſe modo en que hable.
Su obra ſuma inefable
Eſperando ſu belleza

Eneſta parte dize la copla como pueſto ẽ laſ ma
yores alturas dela ſelua q̃ ſõ los ſecretos dela ſabiduria ⁊ prudençia no puede expreſſar la lẽgua
ni dezir ſus figuras cõviene aſaber las dulces ſu
tilezas dela ſciençia.
[Ca de tan grand eſtrañeza] Conviene aſaber de
aq̃llos fines alos quales cada vua delas ſcienci-
as ſe endereçan los q̃les ſon muy eſtraños ⁊ de
grãd maravjlla et por ẽde dize la copla que de tã
[Que no ſe modo en que hable] Eſto es para
hablar propria mente. ⁊ ver do dize ſus ſutilezas
⁊ maravillas.
[Su obra ſuma inefable] Bien dize la copla ſuma conviene aſaber alta E tal es la obra mara-
villoſa dela ſabiduria dela qual no ay ninguna
coſa cõparable que ſea a ſu excellençia ⁊ dize maſ
inefable Eſto es que no ſe puede hablar ſuperfe-
cion ni dezir tanto quanto ella es.

Los incunables y la interpretación poética a través de los comentarios.

Fol. LIV, *La Coronación* de Juan de Mena (¿Toulouse, 1489?), según la edición facsímil de A. Pérez Gómez, Valencia, 1964 (del ejemplar de la Biblioteca de "The Hispanic Society of America"). El texto poético va seguido de comentarios que aclaran las sutilezas de la expresión, y en particular las palabras cultas que se incorporan al español desde el latín. La glosa obliga a una recreación del significado, y a un ejercicio del léxico, de un gran valor por sus consecuencias literarias.

Copla cxlix.

¶ Mucha morisma vi descabeçada
mas que reclusa detras de su muro
y avn que gozaua de tiempo seguro
quiso la muerte por saña de espada
y mucha otra mas por pieças tajada
que quiere la muerte tomar la mas tarde
huyendo no huye la muerte el couarde
que mas alos viles es siempre allegada.

¶ Mucha morisma vi descabeçada. Prosigue el auctor las victorias del rey don Juan contra los moros y dize que vio muchos d'los moros que salieron a pelear con el en cãpo muertos. y mas grãd numero delos que estauan quedos en sus lugares que no quisierõ salir a la batalla. los quales como medrosos murieron vil mente. tomados sus lugares delos xpianos y entrados por fuerça de armas: lo qual se ha de referir alo que dixo en la copla precedente. tomando castillos ganando lugares. ¶ Reclusa. Aqui significa encerrada. pero en latin recludo quiere dezir abrir. y recluso lo abierto. ¶ Y avn que gozaua de tiempo seguro. Avn que pudieran estar seguros cada vno en su lugar quisieron mas salir a pelear por la defension dela patria con auentura dela vida que no viendo la destruyr gozar de seguridad. ¶ Que quiere la muerte tomarla mas tarde. Significa los que por miedo dela muerte no osaron salir ala batalla los quales no por eso escaparon la vida porque la muerte mas sigue al couarde. ¶ Y mas alos viles es siẽpre allegada. Asy dize Horatio enel tercero delas odas la muerte psigue al couarde y Vergilio: y Seneca ẽla tragedia mede a la fortũa teme a los fuertos y persigue a los cobardes.

La imprenta y la interpretación poética a través de los comentarios: Mena, el clásico medieval.

Copla 149 de *El Laberinto de Fortuna* de Juan de Mena, tal como aparece con su comentario en la edición *Glosa sobre las trezientas del famoso poeta Juan de Mena, compuesta por Fernand Núñez, comendador de la Orden de Santiago...* En el colofón se declara que las *Trezientas* fueron "enmendadas en esta segunda impresión [había otras] por el mismo Comendador quitando el latín que no era necesario y añadiendo algunos dichos de poetas en el momento, muy provechosos para entender las Coplas", Granada, 1505. Obsérvese, en comparación con el ejemplo de la *Coronación*, que aquí la glosa tiene un carácter más filológico, yendo del comentario lingüístico a la cita de autoridades, en lo que representa los principios de la consideración de Mena como el "clásico" medieval más importante.

raria; y en la oficina de la imprenta el "filólogo", que conocía este aparato erudito de la depuración y comentario de los textos, y el maestro impresor podían coincidir en un esfuerzo por lograr un libro que fuese el mejor y más acabado texto de la obra que se proponían imprimir en el nuevo arte. Esto, sin embargo, ha de entenderse de un modo relativo, pues no siempre el texto de un incunable representa una versión mejor que el que ofrece por otro lado un manuscrito; desconoceremos siempre cuál haya sido en cada caso el proceso anterior que ha sufrido el texto que ha llegado a la imprenta, y también si fueron varios los que sirvieron para esta preparación; no faltaron tampoco impresores descuidados en esto, y más cuidadosos del negocio. Pero lo dicho vale para orientar sobre la aparición de una técnica diferente en la conservación de los textos literarios, que conduce a la situación de la imprenta en los tiempos modernos, en que sólo de manera excepcional y con fines muy específicos de crítica se tiene en cuenta el manuscrito u original del autor de la obra.

Por otra parte, la imprenta sirvió también para encauzar un nuevo aspecto de la difusión de la obra literaria por medio de los pliegos sueltos u obrillas menores, de poco precio y publicadas sin cuidados [16]. Desde fines del siglo XV y durante la primera mitad del siglo XVI, estos pliegos fueron un venero de difusión constante de una poesía de gusto tradicional, lírica, romanceril y devota, que sirvió para asegurar en el pueblo la perduración de unas modalidades de poesía que, permaneciendo así a través de los años en el gusto del público, supuso una persistente continuidad de estas obras de la literatura medieval en los Siglos de Oro, y aun en los siguientes.

---

16 Pueden verse las siguientes colecciones: *Pliegos poéticos góticos de la Biblioteca Nacional de Madrid*, 6 tomos, Madrid, 1957-1960; *Pliegos poéticos españoles en la Universidad de Praga*, 2 tomos, Madrid, 1960.

EDICIONES DE TEXTOS MEDIEVALES

Las obras de la literatura medieval no se leen en los mismos códices o incunables que las conservan, piezas casi siempre de gran rareza y apreciable valor. Lo común es acudir a las ediciones que reproducen estos textos, y en los de esta época medieval, tal como se dijo antes, es menester asegurarse de la perfección de las mismas con más cuidado que de las posteriores. La edición de los textos medievales es el resultado de una labor cuidadosa en la que han de contar la filología (descripción lingüística de la obra, su caracterización dialectal, estudio del estilo de autor, género, época, etc.), y las ciencias históricas (paleografía, cronología, ambiente social y político que muestra, su relación con la cultura de la época, etc.). Aun eruditos y críticos que estimaron lícito imprimir obras de los Siglos de Oro adaptándolas al español moderno, muéstranse rigurosos cuando se trata de textos medievales [17].

Las normas usadas en estas ediciones varían según los casos [18]. Es muy conveniente atenerse a un criterio flexible que se acomode al carácter de la obra; por eso es muy sensata esta observación de

---

17 Un ejemplo característico lo ofrece M. MENÉNDEZ PELAYO, cuando, al frente de su edición de las Obras de Lope de Vega, hace el siguiente comentario para defender el criterio que siguió: "Publíquense enhorabuena con estricto rigor paleográfico (y no de otro modo deben publicarse) todos los monumentos literarios anteriores a la Era de los Reyes Católicos..." (*Estudios sobre el teatro de Lope de Vega*, I, edición de Obras Completas, 1949, página 18).

18 La bibliografía sobre este tema es muy amplia. He aquí algunos títulos que pueden valer como orientación: G. PASQUALI, *Storia della tradizione e critica del testo*, 2.ª ed., Firenze, 1952. En español: A. CASTRO, *La crítica filológica de los textos*, publicado en *Lengua, Enseñanza y Literatura*, Madrid, 1924, págs. 171-197; y A. MARÍN OCETE, *El estado actual de la crítica de los textos*, "Boletín de la Universidad de Granada", IV, 1932, págs. 349-361. Con destino a su uso en la trascripción de textos históricos, la Escuela de Estudios Medievales de Madrid publicó unas *Normas de transcripción y edición de textos y documentos*.

Margherita Morreale: "es indudable que cada obra constituye un caso especial, y que cada tradición manuscrita ofrece sus propios problemas y sus propias soluciones" [19]. Las ediciones, por lo general, pueden clasificarse así:

a) *Ediciones facsímiles*.—Tal como indica su nombre, ofrecen al lector en forma exacta el texto de la obra, tomado mediante clisés fotográficos del original que luego son reproducidos en impresión. Por tanto esta clase de ediciones no plantea otros problemas que los técnicos para lograr la mayor fidelidad gráfica en la reproducción. Pero, como se entiende, dejan las cuestiones sólo en el punto de partida [20].

b) *Ediciones paleográficas*.—La Paleografía, disciplina de las Ciencias Históricas, enseña las normas para lograr una correcta lectura, y también la reproducción de un texto mediante la imprenta, si este es el caso. En un sentido estricto, el texto impreso es un fiel reflejo del manuscrito (o del incunable), y el editor no corrige lo que estima equivocado (o lo hace de modo que quede a salvo la noticia de la integridad del original reproducido). La dificultad más importante es la variedad de signos de *s* (*-s-* = [*z*], *s-*, *-s*, *-ss-* = [*s*]) y la posible confusión entre los signos de *s* con los de *z* [*ẑ*], unido a vacilaciones de orden fonético [21]. En alguna ocasión ſ (o sea la llamada *s* alta) fue confundida con la letra *f*.

---

19 En su edición de *Los doze trabajos de Hércules*, de Enrique de Villena, Madrid, 1958, pág. LXXIII.

20 Se hacen con textos de obras importantes; así, las hay del *Poema del Cid* [Milenario de Castilla, 1946, y Donación del códice a la Biblioteca Nacional de Madrid, 1961]; del *Cancionero de Baena*, New York, 1926 [una publicación de "The Hispanic Society of America"].

21 Sobre esto pueden verse los tratados generales de paleografía española de Z. García Villada, 2 tomos, Madrid, 1923; de A. Millares Carlo, 2 tomos, Madrid, 1932; A. C. Floriano, Oviedo, 1946, etc.; R. Menéndez Pidal, en una reseña de la edición de J. Ducamin del *Libro de Buen Amor* ("Romania", XXX, 1901, págs. 434-440), hizo una útil clasificación de la variedad de estos signos de *s* y *z*.

c) *Ediciones críticas.* — La edición crítica tiene como fundamento el rigor de la interpretación de la letra que es propio de la paleográfica, pero el editor establece las modificaciones que estima más convenientes para acercar el texto hacia una forma más perfecta que la que le ofrece el documento si es uno solo, o establece la mejor combinación de versiones, si son varios. A diferencia de la paleográfica, puede efectuar, si lo cree conveniente, algunos cambios en el aspecto gráfico de la impresión, con tal de que no resulte alterada la correspondencia con la fonología del español medieval. El editor pretende unificar los signos en lo que sea sólo variación gráfica, y distribuirlos en un sistema uniforme, de manera que el texto se lea con el menor esfuerzo.

No cabe señalar en esta labor normas tajantes, pues el buen criterio del editor establece en cada caso las condiciones del ajuste. Lo más frecuente es que se use la separación de las palabras según su condición morfológica, salvo alguna leve excepción. Los signos de la puntuación moderna ayudan en la interpretación de los textos, y los acentos identifican las palabras, si no se sospecha que pudiese haber diferencia entre la pronunciación medieval y la moderna. Asimismo es recomendable el uso moderno de las letras mayúsculas. Más delicado y complejo es el criterio para unificar determinadas vocales y consonantes; sin embargo, puede valer como un término medio el siguiente:

a) Adscribir a *i* y a *u* los valores fonológicos de vocal.

b) Uso de la letra *s* para s, ſ y otras variantes, salvando la identidad de valores fonológicos.
Uso de la letra *j* para el valor fonológico de la consonante [ž].
Uso de la letra *v* para el valor consonántico que se halle en confluencia con *u*, que asume el valor vocálico.
Correcta distinción de la letra *z* a través de sus variantes; y si no se alcanza una diferenciación neta, indicar los

casos en que parece confundirse con los signos de *s*.
Uso de *ce ci ça ço çu* en los casos correspondientes.
Se mantiene el mismo aspecto del texto original en los grupos cultos de consonantes.

c) Cualesquiera otras modificaciones que el editor establezca han de quedar cuidadosamente indicadas en el prólogo, y su justificación ha de poseer un fundamento lingüístico, de tal manera que quede bien claro el conjunto del sistema, que no ha de corregirse.

El editor ha de distribuir el texto tal como le parezca más conveniente en el caso de la prosa, agrupándolo en párrafos que muestren la cohesión de las partes de la obra; en el verso, lo común es atenerse a la naturaleza del verso y a la constitución de la estrofa según la entidad que ella misma posea, aunque no se hallen así copiadas en el manuscrito antiguo. Por su parte, la Paleografía posee un repertorio de signos de los que puede hacer uso el editor de un texto literario; de esta manera puede escoger un determinado manuscrito que le sirva como base de la edición, y añadir las variantes de otros, establecer las modificaciones que crea necesarias y poder así ordenar su labor de crítica textual.

En el caso de que los manuscritos que conservan el texto de una obra sean varios, hay que proceder antes a una preparación filológica del texto. Esta labor es siempre minuciosa, y el editor ha de recoger el mayor número de noticias sobre la obra. El trabajo tiene en teoría dos partes: la *recensio* y la *emendatio*. La primera es la labor de clasificación de los manuscritos; la segunda representa su examen, tanto de los caracteres internos como externos, para valerse del texto que se estime mejor, y establecer con ello la versión más depurada. Si nos queda un solo manuscrito, la edición paleográfica resulta el criterio de más rigor para el caso, pero como ocurre que el texto conservado nunca es el original, sino una copia en la que la lengua del texto ha sufrido transformaciones, puede establecerse también la edición crítica del mismo [22].

La edición crítica que, a través de una labor de depuración, quiere acercarse a un posible arquetipo, es empresa muy difícil, y siempre pendiente del criterio del que la realizó y de la habilidad con que supo utilizar los datos recogidos. No resulta, pues, de rigor científico publicar el primer manuscrito que se tenga a mano, ni tampoco es adecuado establecer el texto sobre el manuscrito más antiguo, sin la previa comprobación de que no sólo es el primero de los conocidos, sino el mejor. También hay que tener en cuenta las variantes de carácter dialectal que se encuentran en los varios textos de una obra romance, y la ordenada relación que se fije entre ellos.

Suele entonces establecerse una clasificación genealógica (*stemma*) que agrupe los manuscritos; para esto el editor se basa en la coincidencia de faltas o variantes comunes (lagunas, interpolaciones, etcétera), y de este modo los manuscritos se ordenan formando a manera de un árbol, y a través de sus ramas el editor se esfuerza por ordenar la transmisión del texto hacia el viable arquetipo. Los árboles de la literatura medieval española son de escaso ramaje en comparación con la frondosidad de las obras latinas, y de la relativa abundancia de las italianas y francesas [23]. Puede decirse en general que los textos literarios que se conservan de la Edad Media española son escasos, y pocas veces se plantean graves divergencias de criterio. De ahí que

---

22 Uno de los ejemplos clásicos de la filología española es la edición de R. MENÉNDEZ PIDAL, *Cantar de Mío Cid*, 3 tomos, Madrid, 3.ª ed. 1954-1956; esta es la declaración del criterio de la edición crítica: "Si el códice único del siglo XIV se deriva, no de la tradición oral, sino de una serie de copias del primitivo original del siglo XII, será posible en muchos casos llegar al conocimiento de éste, salvando los yerros de aquél, haciendo desaparecer del texto la capa de modernismos con que el trascurso de siglo y medio de copias empañó la faz primitiva del original" (I, pág. 34).

23 Un ejemplo se encuentra en la edición de A. G. SOLALINDE de la *General Estoria de* ALFONSO EL SABIO, I, Madrid, 1930; 2.ª parte, I, 1957; II, 1961.

apenas se puedan emplear con todo rigor sistemas de clasificación textual, como el de Quentin. Por otra parte no ha faltado una recia crítica de estos procedimientos objetivos para la clasificación de los manuscritos y para la elección y corrección de un texto; los que así lo han hecho defienden que es preferible conceder al editor la libertad de elegir el que crea que es el mejor de los manuscritos, y trascribirlo con todo cuidado, siguiendo un criterio declarado, y corrigiéndolo de las faltas que a su juicio son evidentes. Estiman que aun en el caso de que se haya aplicado la más estricta severidad objetiva en las operaciones mencionadas, al fin y al cabo el texto que se logra es una versión resultado de una recreación filológica, que queda igualmente lejos del arquetipo, imposible siempre de alcanzar[24].

Las peculiares condiciones históricas de la Edad Media en España repercuten también en este aspecto hasta el punto de haberse creado una clase especial en el campo de la técnica filológica de las ediciones. Unas pocas obras literarias en lengua romance se hallan escritas utilizando los signos de los alfabetos árabe y hebreo. Así ocurre con unos cantarcillos románicos de la Andalucía árabe, cuya edición plantea cuestiones capitales para el conocimiento del mozárabe, y en

[24] Los textos bíblicos son los más abundantes: exposición de estos métodos en H. QUENTIN, *Mémoire sur l'établissement du texte de la Vulgata*, Roma-Paris, 1922, y los *Essais de critique textuelle (Ecdotique)*, Paris, 1926. Frente a este criterio, J. BÉDIER, *La Tradition manuscrite du "Lai de l'ombre". Réflexions sur l'art d'éditer les anciens textes*, "Romania", LIV, 1928, págs. 161-196 y 321-356; y M. BARBI, *La nuova filologia italiana e l'edizione dei nostri scrittori da Dante al Manzoni*, Firenze, 1938. La mencionada edición de SOLALINDE de la *General Estoria*, y la de M. MORREALE de *Los doze trabajos de Hércules*, contienen observaciones sobre este asunto, y la solución práctica del caso. La edición en que se sigue el criterio más riguroso en la trascripción de una obra medieval es la que llevó a cabo J. DUCAMIN: J. RUIZ, *Libro de Buen Amor. Texte du XIVe siècle, publié pour la première fois avec les leçons des trois manuscrits connus*, Toulouse, 1901. El tomo LVII de la "Biblioteca de Autores Españoles", que representó en su tiempo (1864) un gran esfuerzo por reunir los textos de la poesía medieval, no resulta hoy adecuado para una lectura de las obras allí contenidas, y mucho menos para su cita.

la que han de colaborar romanistas, hebraístas y arabistas. El alfabeto de las lenguas semíticas sólo con dificultad pudo servir para la escritura de estas obrecillas en lengua románica; posee una imprecisión que no se ajusta al vocalismo romance, y diferencias en el sistema de las consonantes. Y si a esto se añade la deformación que estos textos, con tanto esfuerzo escritos por los que fueron bilingües, sufrieron luego por amanuenses que ya no entendían lo que copiaban, se aumenta el número de dificultades para conseguir lecciones acertadas de estos poemas [25].

Posteriores en fecha son otras obras escritas en el alfabeto árabe y en el hebreo. Así las *Coplas de Yoçef*, contenidas en un manuscrito probablemente de la primera mitad del siglo XV, cuya escritura es hebrea; también hay un manuscrito de los *Proverbios morales* en español rabínico [26]. Otro caso es el *Poema de Yúçuf*, del que hay un manuscrito árabe, trascrito en caracteres latinos por Schmitz, y otro, un poco más antiguo (fines del siglo XIV o primera mitad del XV), más incompleto, con la escritura magrebina [27]. Estas obras suelen reunirse en el capítulo de la llamada literatura aljamiada [28].

---

25 Sobre las cuestiones lingüísticas referentes a los lenguajes mozárabe, morisco y aljamía, véase H. SERÍS, *Bibliografía de la lingüística española*, obra citada, págs. 629-635.

26 *Coplas de Yoçef*, Cambridge, 1935, edición de I. GONZÁLEZ LLUBERA, el más destacado estudioso de este campo de la literatura española. *Proverbios morales*, Cambridge, 1947, publicados por el mismo I. GONZÁLEZ LLUBERA. La trascripción sola del códice de la Biblioteca de Cambridge, escrito en estos caracteres rabínicos españoles, fue publicada por el mismo investigador en *A Transcription of Ms. C of Santob de Carrion's "Proverbios Morales"*, "Romance Philology", IV, 1950, págs. 217-256. Los problemas filológicos que plantea un texto de esta naturaleza pueden verse tratados en particular en el artículo del mismo autor *The Text and Language of Santob de Carrion's Proverbios Morales*, "Hispanic Review", VIII, 1940, págs. 113-124; y E. ALARCOS LLORACH, *La Lengua de los "Proverbios Morales" de don Sem Tob*, "Revista de Filología Española", XXXV, 1951, págs. 249-309.

27 *Poema de Yúçuf. Materiales para su estudio*. Granada, 1952, ed. de R. MENÉNDEZ PIDAL.

28 En un sentido estricto el término *aljamiado*, aplicado a los textos, sig-

d) *Ediciones modernizadas.* — Estas ediciones cumplen el fin de divulgar las obras literarias de la Edad Media entre los que no conozcan la lengua de la época y quieran penetrar desembarazadamente en la poesía de la misma. Dos criterios se utilizan en esta clase de ediciones. En uno se corrige el aspecto gráfico del texto, pero sin variaciones en su morfología; suele hallarse en textos escolares. En el otro criterio se establece una libre versión de la obra medieval en la que se procura ajustar la significación del texto a la expresión común del español moderno. Este procedimiento, que es una recreación de la lengua medieval a la moderna, es conveniente para extender el conocimiento de las viejas obras en amplios círculos de lectores [29].

Cualquiera que sea el procedimiento que haya seguido el editor de un texto medieval, su labor necesita haberse desarrollado con un gran sentido de responsabilidad crítica. El lector ha de quedar siempre informado de una manera exacta del valor de la edición, de su propósito, normas de que se ha servido, y en todos los casos se ha de declarar cuáles son las bases del texto impreso, su tratamiento, así como las condiciones del sistema de crítica empleadas. La inteligencia y valoración de la literatura medieval ha de hacerse sobre textos publicados con un fundado criterio para que exista una garantía de fidelidad en el fundamento mismo de la expresión idiomática.

---

nifica el romance escrito en caracteres arábigos, pero suele ampliarse a estos otros, pocos en número, escritos en caracteres hebreos.

[29] En España el esfuerzo más importante para pasar al español moderno la literatura medieval está constituido por la Colección "Odres Nuevos", donde han aparecido los grandes libros de esta época. (*Leyendas épicas*, por R. CASTILLO; *Milagros* de Berceo, por D. DEVOTO; *Libro de Apolonio*, por P. CABAÑAS; *Fernán González*, por E. ALARCOS; *Libro de Buen Amor*, por M. BREY; *Conde Lucanor*, por E. MORENO; *Libro de la Caza*, por J. FRADEJAS; *Teatro medieval*, por F. LÁZARO, y *Poema del Cid*, por mí.)

UN EJEMPLO DE LAS CUESTIONES QUE PLANTEA LA EDICIÓN DE UN TEXTO MEDIEVAL

a) Edición paleográfica

Libro de Buen Amor, edición paleográfica de J. DUCAMIN, Toulouse, 1901.

En quales inſtrumentos non convjenen los cantares de araujgo. **S**

1513 Deſpueſ fice[1] muchaſ[2] cantigas de dança e troteraſ,
para[3] judjas E moraſ e para entenderaſ,
para en jnſtrumentos de comunaleſ maneraſ:
el cantar que non ſabes, oylo acantaderas.

1514 Cantareſ fiz algunos de los que dizen los ciegoſ (fº 91 vº)
E para eſcolares que andan nochernjegoſ
e para muchoſ otros por puertaſ andariegoſ,
e caçurros E de bulrraſ, non cabrian en dyez priegoſ.

Trascripción del manuscrito S (llamado manuscrito de Salamanca; estuvo en la Biblioteca del Palacio Real, y hoy en la Universitaria de Salamanca).

1513. — 1. G (fº 82 vº) d. fiz muchos cantares de d. e trobas, *le copiste avait d'abord commencé ce vers :* de dança e trobas &c. *biffé ensuite ces mots*; T d. fiz m. cantycas ... e trota — 2. G p. judios e moros e p. entendedoras — 3. G e p. j. c. m.; T e p. eſtromentes c. de m. — 4. G el canto q. o. oyle a c.; T el q. n. ſ. oye le A c. = **1514.** — 1. G ... alg. q. d. l. ç.; T .. *alguno* q. d. l. ç. — 2. G, T nocharnjegos; *dans* G, *l'n initiale est rongée.* — 3. G E p. o. m...; T e p. o. m... adariegos — 4. G ... burlas ... pliegos; T e. de bulrras n. caberian ... pliegos = **1515.** **G, T**

Variantes de los manuscritos G (Gayoso, en la Biblioteca de la Real Academia Española de Madrid) y T (Toledo, en la Biblioteca Nacional de Madrid).

[1] *Correction du copiste sur* Gat.
[2] *L'ſ faite sur un r.*

[3] *Le copiste avait commencé d'abord ainsi* E para eſcolareſ, *qui est biffé.*

— 281 —

Notas al pie de la página.

b) Edición imprecisa

Idem, edición de J. CEJADOR, Madrid, 1913, en dos tomos:

EN QUÁLES INSTRUMENTOS NON CONVIENEN LOS CANTARES DE ARÁVIGO

1513 Después fiz' muchas cántigas de dança é troteras
Para judíos é moros é para entendederas,
E para estrumentos, comunales maneras:
El canto, que non sabes, óyle á cantaderas.

1514 Cantares fiz' algunos, de los que disen los çie-
E para escolares, que andan nocharniegos, [gos,
E para otros muchos por puertas andariegos,
Caçurros é de burlas: non cabrían en dyez pliegos.

Cejador indicó como criterio de su edición: "Mi edición, se atiene, en cuanto es posible, al texto más antiguo, que es G, corrigiendo por los demás..." (pág. XXXVIII). Obsérvense, sin embargo, las diferencias en las lecciones en el caso de estas solas dos estrofas.

c) Edición crítica

Ídem, edición de G. Chiarini, Milán, 1964:

En quáles instrumentos non convienen los cantares de arávigo.

	Después fiz' muchas cantigas	de dança e troteras,	(1513)
6175	para judiás e moras	e para entenderas,	
	para en instrumentos	de comunales maneras:	
	el cantar que non sabes,	óilo a cantaderas.	
	Cantares fiz' algunos	de los que dizen los çiegos	(1514)
	e para escolares	que andan nocherniegos	
6180	e para muchos otros	por puertas andariegos,	
	caçurros e de bulras:	non cabrían en diez pliegos.	

Variantes de los varios manuscritos utilizados para establecer el texto que el editor ha estimado más conveniente:

tir de GT. 6173. m. e dixo a. GT. *vv. 6174-6201: testo in SGT.* 6176. E p. i. GT. 6177. óile GT. 6180. pa. o. m. p. GT. 6185. q. quier i. S.

6166. paz] plazer G, vida T. 6167. Non g. G, gela d. T. 6168. Aducho bueno v. a. SGT. 6169. t. sola d. . . . açud G. 6170. v. mi v. T, aý G. 6172. P. ál G, P. más n. me d. que ero me T. 6173. d. aun xí aunxí G, amexí amexí T. 6174. fize S, cánticas T, f. muchos cantares de d. e trobas G, e trota T. 6175. P. judíos e moros e p. entendedoras G. 6176. de *om.* G, i. c. de m. T. 6177. El canto q.- G, cantar *om.* T, non *om.* G. 6178. alguno T, a. q. d. l. ç. GT, segos S. 6180. adariegos T. 6181. e *om.* T, caberían T. 6182. están

Notas a los versos anteriores.

143. 6175. *entendera*: variante con aplologia sillabica di *entendedera*. 6178. S ha *segos*, non *siegos* come si legge nel DUCAMIN (p. 281). 6183. *cantares*: la concordanza al maschile dei versi seguenti dimostra la non autenticità della variante *cantigas*. 6184-5. «Dei diversi tipi di *cantares* che ho provato a comporre, adesso dirò con quali strumenti risulta più armoniosa la loro melodia».

* Ya en pruebas este libro me llega la noticia de que ha aparecido otra edición de esta obra: Arcipreste de Hita, *Libro de Buen Amor*. Edición crítica por M. CRIADO DE VAL y E. W. NAYLOR, Madrid, 1965.

d) Edición modernizada sólo en cuanto a los aspectos gráfico y morfológico

Ídem en la edición escolar de M. R. Lida (selección), Buenos Aires, 1941, página 158.

1513 Después hiz muchas cántigas de danza y troteras,
para judías y moras, y para entendederas;
para en instrumentos de comunales maneras:
el cantar que no sabes, óilo a cantaderas.

1514 Cantares hiz algunos de los que dicen los ciegos,
y para escolares que andan nocharniegos,
y para muchos otros, por puertas andariegos,
cazurros y de burlas, no cabrían en diez pliegos.

La autora estableció un criterio del que lo fundamental es que "se ha modernizado todo lo posible la ortografía y forma de las palabras". Esto lo hace "con el fin de evitar el aspecto de lengua extraña que es lo que principalmente aleja de los textos literarios primitivos al lector no especializado" (página 189).

e) Edición enteramente modernizada

Ídem en versión de María Brey, Madrid, 1954, págs. 244-245.

rsas com- iones que bió el Ar- ste.

1513 Después escribí coplas de danza y callejeras,
para moras, judías y para recaderas,
para todo instrumento, de vulgares maneras;
escucha lo que ignores a cantora cualquiera.

1514 Hice algunas de aquellas que llaman para ciegos,
también para escolares que andan nocherniegos
y para los que corren las puertas, andariegos;
cazurros y de burlas; no caben en diez pliegos.

En esta edición su autora interpretó libremente el sentido de la obra del Arcipreste y rehizo luego la estrofa en el español moderno, de manera que el sentido quedara lo más cerca posible del texto antiguo. Esta es una labor de recreación poética.

LA HISTORIA Y LA LEYENDA EN SU RELACIÓN CON LA LITERATURA MEDIEVAL

Para publicar primero, y leer y explicar con fruto después, una obra de la literatura medieval, junto con las aplicaciones de la ciencia lingüística y de los estudios filológicos, hay que valerse de otras disciplinas de carácter histórico, cada una de las cuales ha creado su técnica propia. El investigador tiene, pues, que conocerlas, unas veces para ayudarse directamente de ellas, y otras, para interpretar con buen criterio los resultados de las mismas, pues otra condición básica de los estudios en la literatura medieval radica en su carácter histórico. Aun en el caso de que se considere en primer término la obra como un acto de creación, no puede prescindirse del ámbito histórico que la rodeó. Por eso las diversas disciplinas del estudio de la Historia resultan en principio métodos aprovechables, y contribuyen al esclarecimiento de distintos aspectos de la obra literaria, sobre todo de los que pueden documentarse como datos objetivos [30].

Por otra parte la Historia en la Edad Media cumplió su misión informativa [31] dentro de los cauces de una narración que tenía una gran relación con las formas literarias, y llegó a constituir un género de relato en el que se usaron los recursos artísticos, en grado seme-

---

30 Por eso, aun cuando las modernas orientaciones metodológicas de la ciencia literaria hayan trasladado "dentro" de la obra el enfoque de la labor del crítico, esto no significa que deba perder de vista estos aspectos. Es útil aún en muchos aspectos el libro de Z. GARCÍA VILLADA, *Metodología y crítica históricas*, 2.ª ed., Barcelona, 1921; más actual (y preparado para los lectores españoles por L. G. DE VALDELLANO) es la *Introducción al estudio de la historia* de W. BAUER, en traducción de la 2.ª ed. alemana, Barcelona, 1952. Algunas obras de información general sobre la Historia pueden suministrar datos útiles, como la obra de U. CHEVALIER, *Répertoire des sources historiques du Moyen Âge*, I [A-I], Paris, 1905, II [J-Z], 1907.

31 Información en el tratado general de la materia: L. J. PAETOW, *A Guide to the Study of Medieval History*, ed. revisada, New York, 1959. No es obra definitiva; la parte española es insuficiente y no está al día

jante a como podían intervenir en la prosa de ficción, sólo que acondicionados al fin de contar los hechos reales y el propósito panegírico que suele animar al historiador. Desde Alfonso X, el gran creador de la prosa castellana de los orígenes de la literatura medieval, hasta los Cronistas de los Reyes Católicos existe un intenso cultivo de esta Historia que se encuentra estudiado en las obras de Benito Sánchez Alonso, tanto desde el punto de vista de la historiografía [32], como desde el bibliográfico [33]. Por otra parte, hemos de ver que obras de naturaleza poética fueron incorporadas como documentación a las Historias o Crónicas, y por medio de ellas tenemos noticia de poemas desaparecidos.

Ocurre también que a veces el argumento de la obra literaria se basa en la vida y los hechos de un personaje histórico; entonces conviene esclarecer hasta qué punto mantiene o modifica la verdad del mismo, y esto puede ser un indicio para determinar su "historicidad", valor siempre relativo en la literatura, pero con el que conviene contar. La historia, siguiendo esta pauta literaria, condujo hacia la afirmación del concepto de España, cuyo proceso en la Edad Media es necesario conocer para situar adecuadamente los principios políticos que sostuvieron el reino de los visigodos, el Islam y la mozarabía españoles, y el esfuerzo secular de la reconquista, creador de nuevas situaciones hasta alcanzar su cometido al mismo término de la Edad Media [34]. La política podía también tomar de la literatura sus motivos, y valerse de la eficacia de su poder de convicción, y crear la buena o mala fama de los que habían de vivir cara al pueblo.

En las fronteras entre la literatura y la historia se desarrolla la leyenda, cuya relación con ambas resulta siempre difícil de establecer con precisión. En el caso de la leyenda medieval ocurre lo propio,

---

32 B. SÁNCHEZ ALONSO, *Historia de la Historiografía española,* I (Hasta la publicación de la Crónica de Ocampo, ...-1543), 2.ª ed., Madrid, 1947.

33 *Fuentes de la Historia española e hispanoamericana,* 3.ª ed., Madrid, 1952, 3 tomos. Desde 1953, el *Índice Histórico Español* viene publicando una bibliografía comentada de las materias históricas (Barcelona, 1953...).

34 Sobre esta cuestión y su bibliografía, véase el libro de J. A. MARAVALL, *El concepto de España en la Edad Media,* 2.ª edición, Madrid, 1964.

y puede decirse que ella ha creado un campo donde es muy difícil de establecer la interpretación que la fantasía ha establecido sobre un fundamento real, a veces de categoría histórica, en el caso de que este pueda aún identificarse. La leyenda forma así una tercera condición, de índole diferente a la historia y a la fantasía, y esta entidad, propiamente legendaria, pertenece en común lo mismo a los historiadores de la Historia propiamente dicha, que a los de la Literatura, en participación también con el Folklore [35]. Así tenemos que del período visigodo quedó abundante memoria literaria de carácter legendario en torno del rey don Rodrigo. La reconquista, las luchas entre los cristianos, en especial la formación del reino de Castilla, y luego la fama de algunos reyes, como la de la crueldad de Pedro así llamado, obtuvieron un trato de esta naturaleza. Las condiciones de la vida en la frontera, a su vez, fueron motivo para una peculiar obra poética de orden legendario que obtuvo muy diversa repercusión en la literatura [36].

LA HISTORIA DE LA CULTURA Y LA LITERATURA MEDIEVAL

La obra literaria fue concebida en una determinada situación cultural para que fuese oída o leída por las gentes de su época. Después, con el paso del tiempo, esa obra quedó formando parte de la herencia espiritual de un pueblo, y su valoración posterior depende de cuestiones varias, de las que la más importante es el signo de los gustos literarios, cambiantes según las modas. Pero cualquiera que sea esta valoración, y aparte de los esfuerzos de la crítica por penetrar en el sentido de cada obra, esta sigue siendo a la vez un testimonio de la circunstancia cultural en la que apareció, un documento insus-

---

35 Véase sobre este asunto la *Antología de leyendas de la literatura universal,* estudio preliminar, selección y notas de V. GARCÍA DE DIEGO, Madrid, 1953, 2 tomos.

36 Se hallará una relación de la bibliografía sobre leyendas, en H. SERÍS, *Bibliografía de la literatura española,* obra citada, págs. 356-379 y 860-868.

tituible. Obra literaria y cultura se condicionan mutuamente en un grado diverso, pero siempre aprovechable para un mejor conocimiento de las dos. La cultura, en su acepción más amplia, es así el ámbito del poeta, y de ella proceden los elementos de su creación, objetivables después por la vía del análisis.

La poesía resulta entonces el intérprete más fiel, de orden intuitivo, de la vida en la que se desarrolla esa misma situación cultural. En las obras literarias se encuentran testimonios de primer orden sobre la vida de los hombres en la Edad Media, aun en el caso de los géneros de ficción. En el proceso de la creación poética el escritor nos deja adivinaciones más *reales* (al menos como documento sicológico único) de sus ambiciones, esperanzas y ensueños que los que aparecen en documentos de carácter económico o social. La obra poética intensifica la condición general de "signo" que posee por razón de su misma esencia lingüística. Signo de una extraordinaria complejidad, forma cada obra la representación de un espacio de experiencia que el poeta ha querido conservar; si la historia es una manifestación de la voluntad del hombre, la poesía se convierte así en signo que alcanza condición de símbolo permanente, información de primer orden porque no es un fragmento conservado por el azar de la noticia histórica o del objeto arqueológico, sino una entidad acabada, en cuya interpretación se revive la experiencia que la motivó. La riqueza de la literatura está en que tiene esta condición de signo con categoría simbólica, directamente relacionable con la naturaleza humana en total (y no con una técnica determinada), tal como lo es el lenguaje que constituye su entraña expresiva. Por esto abundan las citas literarias en obras que buscan una comprensión del concepto de "cultura", referido al ámbito europeo medieval, como son las tan características de Langlois [37] y de Huizinga, que han tenido también su re-

---

[37] CH. V. LANGLOIS, *La vie en France au Moyen Âge de la fin du XIIe au milieu du XIVe siècle*, París, 1924-8, 4 tomos; J. BÜHLER, *Vida y cultura de la Edad Media* [1931], traducción española, México, 1946; R. W. SOUTHERN, *La formación de la Edad Media* [1953], traducción española, Madrid, 1955 (se refiere a los siglos X al XIII); con detalles concretos sobre la vida

percusión en relación con la cultura española. Más reciente es la síntesis de Hauser [38], que agrega con énfasis el factor social a una consideración en la que la literatura es la fuente más importante de su exposición, corroborada por las otras artes. Por otra parte, los "actores de la historia" pueden presentarse con una fuerte apariencia literaria, y así ocurre con los tipos del "hidalgo", el "cortesano" y el "héroe", tal como se encuentran representados según los muestran las obras históricas, jurídicas y literarias durante la Edad Media [39]. Otro tanto puede decirse de la mujer, cuya función en relación con la vida del hombre ha sido tan debatida en esta época, especialmente desde un punto de vista moral; y por tanto esto ha sido un asunto literario muy cultivado, sobre todo en algunas épocas (siglo XV). Hay que señalar en este párrafo un gran número de libros que

---

cotidiana en Londres y París, véase U. T. HOLMES, *Daily Living in the Twelfth Century*, Madison, 1953; J. HUIZINGA, *El otoño de la Edad Media*, aparecido en 1923, 6.ª edición, Madrid, 1965, estudio sobre las formas de la vida y del espíritu durante los siglos XIV y XV en Francia y en los Países Bajos. Un manual breve pero cuidadosamente establecido teniendo en cuenta también el dominio español es el de J. L. ROMERO, *La Edad Media*, México, 1949.

Sobre España, el libro de J. RUBIÓ y BALAGUER, *Vida española en la época gótica*, Barcelona, 1943, es un ponderado ensayo de interpretación de textos literarios, particularmente referido a su parte oriental; más breve es la exposición de P. HENRÍQUEZ UREÑA, *Cultura española de la Edad Media*, en *Obra Crítica*, del mismo, México, 1960, págs. 506-529; y el artículo de I. GARCÍA RÁMILA, *Estampas de la vida medieval castellana, espigadas en textos literarios*, "Revista de Archivos, Bibliotecas y Museos", LXI, 1955, págs. 379-406. Un manual de divulgación: M. RIU, *La vida, las costumbres y el amor en la Edad Media*, Barcelona, 1959. El libro en dos tomos de F. VERA, *La cultura española medieval*, I, Madrid, 1933, y II, 1934, es un diccionario de autores, de interés sólo relativo en la parte científica. Abundan las ilustraciones en el libro de E. BAGUÉ, *Pequeña historia de la humanidad medieval*, Barcelona, 1952. El códice mejor ilustrado de la Edad Media fue estudiado por J. GUERRERO LOVILLO, *Las Cantigas*, Madrid, 1949, estudio arqueológico de sus miniaturas.

[38] A. HAUSER, *Historia social de la literatura y el arte*, en cuyo tomo I (2.ª ed., Madrid, 1962) dedica la parte IV a la Edad Media (págs. 137-262).

[39] Véase su estudio en el tomo I de B. BLANCO-GONZÁLEZ, *Del cortesano al discreto. Examen de una decadencia*, Madrid, 1962.

pueden servir para la aclaración de diversos aspectos de las obras literarias. Son los que se refieren al estudio de un tema determinado a través de la historia en general, y en particular referido a los datos que proceden de la obra literaria, y que según su condición pueden relacionarse más directamente con la literatura medieval [40].

LOS LIBROS DE CASTRO Y SÁNCHEZ-ALBORNOZ SOBRE EL SENTIDO HISTÓRICO DE LA VIDA ESPAÑOLA

La preocupación por dar a la Historia un sentido expositivo que sobrepase tanto la obra monográfica, de condición científica y ámbito limitado, como el compendio generalizador, exclusivamente noticiero, promovió diversos intentos por alcanzar un nuevo género de obras con inquietudes críticas de complejo orden. Así ocurrió en el siglo XVIII, en el que Juan Pablo Forner, temeroso de las consecuencias de la intención estética presente en las obras históricas anteriores y en las de su tiempo, escribió: "Pero como en este *todo* [se refiere al cuerpo de la Historia entonces logrado] debe residir un alma, un espíritu, un móvil que anime todas sus partes, y que sea como el centro o punto de apoyo que sostenga todo su mecanismo; al señalar este espíritu, móvil, punto, centro (o como quiera llamarse) procedieron con tal incertidumbre y perplejidad, que apenas han sabido decirnos

---

40 Para una información sobre la mujer en el siglo XV, véase el prólogo de J. ORNSTEIN en la edición de LUIS DE LUCENA, *Repetición de Amores*, Chapel Hill, 1954. Puede servir de guía inicial la parte de la *Bibliografía de la Literatura Hispánica* de J. SIMÓN, I, págs. 433-461, en la que hay abundante referencia de obras que estudian este aspecto en general, y dentro de él, se hallarán los asuntos de la Edad Media. Por citar algún ejemplo, diremos que los cortes históricos de un tema pueden dar lugar a extensos estudios como el de A. NAVARRO GONZÁLEZ, *El Mar en la Literatura medieval castellana*, La Laguna, 1962. J. CASALDUERO ha explorado brevemente la sucesión de los estilos románico y gótico en relación con la Naturaleza, en *El sentimiento de la Naturaleza en la Edad Media española*, publicado en sus *Estudios de Literatura Española*, Madrid, 1962, págs. 11-29, etc.

cuál es el fin de la historia...". Ángel Ganivet en su *Idearium español* indicó lo siguiente, que es como la clave del desigual libro: "...lo esencial en la Historia es el ligamen de los hechos con el espíritu del país donde han tenido lugar: sólo a este precio se puede escribir una historia verdadera, lógica y útil"[41]. Independientemente de lo que ha creado por su parte la Filosofía de la Historia, inquietudes de esta naturaleza han fundamentado una clase de obras que pretenden una revisión de este sentido de la historia de España, o sea del quehacer de los españoles en el ámbito geográfico sobre el que vivieron. En estos últimos años se han escrito dos libros que requieren formular una interpretación de conjunto de la vida histórica de España; son las obras[42] de Américo Castro, *La realidad histórica de España,* y de Claudio Sánchez-Albornoz, *España, un enigma histórico.* En la exposición de su contenido ambos autores acompañan numerosas citas, y son muchas las que de entre ellas se refieren a la Edad Media. Por esto, cuestiones debatidas hasta entonces en los dominios de la erudición histórica, han salido de este ámbito y se discuten no ya sólo por sí mismas, sino también por su repercusión en la vida del hombre actual. En una nación de las condiciones históricas de España es una labor conveniente esta penetración aguda en

---

41 Las citas proceden, respectivamente, de *Obras* de J. P. FORNER, recogidas y ordenadas por L. Villanueva, Madrid, 1844, págs. 52-53; y A. GANIVET, *Idearium español y el porvenir de España,* Madrid, 1962, pág. 76.

42 A. CASTRO, *La realidad histórica de España,* México, 1954; ed. renovada, México, 1962, con un prólogo de XXIX páginas en que su autor proyecta el contenido del libro hacia una continuación en la que "se concederá primaria importancia a la situación social y cultural de los cristianos, moros y judíos españoles, y a las formas de civilización nacidas de la armonía y del desgarro de las castas...". (pág. XXVIII). En cuanto a la última edición de 1962, su "contenido es, o enteramente nuevo, o aparece ordenado y matizado en nueva forma" (pág. XI de la misma). Esta edición de 1962 es primera parte del conjunto de la obra, y por eso algunas citas se hacen sobre la de 1954, por no alcanzar aún esta parte renovada; de la de 1954 hay traducciones italianas, Firenze, 1965; alemana, Köln, 1957; francesa, Paris, 1963. Y C. SÁNCHEZ-ALBORNOZ, *España, un enigma histórico,* Buenos Aires, 1956, 2 tomos.

el pasado para ver si se pone en claro qué es lo que de esta tradición queda aún vivo en la conciencia del hombre de hoy. Véase un ejemplo de esto: en una reciente interpretación de Criado de Val, muy subjetiva, sobre cuestiones literarias, muchas de las cuales tocan a la Edad Media, se ha escrito el siguiente juicio que señala la presencia del medievalismo español hasta nuestros mismos días; la Edad Media, según este crítico, es "un mundo que puede renacer en cualquier momento, sobre todo en pueblos como España, que nunca ha dejado de ser medieval en su fondo más íntimo" [43].

Ambas obras (de Castro y Sánchez-Albornoz) se han escrito contando sólo con una selección de datos y citas, pues no son propiamente *historias* de España, aunque se refieran al conjunto de la "historia" del país. Dada la gran extensión de esta historia, sólo puede mencionarse en ellas la parte que cada autor estima como decisiva, y lo importante es que esto se hace no de una manera objetiva, sino desde determinada perspectiva crítica. La gran variedad de la vida española en la larga Edad Media proporcionó un riquísimo material a los dos autores: la extensa galería de hombres y mujeres, cada uno con su acusada —y aun a veces insólita— personalidad, las relaciones de los reinos hispánicos con el mundo árabe y el europeo, las obras de escritores y poetas de todo orden, etc. Una dificultad con que se enfrentaron fue que, siendo ambas obras síntesis cuyos fundamentos proceden de la interpretación de datos escogidos, en muchos casos los análisis para establecer el carácter de los hechos se han verificado en el curso del desarrollo de cada obra. Hay algunas partes (las referidas directamente a obras o autores literarios, como el *Cid*, Juan Ruiz, los conversos del siglo XV, etc.) que parece como si fuesen capítulos de una historia literaria, aunque el propósito del autor haya sido considerar un aspecto del conjunto cultural en relación con su teoría de la Historia. Ambos libros han sido escritos en la madurez creadora de sus autores (Castro nació en 1885, y Sán-

[43] M. Criado de Val, *De la Edad Media al Siglo de Oro*, Madrid, 1965, página 9.

chez-Albornoz en 1893). La disposición de las obras procede, en parte, de que son el esfuerzo de profesores que dedicaron muchos años de su vida a la enseñanza, y están escritas con la claridad y altura de la lección universitaria, profundamente meditada a través de años. Pero las dos son obras apasionadas, escritas no ya con la afición, sino con el dolor del asunto en el alma de los autores; el texto, en ocasiones, parece hallarse aún en grado de fusión, y un noble lirismo (inesperado en obras de esta naturaleza) alterna con una expresión combatiente. La obra de Sánchez-Albornoz apareció como la manifestación cumplida de su concepto de España, pero lastrada en parte por lo que tiene de réplica y comentario al libro anterior de Castro. Ambos libros son un testimonio vivo de cuán aguda es en nuestro tiempo la inquietud por una legítima concepción de España; en último término, la creación de los dos libros y lo que tienen de polémica exposición es un episodio más de esa misma vida histórica que interpretan; y el solo hecho de que se hayan planteado y escrito de la forma en que han aparecido, un signo más del espíritu de la España que tratan de comprender, y cuyo sentido quieren desvelar.

Tanto una como otra obra cuentan con la literatura medieval considerándola como parte decisiva para la exposición de las ideas. Sánchez-Albornoz, con todo, se cree en el caso de avisar que esto puede resultar un peligro para la recta observación de los hechos, y reprocha a Castro: "en su obra parte del error de no prestar atención a lo que *hicieron* los españoles sino a lo que *escribieron*" [44]. No obstante, Sánchez-Albornoz en su obra dedica un número muy crecido de páginas al examen de las obras literarias, y dice que tiene que asomarse a la entraña de la creación literaria, pues "lo literario es una expresión vivaz del espíritu de cada pueblo y una fuerza no despreciable del mismo" [45]; su intención es descubrir "las relaciones genéticas que hayan podido enlazar la herencia temperamental de los españoles y sus creaciones literarias" [46]. Y si esto le ocurre al historiador Sánchez-

44 C. SÁNCHEZ-ALBORNOZ, obra citada, I, pág. 104.
45 *Idem*, I, pág. 377.
46 *Idem*, I, pág. 381.

Albornoz, en el caso de Castro la preferencia por el uso de los testimonios literarios procede de su formación y trabajos como investigador y crítico de la literatura. El resultado fue que en estos libros se ventilaron y discutieron muchas cuestiones que de cerca o de lejos tocan a la Literatura, y esto se hizo desde fuera de la misma; no hay, pues, una técnica de índole literaria en la interpretación de los autores y de la obra literaria, sino que la mención viene a cuento como una pieza del conjunto, y es a la vez su misma materia.

Ambos autores afirman la necesidad de considerar la historia en relación con la vida. Castro escribió en una justificación de su método que hacia el siglo X "comienzan a alborear ciertas uniformidades de conciencia colectiva, preferencias por ciertas actividades y despego hacia otras..." "...se van perfilando las que llamo *moradas de vida*" [47]. Y en obra más reciente perfila así estos términos instrumentales de su concepción histórica: "La vida historiable consiste en un curso o proceso interior, dentro del cual las motivaciones exteriores adquieren forma y realidad; es decir, se convierten en hechos y acontecimientos dotados de sentido. Estos últimos dibujan la peculiar fisonomía de un pueblo, y hacen patente el "dentro" de su vida, nunca igual al de otras comunidades humanas. Mas este "dentro" no es una realidad estática y acabada, análoga a la sustancia clásica; es una realidad dinámica, análoga a una función [...]. Pero el término "dentro" es ambiguo: puede designar *el hecho de* vivir ante un cierto horizonte de posibilidades y de obstáculos (íntimos y exteriores), y entonces lo llamaré *morada de la vida;* o puede referirse *al modo como* los hombres manejan su vida dentro de esta morada, toman conciencia de existir en ella, y entonces lo llamo *vividura.* Esta sería el modo "vivencial", el aspecto consciente del funcionar subconsciente de la "morada" [48].

Y Sánchez-Albornoz, abundando en el mismo concepto básico de esta relación, al comentar su obra, pone entre signos de admiración

---

[47] A. CASTRO, *Dos ensayos.* 1. Descripción, narración, historiografía. 2. Discrepancias y mal entender. México, 1956, pág. 30.

[48] A. CASTRO, *La realidad histórica de España,* ed. 1962, págs. 109-110.

los nombres de cultura y vida: "¡Vida y cultura! He ahí la trabazón fecunda de las dinámicas proyecciones del pasado" [49]. Partiendo de esta conjunción, la literatura les proporciona, tanto a Castro como a Sánchez-Albornoz, un rico filón de testimonios, y en particular la medieval, pues ambos libros gravitan sobre esta época. Sánchez-Albornoz lo especifica así: "Considero a la historia política del Medioevo peninsular cantera viva de sugestiones luminosas para juzgar de los procesos de que fueron surgiendo España y los españoles" [50].

En 1948 apareció la primera versión del libro de Castro, cuyo título es *España en su historia*, y como subtítulo: *Cristianos, moros y judíos*. Fue un libro que suscitó "magnética seducción", y que en 1954 se publicó otra vez con el nuevo título de *La realidad histórica de España* [51], y después, en 1962, apareció el primer tomo de la tercera. Sánchez-Albornoz entendió que Castro había sido "el más útil, el más audaz, el más ingenioso, el más original y el último de cuantos se han asomado a los horizontes del pasado de España..." [52], pero discordando en muchos puntos de la doctrina expuesta en las mencionadas obras, escribió el libro *España, un enigma histórico*, publicado en 1956, otra empresa de envergadura con la misma intención de interpretar la huidiza y cambiante realidad de la vida española. "No hay un arquetipo definido y definitivo de lo hispánico" [53], repite otra vez, consciente de la dificultad de su empresa, frente al cuadro trazado por Castro. Sánchez-Albornoz admite en principio que la idea de Castro puede ser fértil con la condición de que la indisolubilidad entre la vida y la cultura sea tenida en cuenta, y en este aspecto opina que Castro dio primacía a la vida por seguir la concepción vitalista de la historia y la filosofía existencial [54]; Castro negó esta etiqueta

---

[49] C. SÁNCHEZ-ALBORNOZ, *obra citada*, I, pág. 39.

[50] *Idem*, I, pág. 13.

[51] Fue publicado la vez primera en Buenos Aires, 1948; de esta primera edición hay traducción inglesa, Princeton, 1954.

[52] C. SÁNCHEZ-ALBORNOZ, I, págs. 18-19.

[53] *Idem*, I, pág. 132.

[54] En especial, obra citada, I, pág. 41.

filosófica [55], y defendió su teoría (ya indicada) de la "morada de la vida" insistiendo en los supuestos metodológicos de los que había partido para escribir las dos primeras versiones de su obra: "Los hechos humanos necesitan ser referidos a la vida en donde acontecen y existen. Esa vida es, a su vez, algo concreto y especificado, que se destaca sobre el fondo genérico y universal de lo humano" [56]. Y en la tercera edición remachaba aún más esta concepción: "Las historias escritas acerca de los españoles, si aspiran a ser verídicas, habrán de situar en un trasfondo los hechos y las ideas (...) y en muy primer plano los agentes humanos, las situaciones y dimensiones de vida de quienes *habitan en los hechos y en las ideas*" [57]. Sánchez-Albornoz, por su parte, revisando con ecléctica disposición de ánimo los diversos métodos de la historia, busca en su obra "la exactitud de la doctrina" [58].

La polémica entre los dos puntos de vista y sus aplicaciones a diversos aspectos de la vida española sigue con gran vigor; y uno de sus resultados ha sido este examen general de la literatura de la Edad Media, algunos de cuyos aspectos se expondrán en los capítulos convenientes. En este lugar, como punto de partida, indicaré tan sólo la concepción inicial de la historia de la Edad Media en lo que afecta a sus repercusiones literarias. Para Castro la historia de la España moderna comienza propiamente en el año 711 con la invasión musulmana; por lo tanto, considera que "no había aún españoles en la Hispania romana ni en la visigótica" [59], y que la "morada vital" del español se formó en el enfrentamiento con los árabes y en las consecuencias que esto tuvo: "Se produjo así —escribe— el hecho, sin paralelo en Europa, de existir en la Península tres maneras de gentes cuyo perfil personal y colectivo estaba trazado por su respectiva creen-

55 A. CASTRO, *Dos ensayos*, obra citada, pág. 58.

56 A. CASTRO, *La realidad histórica de España*, ed. 1954, pág. 7.

57 Idem, ed. 1962, pág. XXIII.

58 C. SÁNCHEZ-ALBORNOZ, *obra citada*, pág. 7. Pero publica su obra en la forma de ensayo, sin notas de pie de página.

59 Así es como titula el capítulo V de la última versión (1962) de su citada obra (págs. 144-174).

cia: se era cristiano, moro o judío. Tan real y evidente fue esa larga y apretada situación, que el contacto con los otros países cristianos (muy fuerte desde el siglo XI) no hizo volver a los españoles a la disposición vital en que se hallaban los habitantes de la Península durante la época visigótica" [60]. E insiste en la tercera edición con respecto de la forzosa convivencia de las tres condiciones: "...los futuros españoles se hicieron posibles como una ternaria combinación de cristianos, de moros y de judíos. La casta de los cristianos no hubiera subsistido sin el sostén e impulso de las otras dos, y llegó un momento en que las tres se sintieron igualmente españolas" [61].

No es la primera vez, por otra parte, que un pueblo se diferencie en sus actos creadores de historia respecto de quienes habitaron sus tierras con anterioridad. Esta interpretación se relaciona en la historia de Europa con la más general que desde 1928 expuso el historiador belga Henri Pirenne en sus obras, particularmente en la de *Mahomet et Charlemagne;* en esta tesis el fin del mundo antiguo se sitúa en el siglo VII con ocasión de la expansión árabe que rodeó el Mediterráneo [62]. Sánchez-Albornoz refuta la interpretación de Castro de que el ser de España comenzase en época tan tardía, y escribe al comienzo de su obra: "las tradiciones históricas han conservado entre nosotros vida muy dilatada y han perdurado muy vivaces los remotos caracteres de nuestros abuelos de hace dos mil años" [63]. Y esto ocurrió porque: "Si las simbiosis sucesivas [entre el pueblo español y los que a él llegaron] fundían estilos de vida y esencias culturales, las repetidas antibiosis afirmaban y prolongaban muchos rasgos de la disposición funcional de los hispanos primitivos y de las proyecciones de su primigenia estructura cultural" [64]. Y desde su punto de

---

[60] A. CASTRO, ed. 1954, pág. 12.

[61] *Idem,* ed. 1962, pág. XX.

[62] La tesis de PIRENNE y sus aplicaciones ha suscitado grandes polémicas de las que se hallará un resumen en *The Pirenne Thesis. Analyses, Criticism and Revision,* publicado con una introducción por A. F. HAVIGHURST, Boston, 1958.

[63] C. SÁNCHEZ-ALBORNOZ, *obra citada,* I, pág. 15.

[64] *Idem,* I, pág. 15.

vista se enfrenta con Castro: cuando la invasión árabe "Hispania volvió a ser lo que había sido siempre: una encrucijada de culturas y estilos de vida (...) Castro prescinde por ello con error de todos los miles de años que preceden a la hora crucial de la invasión árabe..." [65]. Pero la trascendencia de la época medieval aparece señalada con un énfasis análogo al de Castro: "Considero a la Reconquista clave de la historia de España" [66]. Y en otra parte escribe: "Los ocho siglos de contacto pugnaz o pacífico de cristianos, musulmanes y judíos acentuaron muchas de las viejas maneras de estar en la vida de los españoles primitivos, labradas en el correr del tiempo, modificaron no pocas y crearon algunas nuevas" [67]. Y Sánchez-Albornoz, apreciando desde su punto de vista de historiador la trascendencia de nuestra historia en la vida de Europa, escribe: "Desempeñamos papel decisivo en el cuajar de la Edad Media. Época de hondas transformaciones en la organización política y social y en las sendas de la vida del espíritu. España hizo posible tales cambios actuando de vanguardia y de maestra de Europa" [68].

De cualquier suerte que se entienda la Edad Media, queda al cabo de manifiesto que fue un período decisivo en la vida de la comunidad española. Ambos autores entienden que en los siglos X al XV, que son los que comprenden la Edad Media de la literatura romance, las condiciones de la vida fueron en la Península muy peculiares, y

---

65 *Idem*, I, pág. 102.

66 *Idem*, II, pág. 9.

67 *Idem*, I, pág. 113.

68 *Idem*, I, pág. 16. La Editorial Porrúa, editora del libro de Castro, ha reunido los juicios y comentarios que el libro suscitó (A. CASTRO, *La realidad histórica de España*, Juicios y comentarios, México, 1957). SÁNCHEZ-ALBORNOZ ha recogido en el tomo misceláneo *Españoles ante la historia*, Buenos Aires, 1958, dos ensayos de tono violento sobre Castro; "Ante España en su historia" (págs. 229-254), y "Las cañas se han tornado lanzas" (págs. 255-283). Las más recientes precisiones sobre el método histórico de A. CASTRO, así como varios artículos en relación con su teoría de la historia y la conciencia del hombre español, se encuentran en su libro *Los españoles: cómo llegaron a serlo*, Madrid, 1965 (que es la segunda edición renovada del libro *Origen, ser y existir de los españoles*, Madrid, 1959).

la presencia de los árabes y judíos junto a los cristianos resultó un factor importante. De lo que, en las obras y autores del período romance, pudiera hallarse perteneciente a una tradición anterior, importa en tanto quede integrado en la creación de la obra (y por tanto, en grado que hay que averiguar en la vida de los escritores). Y de esto sólo vale lo que está presente en la obra literaria, que es el fundamental objeto de estudio en este libro. Otro tanto ha de decirse sobre la discutida valoración de la condición cristiana, árabe o judía de un autor.

Poquísimas veces encontramos confesiones de un autor con respecto a la conciencia de su tradición histórica o de su condición tanto personal como de clase social. Función del crítico es descubrir esto, con el cuidado de no dejarse arrastrar por el realce de una característica determinada en detrimento del conjunto. Esto ocurre sobre todo cuando el historiador de la literatura persigue, a veces con pasión personal, un aspecto, una cadena de datos, un determinado filón, y entonces se establece una versión parcial con respecto a la obra poética y a su autor. La conciencia de la tradición y de la condición de una obra es diferente en el creador y en el crítico. En el primero es una cohesión presente en que se funden ideas y sentimientos con una experiencia poética, y, sobre todo, esto ocurre en la vida del autor constituyendo un sistema cerrado y único. En el crítico, la labor es inversa, y tiene que penetrar desde los aspectos parciales hacia la razón interior del sistema, buscando las fuerzas de la cohesión que da unicidad a la obra. De la vida personal ha de pasar, si así lo exige el carácter de la obra comentada, a la existencia colectiva, y en estos casos se encuentra con el historiador de las ideas políticas, que por su parte pretende fijar qué fue España como una forma de vida en común de los pueblos peninsulares [69].

---

[69] La mencionada obra de J. A. Maravall, *El concepto de España en la Edad Media,* trae abundante información sobre esto.

CARACTERIZACIONES DE LOS ESPAÑOLES Y SU LITERATURA

De otro orden son los estudios de Ramón Menéndez Pidal sobre *Los españoles en la historia y en la literatura*[70]. Los dos ensayos que constituyen el libro buscan una caracterización del modo de ser español. El primero tiene como subtítulo: "Los españoles en la historia. Cimas y depresiones de su vida política"; en él Menéndez Pidal busca en el pasado los caracteres de la gente hispana que estima ser raíz de nuestra compleja y a veces contradictoria historia. No establece, sin embargo, un sentido determinista para los mismos, sino que los considera "aptitudes y hábitos históricos que pueden y habrán de variar con el cambio de sus fundamentos"[71]. Estos caracteres se documentan también en el hombre medieval, aunque el juicio del autor enfile, en este libro, más bien la España moderna, en particular en los últimos capítulos, que aparecen traspasados por las preocupaciones acerca de la trágica historia del siglo actual. La "costumbre de España" aparece patente durante el Medievo en la conciencia de los que, dentro de ella o desde fuera, se refieren a las formas de vida, hábitos e ideas de los que nacieron en su ámbito[72]. Más limitado a un punto de vista literario es el otro estudio que con el título de "Caracteres primordiales de la literatura española con referencias a las otras literaturas hispánicas" emprendió Menéndez Pidal. La per-

70 R. MENÉNDEZ PIDAL, *Los españoles en la historia y en la literatura. Dos ensayos,* Buenos Aires, 1951. [El primer ensayo es de 1947; también en *España y su historia,* I, Madrid, 1957, págs. 13-130. El segundo, de 1949; íd. II, páginas 611-667.] Hay publicación independiente, ampliada: *Los españoles en la historia,* Buenos Aires, 1959; y *Los españoles en la literatura,* Buenos Aires, 1960. Para el estudio de las ideas básicas de Menéndez Pidal: J. A. MARAVALL, *Menéndez Pidal y la historia del pensamiento,* Madrid, 1960.

71 *Obra citada,* pág. 10.

72 J. A. MARAVALL, *El concepto de España en la Edad Media,* obra citada, cap. X, págs. 475-517.

durabilidad de estos caracteres resulta ser precisamente uno de los rasgos fundamentales de la misma (tradicionalismo)[73], y así la literatura medieval se halla en los fundamentos de esta tradición que se comunica eficazmente con el mundo moderno, y esta conjunción es una de sus notas distintivas. Los caracteres referidos por Menéndez Pidal son: sobriedad, un arte para todos, austeridad ética y estética, caracteres contradictorios. La apreciación original de Menéndez Pidal radica sobre todo en su tesis de "los frutos tardíos". En la literatura de España se pasó de la Edad Media al Renacimiento sin un corte demasiado radical: "Tal ruptura en España nunca fue tan completa como en otros países, y ciertos viejos géneros literarios pudieron reflorecer después, dando frutos que, precisamente por su tardía madurez, tuvieron mejor sazón y fueron apreciados, como venidos en época más adelantada que la que en otros países los había producido"[74].

Tres notas de la literatura española (realismo, popularidad y localismo) ejercieron fuerte atracción en algunos críticos, de manera que las estimaron como definidoras de la misma, y ajustaban a ellas su valoración poética; D. Alonso[75] defendió también la participación de nuestra literatura en las notas de tendencia contraria (antirrealismo, selección y universalidad), y lo propio de España es entonces una síntesis de elementos contrapuestos: "Este eterno dualismo dramático del alma española será también la ley de unidad de su literatura. Y es probablemente también esa tremenda dualidad lo que da su encanto agrio, extraño y virginal a la cultura española, y es ella —la dualidad misma y no ninguno de los elementos contrapuestos

---

73 Sobre este carácter tiene un estudio: *Tradicionalidad en la literatura española,* que puede leerse en el mencionado *España y su historia,* I, páginas 685-721.

74 *Los españoles en la Historia y en la Literatura,* obra citada, pág. 225. Con las mismas palabras reitera esta idea en *Los Españoles en la literatura,* obra citada, pág. 139.

75 D. ALONSO, *Escila y Caribdis de la Literatura Española,* publicado en *Ensayos sobre poesía española,* Madrid, 1944, págs. 10-27.

que la forman, considerados por separado— lo que es peculiarmente español" [76]. Y esto resulta también válido para la Edad Media.

Buscando la interpretación de la cultura española, Otis H. Green [77], en una extensa revisión, en varios tomos, de la literatura desde el Cid a Calderón, sitúa su atención en las ideas sobre la caballería y el amor, que encuentra dominantes desde los orígenes de la literatura hasta el barroco. La tradición medieval del *Sic et non* (el *sí* y el *no* conjuntos, la contradicción vivida, el esfuerzo por juntar lo contrario) informa los principios de la caballería (guerra como virtud). El amor cortés, con la complejidad que entraña (amor puro que cultiva el deseo carnal), permaneció en la literatura española, desde los orígenes del género y, presente en el siglo XV, penetró en los siglos de Oro, junto con la modalidad del amor platónico, y mezclándose con ella en una escala de matices difícil de apreciar. Esta exposición se complementa con un examen de los testimonios de varios temas: la Creación, la Naturaleza y el destino del hombre, la razón, la voluntad y la fortuna y el hado [78], en los que su autor encuentra que pertenecen al área de la cultura occidental, sin que le parezca necesario valerse de los influjos de otras áreas para esclarecer la obra española.

Para observar una caracterización más precisa de este modo de ser, Manuel Criado de Val ha señalado la especial función que en la historia y en la literatura medieval realizó Castilla la Nueva; su fin fue establecer una dualidad en las Castillas Vieja y Nueva que en precedentes consideraciones se consideraron semejantes o en cuya diferenciación no se había ahondado [79].

---

76 *Obra citada*, pág. 26.

77 O. H. GREEN, *Spain and the Western Tradition. The Castilian Mind in Literature from "El Cid" to Calderón*, I, Madison, 1963.

78 O. H. GREEN, Ídem, II, Madison, 1964. La obra ha de continuar.

79 M. CRIADO DE VAL, *Teoría de Castilla la Nueva (La dualidad castellana en los orígenes del español)*, Madrid, 1960.

Capítulo III

SENTIDO EUROPEO DE LA OBRA LITERARIA MEDIEVAL. CONSIDERACIÓN DE LOS ANTIGUOS EN ESTA ÉPOCA. ESCUELAS, UNIVERSIDADES Y BIBLIOTECAS

IMITACIÓN Y ORIGINALIDAD

Uno de los asuntos que en todo tiempo más atrajo a los críticos fue la apreciación del grado de "originalidad" y el de "imitación" que pueda haber en la obra de un escritor. Hay que advertir que esta cuestión, en términos generales, se ha de plantear de manera diferente según que se trate de un autor que haya escrito antes o después del Romanticismo, pues el criterio sobre la función de los antiguos (y en general, sobre los efectos de una guía magistral en orden a la ejecución de una obra) cambió radicalmente, y lo que antes se consideró virtud creadora, después del Romanticismo tuvo un sentido distinto. Por tanto, el caso de la Edad Media pertenece al primer grupo, en circunstancias que referiré con brevedad. En la literatura española, lo mismo que en las otras románicas, las obras en lengua romance se escribieron, sobre todo desde los orígenes fechables hasta el siglo XIV, teniendo a su alrededor una activa y floreciente literatura latina, cuyas fuentes y raíces llegaban hasta la antigüedad [1]. ¿Hasta

---

1 El planteamiento más amplio del asunto se halla en el libro de E. R. CURTIUS, *Literatura europea y Edad Media latina* (1.ª ed. en alemán, 1948;

qué grado, pues, la incipiente literatura vernácula se arrimó a la latina en madura sazón, con un prestigio firme, una tradición que aseguraba la continuidad de los géneros históricos y una lengua disciplinada por la enseñanza? Ambas, vernácula y latina, se escribieron en un mismo tiempo por autores que pudieron valerse de la una (vernácula) o de la otra (latina), y pudieron ser oídas o leídas por diferentes públicos [2]. Pero ¿qué impide suponer que a veces el mismo autor pudo escribir en latín y en romance, o que un mismo público gustase de ambas literaturas? Es cierto que cada una de ellas tuvo su propia circunstancia, tanto de creación como de difusión, pero es lícito pensar que, por razón de ser ambas coetáneas, pudieron haberse cruzado, sobrepuesto e incluso ser obra de un mismo autor; aun contando con el influjo que la literatura española percibiese de otras raíces diferentes de la latina (árabe y judía), es indudable que participa de este fondo occidental, de origen latino y amparado por el sentido universal de la Iglesia, que hizo del latín un instrumento unificador de incomparable potencia difusora. De esto puede esperarse algún efecto sobre la creación de la obra en lengua romance; es legítimo pensar que pudo aplicarse a esta literatura vernácula una técnica análoga a

---

traducción española, México, 1955), dos tomos. M. R. LIDA DE MALKIEL publicó una extensa reseña de este libro ("Romance Philology", V, 1951-52, págs. 99-131), y sus comentarios y adiciones se incorporaron a la edición española. Un tema fundamental para el estudiante de una literatura románica medieval es, por tanto, el conocimiento de la obra literaria en latín de este período. Véase la orientación bibliográfica de L. VÁZQUEZ DE PARGA titulada *Latín medieval*, "Revista de Archivos, Bibliotecas y Museos", LVI, 1950, págs. 59-89; del mismo, *Literatura latina medieval*, "Revista de la Universidad de Oviedo", X, 1948, págs. 5-23. Y también M. C. DÍAZ Y DÍAZ, *El latín medieval español*, "Actas del Primer Congreso Español de Estudios Clásicos", Madrid, 1958, págs. 559-579; del mismo, *Index Scriptorum Latinorum Medii Aevi Hispanorum*, I, Salamanca, 1958; II, 1959; y J. BASTARDAS PARERA, *El latín medieval*, en la "Enciclopedia lingüística hispánica", I, Madrid, 1960, págs. 251-290.

2 La intervención del público en la creación de la obra literaria se ha incorporado a las recientes disquisiciones de la crítica. Puede verse E. AUERBACH, *Literatursprache und Publikum in der lateinischen Spätantike und im Mittelalter*, Berna, 1958, en especial el capítulo IV "Das Abendländische Publikum und seine Sprache".

la que en el caso de la latina daba como resultado una obra cuyas características eran previsibles en líneas generales. Al referirme a una técnica quiero dar a entender el esfuerzo ordenador de la creación en toda su complejidad, desde que el autor concibe la obra hasta que la manifiesta en la expresión lingüística objetivada que es el texto; y esto se refiere a la disposición del asunto, la elección de los procedimientos más persuasivos para cada caso, de acuerdo con una experiencia conocida, tanto de las piezas de expresión, figuras, tópicos, especies de verso o de prosa, etc., como a la misma calidad de las palabras. La persistencia de los diversos géneros literarios en el cuadro de la literatura latina y el uso de una retórica del grado conveniente pudo trasladarse desde el latín a la lengua romance, a medida que esta iba afirmando obra tras obra su condición literaria, cada vez más hacedera, aunque fuese en el caso de una experiencia sin entronque directo e inmediato con las formas latinas [3].

Por tanto, la consideración de la imitación y de la originalidad depende de cómo el crítico oriente la valoración de la obra en la dificilísima exploración del proceso creador. La cuestión ha de ser considerada cuidadosamente en cada caso; a veces un crítico insiste en poner de relieve la "originalidad" de la obra con respecto a las otras precedentes, y a veces otro establece y prueba la "imitación", o sea la contribución recibida de obras, particularmente latinas, que puede ser de muchas clases: desde un germen creador hasta evidentes piezas de la expresión poética, perfectamente limitadas. En ocasiones es el punto de vista adoptado, a veces con énfasis, por el crítico lo que conduce a considerar uno u otro aspecto, pero en todo caso es evidente que la literatura en lengua latina hubo de tener en los siglos medios el prestigio de sus antecedentes y de su riqueza potencial, basada en la disciplina gramatical y retórica de su expresión. Podemos

---

[3] Como situación de partida, resultan básicos la interpretación y reajuste de los conceptos antiguos relativos a la Gramática y la retórica, verificados por San Isidoro; un cuadro general de los mismos se halla en la obra de J. FONTAINE, *Isidore de Seville et la culture classique dans l'Espagne Wisigothique*, Paris, 1959, I, págs. 27-337.

señalar que al autor en lengua romance, sobre todo el culto y que escribe su obra con elevada intención, no le falta la conciencia de que existe otra lengua más noble que la común de su lugar: el latín, siempre modélico, que desde el Imperio romano se mantenía, al paso de los siglos, como lengua establecida con solidez sobre un fondo de cultura, el más firme y extenso del mundo occidental. De ahí que el latín y el depósito o inventario cultural que su cultivo mantenía vigente fuesen origen de una renovación constante, puesto que en el uso de esta lengua hubo siempre una disposición para que renaciesen o reviviesen no sólo ya sus condiciones literarias (la indicada técnica de expresión), sino los más diversos aspectos de esta cultura, en particular los ideales de vida y de política del Imperio romano, convenientemente adaptados y vertidos a las condiciones medievales. Esta disposición hacia un renacer de la cultura antigua tuvo en determinadas épocas y lugares unas manifestaciones definidas, a las que se da el nombre común de "Renacimiento" [4], pero hay que contar con que la disposición inicial (o potencial) de esta reviviscencia está presente en cualquier escritor que cultive el latín y perciba su ejemplaridad; desde esta experiencia, en el caso de los autores que se valen conjuntamente de la lengua culta y de la vernácula, se pasa con facilidad al intento de que la lengua romance participe también en un propósito análogo. El caso de esta imitación, de orden positivo, se verifica en las diferentes hablas románicas, y está sostenida por la fuerza que supone volver a los orígenes de cada lengua, aunque sólo sea de una manera intuitiva y a pesar de las diferencias establecidas por la evolución que ya había ocasionado dos sistemas lingüísticos diversos. Tal condición es uno de los fenómenos definitorios de la cultura del Occidente europeo en la Edad Media.

La cuestión así planteada no implica que esta sea la sola influencia literaria que rodea al escritor, puesto en trance de creación. Las condiciones de la vida española en la Edad Media requieren afirmar la

---

[4] Para el estudio de esta situación en la época anterior al cultivo del romance, véase E. ANAGNINE, *Il Concetto di Rinascita attraverso il Medio Evo (V-X Sec.)*, Milano, 1958.

presencia activa de realidades literarias diferentes de la que procede del latín, pero por ello no hay que tener en menos a esta, siempre activa en un autor medieval. Admitir la complejidad de las fuentes culturales del Medievo español y matizar el grado de su influencia, es el único camino viable para un justo entendimiento del conjunto, cualquiera que sea el punto de vista en que radique un crítico de la literatura.

EFECTOS DE LA RELACIÓN ENTRE LATÍN Y LENGUA ROMANCE: HUMANISMO Y ESTÉTICA MEDIEVALES

La relación entre la literatura latina (antigua y medieval) con la romance se ha de buscar sobre todo en autores que, por sus actividades en la sociedad medieval, usaron el latín como lengua culta, fundamentalmente eclesiástica, y que también, como los contemporáneos desconocedores del mismo, se valieron del romance como lengua cotidiana. Pero la función del latín como lengua literaria tuvo también su evolución, y así ocurre que, desde los siglos XI al XV, su uso se restringe, al mismo tiempo que las lenguas romances amplían los asuntos de sus obras "literarias"; o aun entendiendo que el latín permanece en los dominios que le son propios, las lenguas romances por su parte son la expresión de un público cada vez gustoso de obras nuevas, que crece en número y exigencias artísticas. Hacia el fin de la Edad Media, autores que escriben sobre asuntos religiosos usan también el romance, aun en cuestiones de orden teológico; en las obras didácticas el uso de la lengua vulgar obedece a su mayor difusión, sobre todo en las clases sociales que iban tomando el gusto por la literatura como signo de un nivel más cultivado de la vida. Pero, del modo que sea, en la Edad Media existe el implícito reconocimiento de que el latín es, por su naturaleza, lengua artística, y si se quiere que la lengua romance resulte apropiada para la creación literaria, hay que acomodar su uso a unas normas (formuladas o no) que la distingan del uso coloquial. Puede admitirse que en algunos géneros (la lírica tradicional y la épica de juglaría) estas "normas" sean el resultado de una convención lingüística que vino a parar en una modalidad literaria, reconocible en seguida por el público. En otros casos, sin embargo, el latín y su literatura pudieron ser el magisterio, a través del cual se disciplinó artísticamente la lengua romance. La relación entre el latín y el romance se estableció de muchas maneras y a través de variadas gentes: así sirvieron para este fin los maestros de toda clase, de escuela o de universidad, los que trabajaban en la copia de los textos, los que hubieron de aprender la lengua latina valiéndose del romance para luego poder leer los libros latinos, los *clérigos* en el sentido más extenso de la palabra. La función del clérigo fue muy compleja, y su condición varió en el curso de la Edad Media, aun manteniendo esta actividad general que le tuvo siempre en relación con lo que de la antigüedad perduró en la Edad Media; este es un sentido del Humanismo (en términos generales) medieval [5]. El clérigo fue el "intelectual" de la Edad Media, y se ha querido establecer una distinción entre el universitario, cuyos fundamentos eran de orden intelectualista, y estaba ejercitado en la escolástica como método de enseñanza; y por otra parte, el humanista (en un sentido restringido) que cultivó una incipiente filología, con base en la retórica, y que entendía la vida bajo un signo de aristocracia espiritual. Si el latín del primero pretende ser una lengua eficiente para la comunicación de los saberes, el del segundo, más hermoso en sus valores formales, acaba por perecer como instrumento de difusión de la cultura, y queda sólo como lengua artística de unos pocos elegidos. Más adelante se trata del clérigo como autor de un *mester* (menester, oficio) literario.

---

[5] Amplia información y bibliografía en P. RENUCCI, *L'Aventure de l'Humanisme Européen au Moyen-Âge (IV-XIV siècle)*, Paris, 1953. Los estudios de G. TOFFANIN "Il secolo senza Roma", "Storia dell'Umanesimo" y "La fine del Logos" están traducidos al español bajo el título *Historia del Humanismo desde el siglo XIII hasta nuestros días*, Buenos Aires, 1953. Es ilustrativo el estudio "Philosophie médiévale et humanisme" que publicó E. GILSON como apéndice de su libro *Héloïse et Abélard*, Paris, 1938, páginas 225-245.

En la varia función que realizó este Humanismo medieval, un aspecto de consecuencias creadoras fue la relación, que se estableció de tantas maneras, entre el latín y el romance dentro del llamado "sentido de imitación" artística. En esta función, el latín, lengua que tenía un desarrollo artificioso de la expresión, sirvió de ejemplo magistral, y el escritor romance se confió a ella cuando buscaba un criterio para ennoblecer la obra. Sin embargo, hay que tener presente que esta maestría en muchos casos no era fundamental ni decisiva, sino condicionada al carácter de la obra que se aplicaba, y su función podía variar en intensidad y medios según el género a que perteneciese la creación: si el autor era un juglar, con el propio arte de la juglaría; si el autor era culto, hombre de Iglesia o de Corte, con sus fines de enseñanza o de lucimiento. Sólo la maduración del criterio cada vez más acusadamente filológico del humanista hizo que esta imitación fuese consciente y con una función decisiva en el acto de la creación, como ocurre sobre todo en el siglo XV en el caso de Juan de Mena. Y luego también existía la otra maestría de las lenguas provenzal, francesa e italiana que poseían ya una obra literaria madura. La forma más inmediata de este influjo pudo venir con la traducción, y el esfuerzo por igualar el nivel expresivo del lenguaje romance con el latín; los *trasladadores* realizaron su labor con una viva conciencia de su cometido, en los distintos grados que suponía el diverso carácter de las obras que vertían al castellano, entre las que la Biblia ocupa el primer lugar; y el ejemplo de la *Vulgata* con respecto de los textos anteriores sería decisivo, pero hay que contar también con los otros géneros señaladamente literarios [6].

Los autores "intelectuales" de la Edad Media elaboraron diversos sistemas para la comprensión del Arte. Si bien sus fundamentos procedían de esta tradición a que vengo refiriéndome (Biblia, los pensadores antiguos, los manuales de la "técnica" artística y las obras de los Santos Padres griegos y latinos, sobre todo en su función media-

---

6 M. Morreale, *Apuntes para la historia de la traducción en la Edad Media*, "Revista de Literatura", XV, 1959, págs. 3-10.

dora), los resultados fueron diferentes, y la Estética medieval ofrece un rico cuadro de sistemas y métodos para la inteligencia de la obra de arte. Las obras literarias de la Edad Media (sobre todo, las de los autores que se hallan en la corriente de este sentido humanístico clerical) han de ser entendidas, por tanto, en relación con estos propósitos [7]. Hay que pensar que la literatura es una pieza más del conjunto de la Estética medieval, y que la profunda cohesión que hubo en la Edad Media entre las diversas Artes, la sitúa en la órbita de esta profunda unidad (cualquiera que sea su naturaleza), perceptible sólo por los pensadores que tienen una profunda formación en el conocimiento de las distintas manifestaciones artísticas en relación con el pensamiento teorizador sobre la belleza, y en particular están en disposición de apreciar sus efectos en el hombre cultivado de cualquier época.

LAS BIBLIOTECAS MEDIEVALES

Los libros resultan fundamentales para la formación del escritor. En la Historia de la literatura se han de considerar en dos aspectos: por el influjo que ejercieron sobre el escritor, procedente de lecturas; y para conocer la difusión que una obra obtuvo, uno de cuyos indicios es hallarla en las bibliotecas. Por eso no sólo se ha de tener en cuenta la imitación comprobada, en que un autor sigue muy de cerca una obra (o copia de ella trozos, como es bastante frecuente en la época), sino también el ambiente literario que creó la difusión de una obra, que a veces no deja una huella reconocible pero que prepara el advenimiento de obras maestras. O sea, que tan importante es lo que un autor recibe de sus predecesores a través de las lecturas, como lo que ese mismo autor, con su obra convertida en libro, influye

---

7 Para la caracterización del intelectual de la Edad Media, véase el sustancioso compendio de LE GOFF, *Les intellectuels au Moyen Age*, Paris, 1957; para conocer las cuestiones de la Estética medieval, E. DE BRUYNE, *Estudios de Estética Medieval*, [1946], traducción española, Madrid, 1958, 3 vols., y el manual del mismo autor *L'Esthétique du Moyen Âge*, Louvain, 1947.

en los demás. En ambos sentidos, las listas de libros son de un gran valor.

Como veremos, algunos autores fueron leídos y comentados como fundamento de las enseñanzas en las escuelas monacales, catedralicias, estudios y universidades. En ellas hubo bibliotecas, y el escritorio fue un lugar de activa comunicación literaria, en el que los libros en lengua romance iban abriéndose espacio por entre los latinos. Hacia el fin de la Edad Media se sabe más de las bibliotecas de los escritores; así ocurre con las del Marqués de Santillana, Pérez de Guzmán, Enrique de Villena, el Conde de Haro, etc. [8]. En estos Catálogos encontramos las obras que, a través de lecturas, sirvieron para el influjo de la latinidad, los libros de los escritores en lengua latina y también los abundantes florilegios medievales, de tan importante función. También se conoce por este medio un índice de la difusión de las otras literaturas románicas, provenzal, francesa e italiana, entre los escritores españoles.

ESCUELAS Y UNIVERSIDADES

Escuelas y universidades fueron en todo tiempo ambiente de formación para los escritores. Resulta difícil establecer en qué consistió esta formación, y de qué elementos y medios de enseñanza se valían

---

8 Resulta fundamental la obra de M. SCHIFF, *La Bibliothèque du Marquis de Santillane*, Paris, 1905; R. RUNCINO, *La biblioteca del marchese di Santillana*, "Letterature Moderne", VIII, 1958, págs. 626-636. "La Biblioteca de Batres", Apéndice I de la edición crítica de R. B. TATE de la obra de Pérez de Guzmán, *Generaciones y semblanzas*, Londres, 1965, págs. 99-101. A. PAZ Y MELIA estudió la *Biblioteca fundada por el Conde de Haro en 1455* en la "Revista de Archivos, Bibliotecas y Museos"; su trabajo apareció esparcido en los años I, 1897; IV, 1900; VI y VII, 1902; XIX, 1908; y XX, 1909; N. LÓPEZ MARTÍNEZ, *La Biblioteca de don Luis de Acuña en 1496*, "Hispania", XX, 1960, págs. 81-110. Un tratado de información general es el de J. W. THOMPSON, *The medieval Library*, Chicago, 1939. Anticuado, aunque útil para una visión del asunto es el artículo de J. TAILHAN, *Les bibliothèques espagnoles du haut Moyen Âge*, en los *Nouveaux Mélanges d'Archéologie, d'Histoire et de Littérature sur le Moyen Âge*, Paris, 1877, IV, págs. 217-346.

los maestros, para poder deducir de esto su influjo en la obra literaria. Ocurre lo mismo en el caso de los escritores actuales, salvo si dejaron noticia explícita de su formación literaria en los años de juventud. Casi siempre son lecturas, preferencias hacia determinadas obras, seguir u oponerse a las corrientes del tiempo, en particular a las empujadas por el imperativo de la moda. Pero en este caso, como en el estudio de las Bibliotecas, no se trata de limitarse a perseguir las huellas de estas influencias, sino de abrir los caminos para que se puedan establecer las relaciones entre una obra precedente y el escritor.

Las escuelas aparecen en el ámbito de la cultura religiosa que recoge la tradición antigua; su carácter fue vario, y se encuentran relacionadas con un monasterio o con una catedral. El Estudio General es la institución que recoge los estudios superiores como organización que otorga títulos, y la Universidad es la corporación que forman los profesores y los alumnos; ambas modalidades se reúnen en el término *Universidad*, que pasa a ser el dominante en los fines de la Edad Media [9]. El fundamento de las enseñanzas estaba en la antigua organización de los saberes en dos grupos: el *trivium* (la Gramática, la Retórica y la Dialéctica), y el *quadrivium* (la Aritmética, la Música, la Geometría y la Astronomía). Para el estudio de la literatura de la Edad Media conviene referirse en especial a las artes *triviales*, cuyo desarrollo constituye en términos generales lo que hoy llamamos Letras, en tanto que las artes del *quadrivium* fueron el origen de las Ciencias. La precavida legislación de Alfonso X dio normas para estas actividades, y clasificó los estudios de dos maneras: "*Estudio General*, en que hay maestros de las Artes, así como de *Gramática* y de *Lógica* y de *Retórica;* y de *Aritmética* y de *Geometría* y de *Mú-*

---

9 Puede considerarse como el tratado clásico de la materia en el plano de la información general el libro de H. RASHDALL, *The Universities of Europe in the Middle Ages*, Oxford, 1895, 3 tomos (hay ediciones posteriores, como la de Oxford, 1936); en forma más resumida: S. D'IRSAY, *Histoire des Universités françaises et étrangères*, Paris, 1933, en la parte del tomo I, dedicado a la Edad Media. Sobre las Universidades españolas: C. M. AJO G. y SÁINZ DE ZÚÑIGA, *Historia de las Universidades Hispánicas*, Tomo I, Medievo y Renacimiento, Madrid, 1957.

sica y de *Astronomía;* y otrosí en que hay maestros de Decretos y señores de Leyes. Y este estudio debe ser establecido por mandado de Papa o de Emperador o de Rey. La segunda manera es a que dicen *Estudio Particular,* que quiere tanto decir como cuando algún maestro amuestra en alguna villa apartadamente a pocos escolares. Y tal como este puede mandar hacer Prelado o Concejo de algún lugar" [10].

Como un ejemplo de lo que pudo ser el contenido de una de estas enseñanzas, puede valer para el "Estudio General" un fragmento de la *General historia* en que su autor nos cuenta la educación y enseñanzas recibidas por Júpiter; domina en este trozo el anacronismo tan común en las obras medievales, que cuando va referido a las figuras mitológicas se complica con la interpretación evemérica de la que se hablará más adelante. Dice así esta parte de capítulo: "Júpiter ...estudió y aprendió y [=allí] tanto, que supo muy bien todo el *trivio* y todo el *cuadruvio,* que son las siete artes a que llaman *liberales* [...]. Y van ordenadas entre sí por sus naturas de esta guisa: la primera es la Gramática, la segunda Dialéctica, la tercera Retórica, la cuarta Aritmética, la quinta Música, la sesena Geometría, la setena Astronomía. Y las tres primeras de estas siete artes son el trivio, que quiere decir tanto como tres vías o carreras que muestran al hombre ir a una cosa, y esta es saberse razonar cumplidamente [...]. La Gramática, que dijimos que era primera, enseña hacer las letras, y ayunta de ellas las palabras cada una como conviene, y hace de ellas razón, y por eso le dijeron Gramática, que quiere decir tanto como saber de letras [...]. La Dialéctica es arte para saber conocer si hay verdad o mentira en la razón que la Gramática compuso, y saber departir la una de la otra. Mas porque esto no se puede hacer menos de dos, el uno que demande y el otro que responda, pusiéronle nombre Dialéctica, que muestra tanto como razonamiento de dos por hallarse la verdad cumplidamente. La Retórica otrosí es arte para afermosar la razón y mostrarla en tal manera, que la haga tener por verdadera y

---

[10] *Partidas,* Part. II, Título 31, Ley 1.ª, tomo II, Madrid, 1807, pág. 340.

por cierta a los que la oyeron, de guisa que sea creída. Y por ende hubo nombre Retórica, que quiere mostrar tanto como razonamiento hecho por palabras apuestas y hermosas y bien ordenadas. Donde estas tres artes que dijimos a que llaman trivio, muestran al hombre decir conveniente, verdadera y apuesta, cualquiera que sea la razón; y hacen al hombre estos tres saberes bien razonado, y viene el hombre por ellas mejor a entender las otras cuatro carreras a que llaman cuadruvio" [11]. Este cuadro se puede completar con otra cita que muestre la actividad de las escuelas menores; pertenece a Gonzalo de Berceo, de cuya obra *Los Milagros de Nuestra Señora* es un fragmento:

> *Tenía en esa villa, ca ['pues'] era menester,*
> *Un clérigo escuela de cantar y leer.*
> *Tenía muchos criados a letras aprender,*
> *Hijos de buenos hombres, que querían más valer* [12].

El clérigo, de cuya significación como autor de la obra literaria se hablará después, se valía de su ciencia para educar (*criar*) los hijos de señores y de los hombres buenos de la ciudad, y que así de este modo acrecentasen su valía personal. Esta formación educadora tiene que resultar decisiva en los últimos siglos de la Edad Media, a medida que el caballero, en el trance de convertirse en hombre de Corte, estima que la obra literaria puede resultar para él un medio de lucir en la vida social, que se aprecia como un signo de nobleza.

---

[11] *General Estoria*, ed. SOLALINDE, Madrid, 1930, pág. 193.

[12] *Los Milagros de Nuestra Señora*, ed. SOLALINDE, Madrid, 1922, página 88; es el milagro titulado "El niño judío" (XVI, estrofa 354). En cuanto a los procedimientos de la educación, véase M. A. GALINO, *Historia de la Educación*, I, *Edades Antigua y Media*, Madrid, 1959. El trabajo en los escritorios y escuelas medievales de carácter monástico se describe en la obra de FRAY J. PÉREZ DE URBEL, *El monasterio en la vida española de la Edad Media*, Barcelona, 1942. Véanse también los libros de G. PARÉ, A. BRUNET y P. TREMBLAY, *La Renaissance du XII siècle. Les écoles et l'enseignement*, Paris-Ottawa, 1933, y el capítulo de L. HALPHEN, "L'enseignement aux XIIe et XIIIe siècles" en el libro *A travers l'Histoire du Moyen Age*, Paris, 1950, págs. 275-334.

LOS ESCRITORES ANTIGUOS Y LA OBRA LITERARIA MEDIEVAL

Admitido, pues, este magisterio de los escritores antiguos sobre los modernos de la Edad Media, al menos en los aspectos y asuntos en que se puede establecer esta relación, hay que considerar de qué manera produjo efectos en la creación literaria. De poco valen las declaraciones de los propios autores pues no se cuidaron de referir sus fuentes. O si lo hacen, a veces es un alarde retórico que resulta sólo un tópico, y hay que comprobar si son reiteración del lugar común o la confesión de un influjo evidente [13]. Por otra parte ocurre que el influjo no suele proceder de un autor determinado, sino de una tradición multiforme de los antiguos, recogida en los florilegios medievales. Estos eran a modo de antologías, sumas de vidas y hechos, mezclado todo a veces con trozos de obras de antiguos gentiles y cristianos. De esta confusión resultaba un "ambiente" literario en el que el autor en lengua romance hallaba ocasión de dar tono a su obra. De estos libros, que serían numerosos en las Escuelas y Universidades europeas, elijo uno, romanceado en castellano, cuyos títulos resultan ilustradores: "*La vida y las costumbres de los viejos fi-*

---

13 Puede servir de ejemplo esta mención de Francisco Imperial:

Homero, Horacio, Virgilio y Dante,
y con ellos calle Ovidio D'Amante...

(*Cancionero de Baena*, "Decir a Estrella Diana"; comp. núm. 231.)

De manera parecida se encuentran en otros autores. Sin embargo, sobre todo ya en el siglo XV, pudiera haberse dado una relación más directa con las obras de los antiguos; en el caso concreto de Clemente Sánchez de Vercial, autor de *El libro de los exenplos por a. b. c.* (véase la nota 26 del Capítulo XI), J. L. KELLER, en su artículo *The Question of primary Sources*, publicado en *Classical, Mediaeval and Renaissance Studies in honor of Berthold Louis Ullman*, II, Roma, 1964, págs. 285-292, cree que debe abrirse un mayor crédito a una posible consulta de los textos accesibles de los autores antiguos, y en consecuencia a una relación más inmediata con los mismos.

lósofos [y más adelante sigue en el encabezamiento]: Y en este pequeño libro enjerí las respuestas notables y dichos elegantes de aquellos filósofos, las cuales podrán aprovechar a consolación de los leyentes e información de las costumbres..." [14]. La confusión entre filósofo y poeta o autor literario es frecuente por esta peculiar valoración de la tradición de los antiguos. La obra antigua no se consideraba como un valor absoluto en sí, que extrajese de ella misma, de su perfección artística, la causa de su importancia. Precisamente en el siglo XV, cuando se formula una consideración renovadora de la antigüedad, un autor tan *moderno* como Fernán Pérez de Guzmán, repudia, sin embargo, las fábulas de los antiguos que no tienen una intención definida de dejar "algo entre las manos", esto es, una enseñanza:

> *Aquestas obras baldías*
> *parecen al que soñando*
> *halla oro, y despertando*
> *siente sus manos vacías.*
> *Asaz emplea sus días*
> *en oficio infructuoso*
> *quien solo en hablar hermoso*
> *muestra sus filosofías* [15].

Los autores medievales que escribían en romance, buscaban en los antiguos, amparados en la "autoridad" que todos les concedían, datos informativos, de carácter histórico a veces, y otras con un sentido de "provecho y consolación moral". El prestigio de los antiguos gentiles

---

14 *Liber de vita et moribus philosophorum,* escrito por WALTER BURLEY (Gualterius Burlaeus), ed. H. KUNST, Tübingen, 1866. Menciona entre otros a Cicerón, Virgilio, Horacio, Ovidio, Séneca, Catón, Quintiliano, etc.

15 *Cancionero Castellano del siglo XV*, ed. FOULCHÉ-DELBOSC, composición núm. 308, I, pág. 712. La modernidad del poeta puede hallarse en la nueva concepción del hombre que se desprende de las *Generaciones y Semblanzas;* véase también la composición núm. 290 del mismo *Cancionero,* "Decir a Leonor de los Paños", comentada por M. GARCÍA BLANCO, *Un Narciso medieval,* Granada, 1945.

era de segundo grado con respecto al primero, que tenía la Biblia y sus comentaristas y exegetas; sin embargo, se les hacía participar también en esta finalidad de enseñar al hombre, si no en las cosas divinas, al menos en lo tocante a cuestiones históricas y morales. La mitología de los gentiles antiguos pudo haber sido un obstáculo para el escritor cristiano, pero esto se salvó ingeniosamente con el *evemerismo*. Un autor griego, Evémero (alrededor del 300 a. J. C.), había dicho que los dioses antiguos no eran ficciones, sino el recuerdo que quedaba de seres reales que habían realizado grandes hechos en beneficio de los suyos, y a los que sus descendientes habían glorificado [16]. Aunque la obra en que este autor exponía sus opiniones se perdió, y también su traducción latina, son abundantes las referencias a la misma, y Cicerón y Plutarco la rechazaron por impía y absurda. La deificación de los héroes como dioses fue admitida en algunos casos, y por la obra de San Agustín y de San Isidoro pasó a los autores medievales como una idea común que quitaba a la mitología cualquier trascendencia de orden religioso, y esto permitió que las fábulas se interpretasen con un sentido moral. No obstante, no faltaron autores que declararon razones contrarias a la difusión de los libros de los gentiles, sobre todo mitológicos, por lo que dijo San Isidoro de que servían de excitación para mentes libidinosas. Pero esto no fue obstáculo para su difusión cada vez más creciente.

Otra característica del trato que los autores medievales dieron a esta "materia de la antigüedad", fue que no intentaron comprender la vida de los griegos y los romanos como diferente de la de sus tiempos. Los datos que tomaban de los antiguos se usaron con un carácter informativo o argumental, y no por su valor estrictamente literario, pero esto no trajo un esfuerzo por concebir la realidad del mundo

16 En latín "Euhemĕrus". Véase J. D. COOKE, *Euhemerism: A mediaeval Interpretation of classical Paganism*, "Speculum", II, 1927, págs. 396-410. Un testimonio medieval de esta interpretación nos lo ofrece ALFONSO X: "Deos decimos otrosí en latín por los dioses de los gentiles, que ni son dioses ni lo fueron, mas que hallamos que fueron hombres buenos, poderosos y más sabios que los otros al su tiempo", *General Estoria*, ed. SOLALINDE, citada, I, págs. 409 y 606.

antiguo. Su entendimiento, pues, era fundamentalmente anacrónico, y al pasar la obra de los antiguos a la lengua romance, acomodaban los hechos y situaciones del pasado (cualquiera que este hubiese sido) a las circunstancias que constituían su ambiente, de manera que todo venía a quedar evocado en un mismo plano histórico, sin profundidad temporal [17]. En términos generales puede decirse que el esfuerzo intelectual para que el relieve histórico de la Antigüedad quedase restablecido, fue una progresión lenta hasta que al fin se convirtió en nota distintiva de un período. Pero esto, claro es, no impidió que la herencia de la antigüedad, interpretada en una obra determinada como un signo poético total, fuese ocasión constante de renovación, y que sus frutos puedan encontrarse en forma aislada, dependiendo de circunstancias personales, antes que en el Renacimiento del siglo XVI se convirtiese en experiencia común que arrinconase estas otras apreciaciones parciales.

AUTORES ANTIGUOS PREFERIDOS DE LOS MEDIEVALES

Como ocurre también en las otras literaturas románicas, de este "ambiente" literario que forma la tradición de los antiguos hay algunos autores que se sitúan en un primer lugar, tanto por la abundancia de su mención, como porque puede comprobarse su influjo de un modo evidente; son en este sentido los "favoritos" que ya levantan cabeza en la Edad Media [18]. En primer término se colocan

---

17 Antes se vio la educación medieval de Júpiter; Alejandro en el poema clerical que se le dedicó aparece acompañado de los doce Pares y recibe la orden de la caballería. Aristóteles se comporta como un doctor medieval, y enseña a su discípulo las Artes triviales y cuadruviales, etc.

18 No sería exacto referirnos a los "clásicos" de la Edad Media. El término *clásico* [lat. "classicus"], se incorporó en fecha tardía a la terminología literaria, procedente del lenguaje social; lo emplea Aulo Gelio [*classis* > *classicus* 'ciudadanos de primera clase'; por analogía, el escritor modelo que sirve de guía en la adopción de un criterio gramatical de corrección lingüística]. Es tardío también en español, pues Corominas (*Dic. Etim.*, s. v. *clase*) lo anota por vez primera en la *Dorotea* de Lope, 1632. Un libro

Ovidio y Virgilio, seguidos de un grupo más numeroso entre los que se hallan Séneca, Horacio, Esopo, Terencio, Plauto, etc.

No se olvide tampoco que en la evolución en el gusto por estos predilectos la literatura romance sigue los pasos de la medieval latina. De esta manera ocurrió que el prestigio de Virgilio creció sobre todo en los siglos VIII, IX y X, seguido después por el de Ovidio, que se desarrolla a partir del siglo X, la época del desarrollo de la poesía de los trovadores. A fines del siglo XI se había vencido la oposición que pudiera haber contra Ovidio, sobre todo por razones de moralidad, y la interpretación alegórica se aplica a las *Metamorfosis*, y así de este modo resulta ser uno de los libros más difundidos en la tardía Edad Media.

Virgilio [19] fue considerado como autor magistral por gramáticos y retóricos, y sus obras sirvieron como modelo en los tres estilos: la *Eneida* se tuvo por canon del estilo elevado; las *Geórgicas* valieron para el medio; y las *Bucólicas*, para el humilde. Otros comentaristas quisieron hallar en sus obras anuncios de la venida de Cristo (Égloga IV); el pueblo, por su parte, creó un Virgilio sabio, conocedor de la magia y descifrador de oscuros misterios; su prestigio se ligó, por

---

fundamental sobre lo que el mundo antiguo transmitió a los primeros siglos de la Edad Media es el de H. O. TAYLOR, *The Classical Heritage of the Middle Ages*, 3.ª ed., Londres, 1911. Abundante información general en el libro de G. HIGHET, *La tradición clásica. Influencias griegas y romanas en la literatura occidental*, trad. española, México, 1954, 2 tomos (el original en inglés, Oxford, 1949, con varias reediciones posteriores). Véase para ampliación de los asuntos referentes a España e interesantes observaciones la amplia reseña que le dedicó M. R. LIDA DE MALKIEL en un artículo titulado *La tradición clásica en España*, "Nueva Revista de Filología Hispánica", V, 1951, págs. 183-223.

[19] Información general en la obra de D. COMPARETTI, *Virgilio nel Medio Evo*, ed. de G. PASQUALI, Florencia, 2 tomos, 1937-1941. Considerando que Dido debe a Virgilio su fama literaria, puede leerse (con las referencias de los otros autores que trataron de este asunto) el artículo de M. R. LIDA, *Dido y su defensa en la literatura española*, "Revista de Filología Hispánica", IV, 1942, págs. 209-252 y 312-382. Aunque el autor lo estudia en relación con Cervantes, hay algunos datos en R. SCHEVILL, *Virgil's Aeneid* (Persiles y Sigismunda, III. Studies in Cervantes, VII), New Haven, 1908, páginas 475-548.

la *Divina Comedia,* con el de Dante. La *Eneida* obtuvo la consideración de un relato de aventuras, en el que los viajes y hazañas del héroe pudieron inspirar a los autores de los libros de caballerías; la parte de los amores (sobre todo el episodio de Dido y Eneas) pudo sugerir rasgos sicológicos y situaciones para los relatos de ficción sentimental de fines de la Edad Media. El Marqués de Santillana escribió a su hijo don Pedro González de Mendoza que a sus ruegos se pasó la *Eneida* a la lengua vulgar, y con esta obra tomó deleite y consuelo. Fernán Núñez de Toledo, en sus comentarios a las *Trescientas* de Juan de Mena, señaló en fecha temprana (1499) la relación de este autor con Virgilio, que se encuentra también en otras obras. Virgilio, como caballero, se muestra también en el Romancero. En la transición al Renacimiento se encuentra la versión que Juan del Encina [20] realizó de las *Bucólicas;* es una paráfrasis en la que Encina dio énfasis al sentido dramático del diálogo; y aunque el libre modo de tratar la obra antigua es de sentido medieval, sin embargo, la delicada sensibilidad con que está interpretado el contenido poético es indicio de una nueva consideración de los antiguos, ya de orden renacentista.

Ovidio [21] resultó el otro gran maestro de las letras medievales por dos causas: sus obras fueron inspiración inagotable de argumentos, y

---

20 Conviene señalar el grado de conciencia literaria con que la obra fue trasladada, de la cual aparece un claro testimonio en el preámbulo de la misma, en el que, entre otras razones, se leen las siguientes: "...y muchas dificultades hallo en la traducción de aquesta obra por el gran defecto de vocablos que hay en la lengua castellana en comparación de la latina. de donde se causa en muchos lugares no poderles dar la propia significación, cuanto más que por razón del metro y consonantes, será forzado algunas veces de impropiar las palabras, y acrecentar o menguar según hiciere a mi caso...". Pero, por otra parte, unas líneas después escribe: "mas en cuanto yo pudiere y mi saber alcanzare, siempre procuraré seguir la letra..." (Folio XXXI vuelto de la edición facsímil *Cancionero de Juan del Encina,* 1496; Madrid, 1928).

21 Véase R. SCHEVILL, *Ovid and the Renaissance in Spain,* "Publications in Modern Philology", Universidad de California, IV, 1913, págs. 1-268; como indica el título, el propósito fundamental de este estudio se refiere al influjo que tuvo en los Siglos de Oro, y sólo dedica a la Edad Media la

lo más conocido de los relatos mitológicos procede de sus libros. Las *Metamorfosis* han de ser consideradas como una monumental enciclopedia que sirvió de fuente informativa sobre los mitos de la antigüedad: en este libro los mitos se hallan expuestos en forma que pueden considerarse relatos legendarios; y sobre todo representó una formulación unificadora del contenido, tan vario en versiones, de la mitología, que de una manera ya establecida (y tan adecuada para la imaginación como era la de las "metamorfosis") se difundió no sólo en los argumentos enteros, sino en piezas de expresión, reconocidas por todos. De esta manera resultó más sencilla su adaptación al espíritu medieval, y fue fácil lograr una interpretación "moral" de las mismas. Se llamó a esta obra el Ovidio mayor o Biblia de los gentiles y sus refundiciones pusieron en circulación una "materia ovidiana" muy sabida. En España Alfonso X utilizó la epístola VII de las *Heroidas* como fuente histórica de la *Crónica General;* hay reminiscencias en el *Poema de Alexandre,* y, a través de paráfrasis, en Juan Ruiz. La otra causa de su difusión fue que estableció para los autores medievales los principios de un esquema sicológico del "amor-pasión" que coincidiendo con el lirismo cortés sirvió a los poetas del arte cancioneril y a los autores de libros sentimentales. Esta parte de su influjo procede de sus obras *Ars amatoria* y *Heroidas;* el *Arte de amar* fue libro que inspiró las manifestaciones del amor en la Edad Media pues en Ovidio, según Juan Ruiz, se hallan "muchas buenas maneras para enamorado"; y las *Heroidas,* o cartas de amor de ilustres desesperadas, sirvieron para formular el esquema sicológico de la mujer enamorada. Ovidio ofrecía un cuadro de situaciones amo-

---

Parte I (págs. 6-86). La Epístola de Dido a Eneas entró a formar parte de la *Crónica General* como fuente de información histórica; SCHEVILL la comenta y publica en este trabajo mencionado (págs. 251-262). Una relación del influjo de las *Heroidas* de Ovidio en la literatura española se encuentra en la edición de las *Heroidas,* México, 1950, traducción castellana, introducción y notas; el prólogo introductorio, con el título de *Las "Heroidas" de Ovidio y su huella en las Letras Españolas,* de A. ALATORRE, contiene referencias sobre la fortuna de este libro de Ovidio en la Edad Media (págs. 28-34), y sobre su influencia (págs. 47-58).

rosas y un juego sicológico para los personajes de los libros sentimentales, cuyos autores lo aplicaban con rigidez en el desarrollo de una casuística que se reiteraba cuanto fuese necesario para el argumento. Los poetas cancioneriles de los siglos XIV y XV lo citan con frecuencia, e incluso su fama legendaria llega hasta el Romancero.

Después de estos autores cabe mencionar otros, como Horacio, que fueron conocidos en la Edad Media por sus obras [22] y también por su vida, pues ya se dijo que la condición de poeta se confunde con la de filósofo, y esto trae en principio la fama de hombre sabio. Así la vida de estos hombres ejemplares se descompone en anécdotas sueltas que servían como ilustración de su condición y doctrina; las obras fueron conocidas en resúmenes, compendios o sueltas en los fragmentos de los citados *Moralia Dogma Philosophorum*, y poco en su integridad. Esto ocurrió con los griegos Homero, Platón, Aristóteles, Esopo y Sócrates [23]. Homero obtuvo la consideración de "gran sabio varón", entendido en todas las artes, y la historia y la epopeya de Troya se fundieron en una "materia troyana" [24] que corrió sobre

---

22 De poco interés para la Edad Media es el *Horacio en España* de MENÉNDEZ PELAYO (tomos XLVII-XLIX de las *Obras Completas)*. Algo apunta M. R. LIDA en *Horacio en la literatura mundial*, "Revista de Filología Hispánica", II, 1940, págs. 370-378, comentario de *Orazio nella letteratura mondiale*, Roma, 1936, de poco interés. En términos generales, L. SORRENTO, *Orazio e il Medio Evo*, en *Medievalia*, Brescia, 1943, págs. 111-176.

23 Puede verse una información general en el artículo de J. A. MARAVALL, *La estimación de Sócrates y del saber literario en la Edad Media española*, "Revista de Archivos, Bibliotecas y Museos", LXIII, 1957, págs. 5-68.

24 A. REY y A. G. SOLALINDE, *Ensayo de una bibliografía de las leyendas troyanas en la literatura española*, Bloomington, 1942. Añádase E. CORREA CALDERÓN, *Reminiscencias homéricas en el "Poema de Fernán González"*, "Homenaje a Menéndez Pidal", IV, 1953, páginas 359-389. Sobre el tema de Ulises, y su interpretación en la Edad Media como ejemplo de prudencia, paciencia y fortaleza puede consultarse el libro de información general de W. B. STANFORD, *The Ulysses Theme*, Oxford, 1954. La difundida obra de Guido delle Colonne ha sido publicada en edición crítica por N. E. GRIFFIN: GUIDO DE COLUMNIS, *Historia Destructionis Troiae*, Cambridge, Mass., 1936. Existe buena información de carácter general en la obra de CH. VELLAY, *Les légendes du cycle troyen*, Mónaco, 1957, dos tomos. Sobre versiones: A. MOREL-FATIO, *Les deux "Omero" castillans*, "Romania", XXV, 1896, páginas

todo en la versión de la *Historia Troyana*, atribuida a Dares y Dictis, extendida después por las obras de Benoît de Sainte-Maure y de Guido delle Colonne. Platón[25] fue tenido por filósofo de dulce expresión, asceta dominador de las pasiones, adivinador de virtudes cristianas. Aristóteles tuvo fama de gran disputador, maestro en el adiestramiento de la razón, pero de débil voluntad con las mujeres. Bajo el nombre de Esopo[26] se reunió una extensa materia fabulística. Hay que mencionar también a un hispanorromano de primer orden: la función de Séneca en la Europa medieval fue muy importante. La doctrina de Séneca[27], filósofo muy sabio, se apreció como inmediata al Cristianismo, y llegó a creerse que tuvo relación directa con los cristianos: Alfonso X refiere la amistad y correspondencia entre San Pablo y Séneca. Esta doctrina, constituida por consejos sobre la conducta del hombre y sus relaciones, dentro de la norma de un estoicismo en el que se confunde el "beneficio" con la caridad, pasó a los libros como la más completa exposición de la vida espiritual de un antiguo que

111-120 (recogido después en *Études sur l'Espagne*, 4.ª serie, Paris, 1925, páginas 88-103); sobre la influencia de Dares y Dictis en la literatura medieval europea: N. E. GRIFFIN, *Dares and Dictis*, Baltimore, 1907.

25 Sobre Platón y su interpretación y conocimiento en la Edad Media, véase E. GARIN, *Studi sul Platonismo medievale*, Firenze, 1958; y R. KLIBANSKY, *The continuity of the Platonic tradition during the Middle Ages*, London, 1950.

26 G. C. KEIDEL, *Notes on Aesopic literature in Spain and Portugal during the Middle Ages*, "Zeitschrift für Romanische Philologie", XXV, 1901, páginas 720-730.

27 La valoración de la importancia del influjo de Séneca ha sido debatida. Información sobre noticias de su influjo en general se halla en el libro de M. DE MONTOLÍU, *El alma de España*, Barcelona, s. a., Cap. III, páginas 254-351. Negó importancia al influjo A. CASTRO, que defiende que el senequismo no dio origen en España a ninguna manera de pensamiento original (*La realidad histórica de España*, obra citada, pág. 550); cree en la función de este influjo SÁNCHEZ-ALBORNOZ al caracterizar lo hispánico de los hispanorromanos (*España, un enigma histórico*, obra citada, I, págs. 122-130), y lo extiende a otros autores: Lucano, Marcial, Prudencio, etc. Véase un planteamiento general, con consecuencias negativas, probatorias del criterio de A. Castro, en el artículo de S. SERRANO PONCELA, *Séneca entre españoles*, publicado en *Collected Studies in honour of Américo Castro's eightieth year*, Oxford, 1965, págs. 383-396.

podía imitarse. En el siglo XV fue traducido y su influjo y fama dejan huella abundante. Los españoles le llaman "nuestro" Séneca por su condición de hispanorromano, que compartía también con Lucano. Muy importante resultó la función mediadora de los Padres de la Iglesia (Orígenes, Clemente, San Jerónimo, San Agustín, etc.), colocados en la transición entre el mundo antiguo y el naciente medieval, que está fuera de la consideración de este libro. San Isidoro será mencionado más adelante como el autor hispanovisigodo de este signo [28]. La presencia de los antiguos en la Edad Media es una característica general de las literaturas románicas, con las que coincide la española. Y será una concepción distinta de este influjo constante una de las razones que han de servir para señalar un límite al Medievo como período literario, ya en la transición hacia los Siglos de Oro [29].

LITERATURA TRADICIONAL LATINA

Los testimonios señalados en párrafos precedentes se refieren a obras trasmitidas a través de una *literatura*, o sea una tradición asegurada por la escritura, partiendo de textos que se sabe que son de autor determinado, o se discute sobre quién pudo serlo. El arraigo del concepto de una poesía tradicional en el estudio de las literaturas románicas, sobre todo en las iberorrománicas, hace necesario plantear aquí su existencia en la misma literatura latina. En efecto, la poesía tradicional requiere, entendida como trasmisión oral, que se retroceda siguiendo hacia sus posibles orígenes a través de los siglos, hasta per-

[28] Puede hallarse más información sobre estas influencias entre los antiguos y los autores romances en los párrafos correspondientes de las *Bibliografías* de H. SERÍS, I, págs. 39-40 y 676-680; y de J. SIMÓN, I, 562-564 y 589-593. Algunas monografías estudian aspectos particulares en relación con la literatura, como la de F. RUBIO ÁLVAREZ, *La "Ciudad de Dios" en la literatura castellana de la Edad Media*, "La Ciudad de Dios", CLXVII, 1955, páginas 551-576. Véase la nota 17 del cap. XIII.

[29] Véase lo que digo en el cap. XIV "El fin del Medievo", y también, en el cap. XV, "El Prerrenacimiento y la transición hacia el Humanismo renacentista".

seguir su noticia en los mismos tiempos de la gran literatura escrita del Imperio Romano. Así con respecto a la lírica, rastreando tras de los antecedentes de las jarchas, escribe Menéndez Pidal, que estas piezas: "... dependen sin duda de una tradición latina, pero no de la de Ovidio y Catulo, sino de la tradición latina oral, la que, por ejemplo, en el siglo V aprovechaba San Agustín en sus metros para combatir a los Donatistas, o la que en el siglo VI era condenada en sus torpes cantos de danza por el Concilio Tercero de Toledo. Esta tradición es probable que tuviese algún contacto con la tradición literaria clásica, pero muy lejano e impreciso" [30]. Los cantos de amor virginal pudieran ser una cristianización de los cantos profanos de la mujer, como los de las "puellae Gaditanae".

---

30 MENÉNDEZ PIDAL, *La primitiva lírica europea*, "Revista de Filología Española", XLIII, 1960, pág. 299.

CAPÍTULO IV

RETÓRICA Y POÉTICA EN LA EDAD MEDIA. TEORÍA MEDIEVAL DE LOS ESTILOS Y ESTILÍSTICA MODERNA

RETÓRICA Y POÉTICA MEDIEVALES

La teoría que la Antigüedad había establecido sobre el arte literario, perduró hasta los tiempos medievales mediante la función de la Retórica [1], tanto de la propiamente griega y romana, como de la que la misma Edad Media recreó sobre los anteriores principios. Los Tratados de Retórica, Artes de la Poesía, los libros sobre composición literaria, Poéticas y otras obras cuyo fin era el cultivo artístico de la lengua latina, ejercieron esta función de manera ininterrumpida y variada durante la Edad Media, y sus beneficios alcanzaron a la literatura de las lenguas románicas. Ocurrió esto sobre todo por el valor educativo que esta disciplina tuvo, y que sirvió desde la enseñanza de las primeras letras para preparar la formación del gusto en los hombres cultos de Europa sobre unos principios artísticos comunes en la Romanidad. Una vez que las nuevas lenguas se juzgaron maduras para que sobre ellas se aplicase un arte consciente, esta misma tradición retórica, manifestada en su entera plenitud en el comenta-

[1] Sobre la retórica en general y su terminología: H. LAUSBERG, *Manual de Retórica Literaria*, Madrid, 1966.

rio y creación de las obras latinas, sirvió de cauce y modelo para "elevar" la obra romance. Pero entiéndase que la función positiva de la Retórica se verificó sobre todo por el cauce mismo de la incipiente literatura romance, cuyo sistema de expresión estaba en relación con las modalidades creadoras de la nueva lengua; no fueron, pues, de signo diferente la función retórica y esta creación romance peculiar, sino que ambas confluyeron en la realidad de cada obra. Hay que considerar, por tanto, el caso de cada una de las obras y también la condición del autor (si esto cabe), así como el carácter del género junto con el signo cultural de la época. Y, por fin, conviene dejar sentado que la función de la Retórica fue constante en el período medieval de la Literatura románica, y que la variedad que tuvo esta Retórica, de tan diversas manifestaciones como se verá en seguida, fue una de las causas del enriquecimiento de la creación poética romance.

El paso de la Retórica antigua a la medieval consistió en la aplicación de la técnica antigua a una situación diferente, pero esta adaptación no rompió la continuidad de la misma, basada en unos textos fundamentales. Fueron estos sobre todo: el tratado *De oratore* de Cicerón, y otro, inmaturo, el *De inventione*, junto con la llamada *Rhetorica ad Herennium*, puesta a nombre de Cicerón por algunos, y de Cornificio por otros. Quintiliano fue otro de los teóricos del arte de la palabra. Estos libros estaban destinados en especial al cultivo de la palabra hablada, u oratoria, y Alonso de Cartagena identificó al orador antiguo con lo que más se le parecía en su tiempo: "el oficio que entre nos tienen los juristas que llamamos abogados, ese era principalmente el de los retóricos antiguos" [2]. En Quintiliano la doctrina del orador forma parte de un tratado de la educación en el que la retórica se considera como un don divino para levantar el espíritu.

Pero no hay que contar sólo con los libros básicos. Los conceptos, ideas y procedimientos que allí se expusieron, fueron resumidos

2 Tomo la cita de M. Menéndez Pelayo, *Historia de las Ideas Estéticas en España*, ed. Obras Completas, I, Apéndice II, pág. 493.

y adaptados a nuevas modas [3]. La Retórica y la Poética se entendieron de manera complementaria, junto a la Gramática, y con el fin de establecer los comentarios sobre los autores latinos, conservando el valor pedagógico de los antiguos. En España San Isidoro compiló estos libros en breves fórmulas, muy útiles en tiempos en que el saber se prefería en *Summas*. Por haber florecido en la época en que la lengua vulgar adquiere el carácter de literaria, hay que señalar la función que en este dominio realizó el Renacimiento francés de los siglos XI al XIII [4]. En estos siglos la vida política de los Reinos españoles fue muy movida, pero no dejó por eso de llegar la influencia de la clase clerical europea, y sus efectos sobre la literatura. Por eso son importantes las obras de índole retórica de Hugo de San Víctor, Juan de Salisbury, Vicente de Beauvais, Brunetto Latini, Mateo de Vendôme, Godofredo de Vinsauf, Eberardo el alemán, Juan de Garlande y otros [5]. Estos autores rehicieron las viejas teorías y prácticas de la Retórica y les dieron una forma más acorde con el gusto de los tiempos. Así, por citar un ejemplo, la "descripción" de las retóricas antiguas resulta en extremo realzada en las nuevas hasta convertirse en uno de sus elementos fundamentales. La literatura medieval corrobora con numerosos ejemplos esta preferencia de la retórica, expuesta en teoría en las Artes, y los casos de descripción abundan en las literaturas europeas, y como era de esperar en la española [6]. La comparación

---

3 Información fundamental en CH. S. BALDWIN, *Medieval Rhetoric and Poetic (to 1400)*, [1928], reedición Gloucester, Mass., 1959.

4 Ya me referí en el capítulo anterior a la importancia pedagógica de este Renacimiento; véase también la obra de J. GHELLINCK, *L'Essor de la Littérature Latine au XIIe siècle*, Bruselas-Paris, 1946 (reed. 1954). Datos abundantes en el libro de P. RENUCCI, *L'aventure de l'Humanisme européen au Moyen Âge*, antes citado.

5 Resulta básica la obra de E. FARAL, *Les Arts poétiques du XIIe et du XIIIe siècle*, Paris, 1923.

6 Quise mostrar el efecto de estos esquemas en la estructura literaria de una obra en mi artículo *La retórica en las "Generaciones y Semblanzas" de Fernán Pérez de Guzmán*, "Revista de Filología Española", XXX, 1946, págs. 329-330, en especial en cuanto a la *descriptio;* C. CLAVERÍA, en *Notas sobre la caracterización de la personalidad en "Generaciones y Semblanzas"*,

ha sido objeto de un estudio especial de K. Whinnom en relación con el uso que de ella hicieron los poetas religiosos de fines de la Edad Media, y a través del mismo llega a la conclusión siguiente: "Tal vez ningún predicador mendicante se salve del todo de alguna formación retórica, pero sí se puede afirmar que, cuando utiliza recursos retóricos su propósito no es nunca puramente estético"[7], y señala la finalidad de este uso: "Las emociones que trata de despertar la predicación franciscana son la ternura, el espanto, el amor, la compasión, la alegría, y estas emociones triunfan sobre el decoro"[8]. De esta manera, pues, los distintos elementos retóricos refuerzan determinados sentidos de la creación poética, adaptando sus diversas modalidades a la intención del poeta y del género, y también de la ocasión.

El hecho fue que estos libros valieron para la educación literaria de la sociedad de la que salieron los autores y los lectores de la obra romance escrita con arte; tales tratados en último término no fueron sino la sistematización de esta presencia constante de la Antigüedad, que a su vez fue convirtiéndose en un elemento preponderante hasta que logró la condición de signo diferenciador entre épocas, y en el Renacimiento del siglo XVI pasó a ser señal distintiva de una moda literaria.

Si la literatura latina fue decayendo como obra de creación en los últimos siglos de la Edad Media, no faltó el mantenimiento de unos principios teóricos que actuaron de diversas maneras: la enseñanza del latín y el comentario de su literatura estuvieron en la base del Humanismo europeo, y pudieron participar en los diversos Renacimientos de las nuevas lenguas. Edmond Faral, autor de libros fundamentales sobre este asunto, escribió: "por débiles que resulten en el aspecto de la teoría, estas doctrinas tienen una importancia histórica

"Anales de la Universidad de Murcia", X, 1951-2, págs. 481-526, cree que la clave está en los sistemas medievales de virtudes.

[7] K. WHINNOM, *El origen de las comparaciones religiosas del Siglo de Oro: Mendoza, Montesino y Román*, "Revista de Filología Española", XLVI, 1963, págs. 263-285. La cita, en la pág. 281.

[8] *Idem*, pág. 284.

incuestionable. No han sido elucubraciones estériles. Los escritores las han utilizado, y cuando se haya investigado en las repercusiones que han tenido estas teorías sobre las obras, la historia literaria habrá logrado un apreciable avance. Se tendrá uno de los resortes más importantes de la creación artística: el oficio al lado del genio, este oficio que en la Edad Media ha tenido como en ningún otro tiempo una tan gran importancia"[9].

LA TEORÍA DE LOS TRES ESTILOS

El conjunto de estos consejos sobre el arte literario, aplicado a un grupo de obras concordes, constituyó una teoría del "estilo"; en este sentido se reconoce que puede haber diversas modalidades de estilo según el empleo que se haga de determinados medios artísticos de expresión. El origen se halla en Cicerón[10], y San Agustín recoge esta concepción en los: *genus submissum* o *tenue* (propio para enseñar), *genus temperatum* o *medium* (propio para entretener), y el *genus grande* (propio para conmover). Los autores carolingios, y después otros, y entre ellos Juan de Garlande, pasaron a la Poética esta partición de la Retórica, y este autor inventó la llamada rueda de Virgilio en la que los estilos se diversificaron en tres tipos de hombre: pastor, agricultor y noble, que lograron cumplida expresión literaria en tres obras: *Bucólicas, Geórgicas* y *Eneida.* Este esquema pasó a la literatura romance, y el Marqués de Santillana lo aplicó a la obra que él conocía de esta manera: "Mediocre usaron aquellos que en vulgar escribieron, así como Guido Guinicelli, boloñés, y Arnaldo Daniel, provenzal... [y poco más adelante los nombres de Dante, Petrarca y Boccaccio] Ínfimos son aquellos que sin ningún orden, regla

---

9 *Les Arts poétiques du XIIe et du XIIIe siècle,* obra citada, pág. 16. El tratado general sobre esta materia es el libro de G. SAINTSBURY, *A History of Criticism and Literary Taste in Europe,* tomo I, Edimburgo y Londres, 1900, en particular el Libro III de la obra, dedicado al criticismo medieval (págs. 372-486).

10 *Orator,* XXIX, 109.

ni cuento hacen estos romances y cantares, de que las gentes de baja y servil condición se alegran". El tercer estilo, sublime, queda reservado para la poesía griega y latina. Otras veces la participación se establecía siguiendo otros criterios; esto ocurre, por ejemplo, en la declaración prohemial de Juan de Mena, al escribir la *Coronación* del

LOS TRES ESTILOS EN VIRGILIO

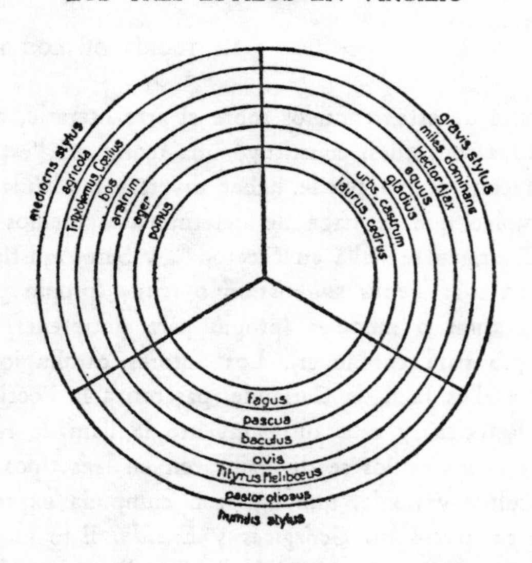

La "rueda de Virgilio" de Juan de Garlande, según FARAL, *Les Arts poétiques*, pág. 87. El texto que la ilustra dice: "Item sunt tres styli secundum status hominum: pastorali vitae convenit stylus humilis; agricolis mediocris, gravis gravibus personis quae praesunt pastoribus et agricolis".

mencionado Marqués: "Sepan los que lo ignoran que por alguno de tres estilos escriben los poetas; es a saber: por estilo tragedio *(sic)*, sátiro y cómico. Tragedia es la escritura que habla de altos hechos y por bravo y soberbio y alto estilo [menciona en él a Homero, Virgilio, Lucano y Estacio]... Sátira es el segundo estilo... oficio suyo es reprehender los vicios [Horacio, Juvenal]. El tercer estilo es comedia, el cual trata de cosas bajas y pequeñas, por bajo y humilde estilo... [Terencio]". La clasificación no presupone un género determinado, y sólo se refiere al fin de la misma: desgraciado en la tragedia y afortunado en la comedia; y se interpretaba con flexibilidad, hasta el punto de que Mena declara que la *Coronación* (panegírico del Marqués) es obra de comedia y sátira [11].

La idea de una gradación de los estilos venía así a formar parte de la concepción de la obra medieval, y su condición podía radicarse en la lengua de la expresión. Así ocurre por ejemplo en unas líneas que preceden a un *Libro de los consonantes,* de Pero Guillén de Segovia [12], parte acaso de un Tratado de Poética, donde se lee: "aunque de esta gaya ciencia haya habido muchos y prudentes autores, parece que todos aquellos que de ella hablaron la pusieron en el latín y en estilo tan elevado, que pocos de los lectores pueden sacar verdaderas sentencias de sus dichos, quise yo [...] escribir algo de ellos en romance, so estilo bajo y humilde...". Y los consonantes de la obra convienen con la poesía cancioneril, y no con la otra obra falta de disciplina a que se refiere el Marqués de Santillana. En esta cuestión hay que considerar, por tanto, la orientación genérica que apuntan los tratados latinos, la interpretación romance de los mismos, y la gradación lingüística, en la que griego y latín ocupan el más alto lugar, el provenzal y el italiano el segundo, y los esfuerzos por la creación romance, el tercero; todos los puntos de vista se pueden cruzar en el autor, y con este se da lugar a una matización inicial de la creación

---

11 M. Martínez de Ampiés, en el *Triunfo* de la Virgen (véase la nota 22 del capítulo VI), declara expresamente en el prólogo: "Escribí aquí el estilo de que usaron los poetas famosos y cuál parte seguí de tragedia, sátira o cómico para en romance no curé de ello, porque tomé más de una, y esto causó la manera del Tratado..." (fol. A ij vuelto). En germen está declarada aquí la mezcla de estilos, tal como ocurre en la tragicomedia, justificada implícitamente en esta declaración.

12 *La Gaya ciencia de P. Guillén de Segovia.* Transcripción de O. J. Tuilio; introducción, vocabulario e índices de J. M. Casas Homs, Madrid, 1962, 2 tomos, pág. 43 del texto de la obra en el tomo I.

poética que ofrece esta predeterminación expresiva dentro de uno de estos estilos generales, cuyos efectos son variables y dependen de la interpretación que cada uno dio a la teoría de los estilos.

LA TEORÍA DE LA POESÍA NUEVA

La teoría de la poesía nueva aparece como el complemento del influjo de las Retóricas mencionadas en el párrafo precedente. Aunque la oposición entre la poesía nueva y la vieja sea un antiguo tópico, a través de él se precisa la conciencia de que el autor puede lograr una creación que puede competir con el favor de la obra latina, y a la larga, vencerla: "Mas dejemos ya las historias antiguas para allegarnos más cerca de los nuestros tiempos" [13], escribe el Marqués de Santillana después de haber referido las alabanzas de los autores antiguos y antes de pasar a los nuevos (provenzales, franceses, italianos y españoles). El propósito, a la vez educador y crítico, de estos tratados puede verse declarado en el *Arte de la Poesía Castellana* de Juan del Encina: "acordé de hacer un Arte de poesía castellana por donde se pueda mejor sentir lo bien o mal trovado; y para enseñar a trovar en nuestra lengua, si enseñar se puede" [14]. Si vimos que la retórica

---

[13] En la carta que sirvió de Prohemio a un manuscrito que con sus Obras envió el Marqués al condestable don Pedro de Portugal. Esta obra es fundamental, tanto por su función en la valoración poética de Santillana, como por ser una pieza que orientó el estudio de la literatura lírica en el siglo XVIII. Puede verse lo que le dedica R. LAPESA, en *La obra literaria del Marqués de Santillana,* Madrid, 1957, págs. 247-255. Fue editada en varias ocasiones, y anotada; así en las *Obras* de Santillana, ed. de AMADOR DE LOS RÍOS, Madrid, 1852; en el Apéndice III de la *Historia de las Ideas Estéticas en España* de MENÉNDEZ PELAYO, tomo I de las Obras Completas; L. SORRENTO, en la "Revue Hispanique", LV, 1922, págs. 1-48; A. R. PASTOR y E. PRESTAGE, Oxford, 1927; J. B. TREND, Londres, 1940. Los términos que usan estos autores medievales para referirse a las piezas literarias, muchas veces en alusiones hechas de pasada, resultan confusos, y sujetos a diversa y controvertida explicación.

[14] Prólogo al Príncipe don Juan, folio II de la edición facsímil del *Cancionero de Juan del Encina,* 1496, edición citada.

antigua se basó sobre todo en la oratoria (aunque luego su teoría se aplicase a otras modalidades literarias), esta teoría de la poesía nueva se orienta hacia el ejercicio de la poesía lírica. El origen de la misma se sitúa sobre todo en los provenzales: "Extendiéronse, creo, de aquellas tierras y comarcas de los lemosines estas Artes a los gálicos y a esta postrimera y occidental parte que es la nuestra España, donde asaz prudente y hermosamente se han usado", sigue escribiendo el de Santillana. En el *Cancionero de Baena,* recopilación tardía de este género de poesía, existe otra exposición de la teoría artística sobre la que se basa la creación de esta lírica, formulada en el prólogo que precede a la parte propiamente poética. De esta manera se acusa aún más la necesaria relación entre teoría y hecho poético en el caso de estos autores que pretenden mostrar a las claras que escriben (o que eligen las obras) con una entera conciencia de su arte.

ARTIFICIOSIDAD DE LA PROSA Y EL VERSO EN LA EDAD MEDIA: "CURSUS" Y MÉTRICA

La obra literaria que comenzó a difundirse en lengua vernácula adoptó los cauces expresivos de la prosa y el verso: las enseñanzas de la retórica son comunes a ambas, afirman los tratados del siglo XIII, poniendo en orden una creación cada vez más activa. La prosa [15] es la común manera de hablar de las gentes, y se adjetiva de larga y llana; aun siendo una forma *común,* sin embargo admite el orden del desarrollo (frente al libre discurso) y la densidad de significado, con palabras llenas de derecho y de seso y sentencia (frente al lenguaje cotidiano). El *cursus* fue una modalidad de la prosa latina, prac-

[15] Frente a este sentido general, *prosa* tuvo en el latín medieval la significación de *secuencia,* 'prosa o verso que se dice en ciertas misas después del gradual', texto religioso para ser cantado; y de ahí pasó a composición poética del género religioso, en lengua vulgar, por el estilo de las de Berceo y aún poema en verso (Véase COROMINAS, *Diccionario crítico etimológico,* obra citada, s. v. *prosa).*

ticada en especial en los siglos XII y XIII [16], que pudo también orientar una disciplina artística de la prosa romance, estableciendo cadencias rítmicas acomodadas a las condiciones de la lengua vulgar, en particular la prosa rimada. El verso fue considerado como una modalidad más estrecha y fuerte, con límites que no había que traspasar en el cuento de sílabas, la condición de la rima, la distribución de acentos y la organización de la estrofa. Estos elementos (o su relativa ausencia) estaban en la conciencia del autor, y formaban parte, de una manera activa, del criterio del que apreciase el valor de la poesía, y constituyen los principios de la métrica medieval; cada una de estas organizaciones de los tales elementos servía para la estructura de un "género" determinado, y la obra, creación poética y libre por tal, tomaba cuerpo por razón de su diferente calidad literaria en uno de estos sistemas rítmicos, molde a la vez ordenador y flexible.

LA MÉTRICA MEDIEVAL

La métrica medieval (en sus diversos aspectos de medida del verso, distribución de acentos, clase de rima y constitución de estrofas) está condicionada por el carácter de la poesía en relación con los géneros dominantes. Es un aspecto más del "arte" de la poesía, en correlación tan íntima con las obras, que propiamente sólo el criterio analítico de la moderna filología ha podido establecer un estudio independiente de la métrica. Navarro Tomás recoge como básicos los tres grandes grupos: juglaría, clerecía y "Gaya Ciencia". En el desarrollo de esta *Introducción* he repartido la mención de las cuestiones relativas a la métrica de una manera análoga: a) la teoría del verso de la juglaría, reconocido como anisosilábico; b) el triunfo del octosílabo, base del romance y de numerosas modalidades líricas; c) la teoría de las sílabas que se cuentan en el verso de la clerecía; d) la diversidad de la poesía cancioneril, con sus metros estrictamente condicionados;

---

16 Se reconocían tres clases de *cursus:* el *planus* (víncla perfregit), el *tardus* o *ecclesiasticus* (víncula perfregerat) y el *velox* (vínculum fregeramus).

e) el verso lírico popular. En forma correlativa, rimas y estrofas establecen modalidades abiertas y cerradas, según se trate de poemas narrativos en los que se da el desarrollo continuo (cantares de gesta, poemas clericales, didácticos, romances, arte mayor, etc.) o de límites más precisos (arte cancioneril, lírica popular, etc.). Los problemas que plantea esta métrica tienen que resolverse dentro de la unidad genérica, y con ayuda de los recursos de la filología. Lo que dicen los tratados medievales del Arte poético es bien poco, y muchas veces confuso. Sólo en un aspecto se encuentra información de primera mano: sobre las rimas, para ayudar al poeta en el arte de la composición y ofrecerle las terminaciones adecuadas para el verso. Así ocurre con el *Libro de los Consonantes,* antes mencionado, más conocido con el título de *La Gaya Ciencia,* reunido por Pero Guillén de Segovia (1413-después de 1474). Este Rimario se inspiró probablemente en el *Torcimany* de Luis de Averçó; en su tiempo fue obra que señaló un esfuerzo por avanzar en la técnica del verso castellano, inspirada en las obras semejantes de Provenza, y hoy representa un inapreciable documento filológico [17].

LA ESTILÍSTICA, APLICADA AL ESTUDIO DE LA LITERATURA MEDIEVAL

Como consecuencia del afán de los críticos por hallar un método más eficiente para la valoración de la poesía, se han querido estable-

---

[17] Véase la referencia en la nota de este capítulo. El estudio más extenso sobre la métrica española es el de T. NAVARRO así titulado *Métrica española,* New York, 1956, que se citará después convenientemente. De utilidad pedagógica es la obra de R. BAEHR, *Spanische Verslehre auf Historischer Grundlage,* Tübingen, 1962 (de próxima aparición en español). Para la bibliografía: D. C. CLARKE, *Una bibliografía de versificación española,* Berkeley, 1937; a la que se añade la publicada por la misma autora en *A Chronological Sketch of Castilian Versification...,* con una útil lista de términos de la métrica. Y también A. CARBALLO PICAZO, *Métrica española,* Madrid, 1956, relación de la bibliografía sobre la métrica, clasificada por siglos. Desde el punto de vista de la estrofa como unidad rítmica: R. DE BALBÍN, *Sistema de rítmica castellana,* Madrid, 1962. Otras referencias se citarán en el lugar oportuno.

cer sistemas de penetración en la obra literaria que tuviesen sobre todo en cuenta su naturaleza lingüística y también el carácter significativo de la expresión. Con este procedimiento se busca establecer la personalidad del escritor en cuanto que es creador en un estilo propio que se manifiesta en su obra. Ha aparecido una "ciencia del estilo" o *estilística*, cuyos primeros frutos se dieron sobre todo en el estudio de los autores contemporáneos. Con el fin de sobrepasar el capricho de una crítica personal, la estilística quiso hacerse con una técnica, en la que, teniendo en cuenta la naturaleza del hecho poético, se procediese a la vez por la vía del análisis y se ejerciese correlativamente la síntesis de la intuición ordenadora y definitoria con el fin de llegar al juicio sobre la obra literaria. La calidad y alcance de este juicio dependen del criterio con que se lleve a cabo el examen, y de la trascendencia que se dé a la estilística. Partiendo desde la identificación y el recuento de los elementos lingüísticos en los que se muestra más patente la intención creadora alcanza hasta juicios de valoración sobre la entidad total de la poesía de la obra. La teoría medieval de los estilos, mencionada en párrafos anteriores, no ha de confundirse con este otro aspecto de la ciencia de la literatura, aunque en determinados estudios la estilística recurra a la dicha teoría de los estilos.

La estilística, como ha probado Helmut Hatzfeld [18], puede aplicarse también al estudio de las obras de la Edad Media, y entonces el crítico ha de ejercer su función cuidando de salvar el paso del tiempo, y adaptando su intuición a estas condiciones, esta vez en trance de adivinar lo que la obra de otro tiempo pudo haber sido, tanto en la creación del poeta como en el efecto o impresión producida en los lectores u oyentes de entonces. El crítico tiene que trasladar el punto de vista de su apreciación hasta la situación primera en que apareció la obra, y desde allí intentar (al menos) establecer sus juicios valoradores. El hecho de que la obra literaria medieval tenga también

[18] Véase esta juiciosa opinión de H. HATZFELD, en *Esthetic Criticism Applied to Medieval Romance Literature,* "Romance Philology", I, 1947-8, páginas 305-327.

su propia ponderación en el lector de nuestro tiempo es compatible con este otro intento de la exploración estilística de la misma.

El que las obras medievales queden lejos de nuestra época, no es razón para olvidar que ante el público de la Edad Media fueron de naturaleza poética, como las de hoy lo son para el de nuestros días, cada una en su circunstancia. El carácter histórico de la literatura medieval es compatible con el ejercicio del método lingüístico, que ha de aprovechar cuantos datos existen en relación con la obra, y en particular las formulaciones sobre la teoría poética que acompañaron su creación. El crítico entonces tiene que sobrepasar el inventario de los análisis con iluminaciones de aspectos lingüísticos especialmente significativos.

Con todo, la estilística representa hoy la frontera más debatida tanto en la metodología de los estudios filológicos, como en sus realizaciones [19]. Situada en los límites entre la lengua y el estudio literario por un lado, y los de la estética de la poesía por otro, la técnica de la estilística varía mucho según los críticos que la aplican. El método estilístico es más bien personal, y se guía sobre todo por la selección intuidora; de ahí que resulte difícil la formación de "escuelas" que mantengan un criterio común entre sus seguidores. Por otra parte, la condición de la obra estudiada influye grandemente en el sistema de juicio que se le aplique. Para que pueda apreciarse uno de estos métodos, resumo los puntos de vista expuestos por Dámaso Alonso [20]. Primeramente insiste en el hecho de que la Estilística sólo puede considerarse como una aproximación hacia lo que en un futuro puede ser una verdadera *ciencia de la literatura:* "Nótese que digo

---

[19] La obra básica de consulta es del mismo H. HATZFELD, *Bibliografía crítica de la nueva estilística, aplicada a las literaturas románicas,* Madrid, 1955, que amplía los datos de la edición inglesa.

[20] D. ALONSO, *Poesía española, Madrid,* 4.ª ed., 1962, en especial "Tercer conocimiento de la obra poética. Tareas y limitaciones de la Estilística", págs. 395-416 y "Lo imaginativo, lo afectivo y lo conceptual como objeto de la estilística" (págs. 481-493). Véase la metódica exposición de J. GARCÍA MOREJÓN, *Límites de la Estilística. El idearium crítico de Dámaso Alonso,* Assis (São Paulo, Brasil), 1961.

avance: sí, es un ensayo de técnicas y métodos; no es una ciencia"[21]. De ahí que se valga de expresiones con proyección hacia ese futuro cuando menciona lo que pueden ser realidades de su aplicación. Por esta razón escribe esto que puede valer como una definición: "Estilística sería la ciencia del estilo. Estilo es lo peculiar, lo diferencial de un habla. Estilística es, pues, la ciencia del habla, es decir, de la movilización momentánea y creativa de los depósitos idiomáticos. En dos aspectos: del habla corriente (estilística lingüística); del habla literaria (estilística literaria) [...]. Entre esos dos campos [...] hay múltiples relaciones, y aun una zona común"[22]. La estilística resulta ser para Dámaso Alonso "...esa búsqueda de un conocimiento científico de la materia literaria (o por lo menos de la delimitación de lo que en ella es cognoscible científicamente)"[23]. Y precisando con términos de índole matemática: "El verdadero objeto de la estilística sería *a priori* la investigación de las relaciones mutuas entre significado [contenido espiritual] y significante [sucesión de sonidos en el tiempo], mediante la investigación pormenorizada de las relaciones mutuas entre todos los elementos significantes y todos los elementos significados"[24]. Y aún apretando más la intención de exactitud añade: "Es el vínculo exacto, riguroso, cruelmente concreto, entre significante y significado —el signo, es decir, la forma literaria, la obra— el objeto único de la Estilística"[25]. La estilística puede a veces relacionar los aspectos más externos del lenguaje de una obra con su significación. Así ocurre con Tomás Navarro que ha caracterizado varias obras de la literatura medieval mediante el examen de la disposición de sus elementos fonológicos"[26].

---

21 *Obra citada,* pág. 401.
22 *Obra citada,* pág. 401.
23 *Obra citada,* pág. 402.
24 *Obra citada,* pág. 405.
25 *Obra citada,* pág. 415.
26 T. NAVARRO, *Estudios de Fonología española,* Syracuse, 1946: "Fonología literaria". Análisis referentes al *Poema del Cid,* Berceo, Juan Ruiz, *Crónica General, Conde Lucanor* y *Corbacho.* Del *Cid* escribe: "la abundancia de *a* y *o* que por sí solas constituían más de la cuarta parte del total de

LOS GÉNEROS LITERARIOS

Un estudio como el de este tratado (y en general, este es el caso de las historias de la literatura), requiere el uso de concepciones metodológicas aglutinantes, que permitan formar un cuerpo ordenado en la exposición de las diversas obras de la literatura reuniéndolas en grupos de condición poética afín; la ordenación alfabética es la solución que aportan los diccionarios [27], pero esta tiene sólo una utilidad ocasional y hay que buscar criterios más articulados, que vayan también más allá de la mera ordenación cronológica de las vidas de los autores o de la aparición de las obras [28]. El concepto de "género", aplicado a la ordenación de las obras literarias, es el que ofrece mejores posibilidades. Un intento de esta naturaleza tropieza con la prevención que la crítica crociana ha suscitado en torno al género. Es cierto que la actitud de Croce [29] pudo conducir a resultados que renovaron el sistema de enjuiciar las obras; uno de sus principios metodológicos más importantes fue situar en primer lugar la apreciación de la obra sobre cualquier otra consideración. La crítica inmanente

---

los sonidos, pondría un sello grave y lleno en la lengua del Poema" (página 158; véanse en especial págs. 157-177).

[27] Así ocurre con el *Diccionario de Literatura Española*, 3.ª edición, Madrid, 1964, publicado por la "Revista. de Occidente", que es un manual de consulta, útil también para la literatura medieval. En un dominio universal se encuentra el *Diccionario de autores de todos los tiempos y países*, de GONZÁLEZ PORTO-BOMPIANI, Barcelona, 1963, tres tomos. Por orden de movimientos y obras está el *Diccionario literario* de los mismos autores, Barcelona, 1959-1960, doce tomos.

[28] Con este criterio fue escrita la *Historia de la lengua y literatura castellana*, de J. CEJADOR, Madrid, 1915, de la que ya se habló, centón de datos.

[29] Reiterada en sus diversos libros; refiriéndose a una apreciación abusiva del género escribió: "...puesto que la crítica de la poesía es historia de la poesía, una última consecuencia que debía extraerse [...] es la de que el protagonista de la historia de la Poesía no es la Poesía sino el Género, y hasta los Géneros...". B. CROCE, *La Poesía. Introducción a la crítica e historia de la poesía y de la literatura*, [1935], trad. española de la 5.ª ital., Buenos Aires, 1954, págs. 180-1. Abunda en la mismo en su *Estética*, Madrid, s. a., página 81.

(defendida y aplicada con singular maestría por Leo Spitzer) pretende percibir en el caso de una determinada obra literaria la intensa vibración del proceso creador, que él busca sobre todo en determinadas manifestaciones de su contextura, sin sentirse forzado por clasificaciones heredadas [30]. Sin embargo, una postura de esta clase, llevada a una radical formulación, convertiría el estudio de la historia literaria en un cúmulo de monografías. No faltó, pues, la defensa del género, establecida sobre una concepción mesurada, lejos de la partición tajante que ofrecían algunas historias de la literatura que aplicaban sin discriminación moldes cuyos autores extraían de antiguas preceptivas y retóricas.

Por eso de equilibrada manera formulan así Wellek y Warren esta concepción: "El género representa, por así decir, una suma de artificios estéticos a disposición del escritor y ya inteligibles para el lector" [31]. Por tanto la observación cuidadosa de los elementos que se encuentren comunes entre varias obras literarias, puede dar como resultado la formación de grupos de ellas o *géneros* [32], a los que se

---

30 Un caso en que se puso de relieve el sentido de unidad de una obra que presentaba la apariencia de dos modalidades diferentes ha sido la interpretación de la *Razón de amor* (o *Siesta de Abril*, como propone llamarla Menéndez Pidal), compuesta por un inteligente "escolar" reuniendo una visión amorosa con un debate ("*Razón de Amor*", "Romania", LXXI, 1950, páginas 145-165). Varios de los artículos en los que Spitzer expuso su teoría de la estilística están reunidos en el libro *Critica stilistica e storia del linguaggio*, Bari, 1954. Véase también la colección *Romanische Literaturstudien*, Tübingen, 1959.

31 R. WELLEK y A. WARREN, *Teoría Literaria*, edición citada, pág. 412.

32 En su función estructuradora, P. VAN TIEGHEM defiende la utilidad de esta concepción (e incluso propone la creación de una genealogía o ciencia literaria de los géneros): "Los géneros no sólo son necesarios en sus relaciones con el ingenio de cada escritor; ofrecen también la mejor clasificación natural de las creaciones literarias. Lejos de haber sido inventados por los pedantes, expresan las necesidades primeras y las aptitudes esenciales del espíritu" (*La Littérature comparée*, Paris, 1931, pág. 73). Libros aparecidos hace poco justifican asimismo su uso y utilidad, como el de P. NYKROG sobre *Les Fabliaux*, que dice lo siguiente: "Un género literario es esencialmente una forma que un poeta impone a su materia, y esta puede proceder de las fuentes más diversas. Un género no se crea de la nada. Nace siempre de una

puede agregar la mención de *históricos* para señalar su limitación en el tiempo, y diferenciarlos del género como manifestación de la Retórica. El género solo no sirve como patrón de la crítica valoradora de la obra; esto es, no se señala una obra como medida, y con su patrón se puede indicar la valía de las otras, pero sí sirve para apreciar lo que el autor que escribe o el lector que percibe la obra, pudo tener en su conciencia como una experiencia creadora análoga. No se puede partir de la nada en la creación poética, y el género es una ordenación de esta experiencia, realizada desde dentro de la obra. A través de la obra se da en el género, pero no al revés: la primera es la absoluta realidad poética; el segundo, una realidad evidente, aunque no se halle formulada; y si esto se logra, el género se convierte en un útil instrumento de la crítica. Además, si el autor contó con el género, intuido solo o claramente formulado, no quiere decir que se quiso coartar imponiéndose límites infructíferos, sino que partió de una experiencia precedente hacia una obra creadora. Por personal que sea la intuición poética, es al fin y al cabo actividad del hombre, y que requiere el ejercicio de las funciones espirituales, todas ellas entrelazadas en la raíz misma de la personalidad del escritor. El crítico que establece un género, no estudia creaciones naturales, sino que ordena obras del espíritu, con las cuales puede componer esta objetivación del género, y otras más, sólo que esta es la que se encuentra más vinculada con el proceso creador. El crítico consciente nunca pretende que el género sustituya la apreciación valoradora de la obra poética, sino que lo estima como un instrumento para que se pueda estudiar a la misma con método, y para acercarse a ella por la vía de una experiencia literaria manifestada ya en otras obras que tienen con ella una relación de valores de expresión y de impresión. Quiero decir que una idea o concepción latente del género está presente por ambas partes de la obra literaria; por una parte, en el proceso de la creación dentro del escritor, orientando el des-

---

manera laboriosa por la transformación de géneros ya existentes..." (Copenhague, 1957, pág. 244).

arrollo desde el punto en que el cauce de la comunicación expositiva toma forma en el lenguaje; y por otra parte, en los lectores (u oyentes), que perciben a través de su propia experiencia literaria la condición de la obra que leen (u oyen). Sin esta experiencia, que en esta parte de la apreciación es uno de los fundamentos del género, no puede existir un criterio para el juicio. No importa que en la una y en la otra parte el género no esté formulado en forma preceptiva y exacta; tiene que ser el historiador y crítico de la literatura el que establezca esta conciencia ordenadora juntando los más diversos datos que constituyan la esencia y las características de los diferentes géneros. Y esto lo hace contando con la condición de la obra poética, y constituye dentro de su examen un elemento con el que cuenta para sus juicios, y más si pretende percibir de alguna manera equitativa los límites entre las obras que participan de análogas intenciones. Para ayudar a entender esta cuestión del género puede servir de comparación lo que ocurre con la multiplicidad de las formas del habla y su reunión en determinados grupos o unidades lingüísticas. El paralelo entre el fenómeno de los dialectos en Lingüística y el concepto del género literario resulta ilustrador; la dificultad del filólogo que busca constituir dialectos mediante el establecimiento de líneas de separación entre la diversidad de características (que a veces se juntan en haces estrechos y tupidos, y otras se separan y confunden) es semejante a la que puede encontrar el historiador de la literatura con las obras que intenta reunir en el género [33]. Sin embargo, el mismo hecho de la mezcla y confusión de las características de los géneros, e incluso su escasa consistencia, puede resultar orientador, y no impide que se puedan formular las apreciaciones necesarias sobre las coincidencias, bien que estén en la creación del autor o en la experiencia del lector.

Estos géneros han de ser establecidos con flexibilidad y buen criterio, y más en el caso de la literatura española, en la que el sentido

---

[33] Conozco la idea de Tomashevski por la cita de E. ASENSIO, *Itinerario del entremés*, Madrid, 1965, págs. 24-25.

de la originalidad se encuentra siempre muy vivo, aun en el caso de obras que proceden de géneros firmemente arraigados en otras literaturas [34]. Con estas advertencias, estimamos conveniente la adopción del estudio de la literatura medieval por estas agrupaciones o géneros [35], y con este criterio se ha organizado este libro. Cabe también mencionar en esta referencia las piezas que redondean la obra literaria, las cuales aunque están dentro de la misma, por su naturaleza pueden considerarse en un cierto grado de independencia. Así ocurre con los prólogos, que en general en la Edad Media sirven como dedicatorias, y aún no poseen la entidad que han de tener en los Siglos de Oro, que llegan a constituir un género literario [36].

LOS TÓPICOS EN LA EDAD MEDIA

El estudio de las relaciones entre la literatura antigua (y su teoría) y las obras literarias románicas ha encontrado un camino de sistematización en los estudios sobre los tópicos. Ernst Robert Curtius ha escrito el más amplio estudio sobre esta materia [37]. En su obra exami-

[34] Escribe MENÉNDEZ PIDAL: "La literatura española se singulariza por poseer caracteres muy particulares que la impiden seguir muy de cerca a sus modelos franceses con la fidelidad que lo hacen otras literaturas europeas más homogéneas entre sí o más dúctiles" (*Tres poetas primitivos*, Buenos Aires, 1948, pág. 33).

[35] Un grupo de artículos sobre los principios del juicio de la obra literaria ha sido publicado bajo el título general de *Filosofía de la Ciencia Literaria* [1930], ed. española, México, 1946. Véase también el conciso e informador libro de E. ANDERSON IMBERT, *La crítica literaria contemporánea*, Buenos Aires, 1957. El asunto está al vivo en la crítica última: J. M. DÍEZ TABOADA, *Notas sobre un planteamiento moderno de la teoría de los géneros literarios*. "Homenajes", II, 1965, págs. 11-20.

[36] Véase A. PORQUERAS MAYO, *Notas sobre la evolución histórica del prólogo de la literatura medieval castellana*, "Revista de Literatura", XI, 1957, páginas 186-194, con referencias bibliográficas.

[37] Ya se indicó su importancia para el estudio de las relaciones entre la literatura latina medieval y las románicas en el capítulo anterior; el título original de la obra es *Europäische Literatur und lateinisches Mittelalter* [1948]; y la versión española, como se dijo, apareció en México, 1955.

na sobre todo las vías de comunicación expresiva que pudieron existir entre los antiguos y la Edad Media (aunque propiamente sus estudios alcancen hasta el siglo XVIII, en que cesa de producirse de manera sistemática esta relación). Un instrumento fundamental de su teoría es la concepción del tópico, del que se vale para superar la consideración del influjo de unos "clásicos", que no pudieron haber quedado como tales sino en época posterior. Por tanto, iguala a los autores antiguos, con los del período de transición y con los medievales, en una continuidad; de este modo las relaciones pueden establecerse libremente desde los nuevos a los viejos por los muchos caminos que se pudieron conocer. Y no sólo las obras, sino los consejos e imitaciones. Curtius busca sobre todo los casos en que halla una repetición sistemática de una base elemental o pieza de expresión; entonces señala el perfil ideal de su contenido, que se mantiene persistente en autores diversos, y con ello formula el tópico, que representa la articulación de lo que ha sido esta pieza dentro del curso de la fluencia literaria de la obra en la que se articula formando parte del todo creado, y que sólo el crítico puede aislar a través de la perspectiva histórica conociendo la cadena de reiteraciones a que pertenece. El tópico pertenece a la integridad de la obra, y sólo es separable en el caso de que se haya establecido antes, en otras muchas obras anteriores, la continuidad de su uso.

Para el crítico de hoy el tópico tiene unas raíces que alcanzan hasta un fondo de vida histórica que hay que determinar; está arraigado por debajo de la personalidad del escritor, y con una cuidada formulación puede aislarse como una pieza que aparece acoplada al curso de una creación literaria. Cuando un escritor medieval usa un tópico, se reúne, las más de las veces sin saberlo, con esta tradición de los antiguos. No existió propiamente una codificación de los tópicos, pero pudieron llegar al escritor de muchas maneras: por las enseñanzas de las Retóricas, en los ejercicios de escuela, por los comentarios de textos latinos, etc. El tópico pudo haberse establecido como resultado de un proceso de selección por cualquier razón del oficio literario: por el uso reiterado de un consejo, desprenderse de un grupo de obras por la reiteración de una parte, quedar como la fórmula de una situación, más a mano y con más prestigio que la expresión libre de la misma, etc. El tópico puede ser de contenido o argumento, o ser de expresión o fórmula determinada. En gran parte proceden de la Antigüedad y de la trasmisión de su herencia. Quintiliano trató de los *loci communes* en el arte de la composición literaria, y de éstos se aprovecharon los teóricos del arte medieval. Otros tópicos no aparecen como tales hasta épocas tardías. En su estudio el crítico tiene que recoger su aparición en los escritores y establecer el desarrollo que tuvieron como tales piezas de expresión, y qué significación se les confió y cómo la mantuvieron, su paso del latín al romance, etc. Si el crítico reúne los tópicos más usados en un período, se obtiene una especie de formulación impersonal de la conciencia artística de una época, y el estudio de su variación ofrece un elemento de juicio para el historiador de la cultura; y en el dominio literario, para valorar el sentido de originalidad de un escritor. Así citaremos el de las armas y las letras, que muestra que el Cortesano no es una novedad cultural del Renacimiento, sino un nuevo aspecto de una vieja tradición, abundantemente documentada en el Medievo; el de la *donna angelicata*, básico para la lírica italiana, y después para la europea, que exalta la idealización de la mujer; la oposición *puer-senex* o armonía entre el ardor de la juventud y la prudencia de la vejez, con sus variantes del joven prudente y del viejo audaz; la aplicación de este último para establecer el contraste entre dos generaciones, con las modalidades de la "rebelión de la juventud" contra los viejos; las fórmulas de expresión humorística del mundo al revés; la dedicatoria con la afectada modestia del autor; la mención de lo indescriptible; el motivo del *Ubi sunt?*, que se da tanto en el verso como en la prosa [38], etc.

La consideración de los tópicos resulta para el crítico un útil medio para reconocer los elementos de la creación poética en lo que

---

38 Véase el artículo de J. F. GATTI, *El "ubi sunt" en la prosa medieval castellana*, "Filología", VIII, 1962, págs. 105-121, que menciona también la extensa bibliografía que tuvo la versión poética.

puedan tener de común. Pero el uso de un tópico no es sólo la reiteración de una tradición de escuela; es menester examinar cuidadosamente qué contenido de significación le confió el autor pues un mismo tópico puede tener distinto valor según las condiciones de su uso y la oportunidad del mismo[39]. No hay que creer que carezcan de raíz afectiva y que puedan hallarse desprovistos de fuerza creadora, pues el tópico participa de la doble condición de poesía y de pieza de una tradición. Su correcta valoración ha de verificarse teniendo en cuenta la circunstancia en que fue usado, tanto en relación con el escritor como en lo que se refiere a la obra misma de cuya estructura forma parte irremplazable en cuanto quedó convertido en hecho poético.

---

[39] Casos concretos en que se discute con repercusión metodológica la teoría de los tópicos, pueden verse en D. ALONSO, "Berceo y los *topoi*", en *De los Siglos oscuros al de Oro,* Madrid, 1958, págs. 74-85; R. MENÉNDEZ PIDAL, *Fórmulas épicas en el "Poema del Cid"* (1951), publicado en "*En torno al 'Poema del Cid'* ", Barcelona, 1963, págs. 95-105.

CAPÍTULO V

LAS INFLUENCIAS MODERNAS Y LA LITERATURA MEDIEVAL ESPAÑOLA

LAS INFLUENCIAS MODERNAS

Luego de tratar sobre la función de los antiguos en la literatura medieval, hay que proceder al estudio de los influjos más tardíos, existente en el proceso creador de los autores españoles de este período. La literatura española (en el sentido que se le da en este libro) tuvo sus comienzos en el período que los historiadores llaman "Baja Edad Media". Esta literatura aparece, pues, cuando los Reinos de la Cristiandad hispánica prosiguen la guerra de reconquista frente a los árabes, y tratan a la vez con ellos como consecuencia de una ya secular convivencia de vecindad sobre el espacio geográfico de la península; mantienen dentro de sus fronteras comunidades de judíos, y se relacionan con los otros reinos de Europa que a su vez desarrollan también una literatura en la propia lengua vernácula. La obra poética aparece, pues, integrando su unidad creadora con elementos que proceden de esta diversa realidad histórica. El ambiente en que escribió el autor medieval, la tradición culta y popular, su condición humana situada en un lugar del conjunto de la sociedad, se han de establecer con precisión y cuidado, huyendo de generalizaciones por un lado, y de equívocas exaltaciones de originalidad. Con objeto de disponer de datos adecuados, es necesario contar con las influencias literarias que puedan proceder de los reinos y comunidades de toda especie con los que los españoles mantuvieron tratos. Estas se llaman influencias m o d e r n a s, tomando su título de la oposición con las otras de la Antigüedad, que los escritores medievales sentían viva en su perspectiva histórica, aun contando con el anacronismo tan propio de la época.

LAS NUEVAS INSTITUCIONES

Conviene también, lo mismo que se hizo con el examen de las instituciones que sirvieron para asegurar la continuidad de la tradición antigua, considerar aquí las que se deban a condiciones nuevas de la vida social y política. Las influencias que se estudian en este capítulo tienen distintos cauces de penetración y muchas veces estos irrumpen a través de las vías señaladas en el capítulo precedente: el humanismo medieval, las bibliotecas, las escuelas y universidades sirvieron para esta comunicación con las situaciones nuevas, creadas por el desarrollo de la cultura europea. A veces, sin embargo, aparecía una institución muy peculiar, que daba expresión cabal a los propósitos de innovación. Esto sobre todo fue efecto del amparo que un gran príncipe pudiese dar a las empresas de carácter literario. Así ocurre en España con Alfonso X, un emperador letrado por vocación. La empresa en principio está en relación con el fondo antiguo pues el propio Rey ya es, de por sí, una figura de raigambre literaria por cuanto que, independientemente de sus logros, se propuso reunir en sí armas y letras, de acuerdo con este ideal tópico en la Edad Media. Un propósito de refinamiento espiritual aparece en su concepción de la Corte, tal como lo preceptúa en las *Siete Partidas,* donde señala que los hombres que a esta Corte acudan, se han de guardar de escarnios, y usar palabras buenas y apuestas. La intención del Rey fue, según los autores de las *Tablas Alfonsíes,* sobrepujar en "saber, seso y entendimiento, ley, piedad y nobleza a todos los reyes sabios". En esta Corte reunió sabios de las tres leyes, cristiana, mora y judía, que podían ayudarle en su intención, y sobre el fundamento de la ciencia de todos impulsó una empresa de cultura que según Vossler creó una "Ilustración" o "época de las luces" irradiante por el Medievo europeo [1]. En esta labor realizaron una función predominante las traducciones, de tal modo que Juan Manuel lo recuerda así: "hizo trasladar en este lenguaje de Castilla todas las ciencias, también de teología como la lógica, y todas las siete artes liberales, como toda la arte que dicen mecánica. Otrosí hizo trasladar toda la secta de los moros..., toda ley de los judíos... Otrosí romanceó todos los derechos..." [2]; con esta gran labor logró que la lengua se afirmase como expresión literaria, y ya se indicó que este esfuerzo hizo que el castellano adquiriese un impulso inicial de gran vigor. Un patronazgo real suele traer, por la abundancia de medios con que cuenta un monarca, un renacimiento de las letras. El castellano fue la lengua usada en esta empresa de cultura. El latín, el árabe y el hebreo fundieron sus contenidos en la lengua que, para todos los reunidos en la empresa, era nueva, y en la que todos podían coincidir en el esfuerzo común por darle categoría literaria. Según Américo Castro los judíos intervinieron de manera decisiva en esta labor de afirmar el castellano como lengua literaria. Lo niega, por su parte, Sánchez-Albornoz, quien señala que hubo en el propio Rey un gusto íntimo y vivaz por la lengua romance, y que los judíos usaban una modalidad de habla hispano-hebrea, de índole arcaizante [3].

Antes me referí a la pendulación entre imitación y originalidad en que se mueve la obra literaria medieval con respecto a la herencia antigua; y en este punto hay que señalar la necesaria adaptación que los fondos precedentes, sean de la antigüedad romana o de las otras procedencias, han de seguir en su paso al lenguaje romance. En las

---

1 C. VOSSLER, *La ilustración medieval en España y su trascendencia europea*, publicado en *Estampas del mundo románico*, Buenos Aires, 1946, páginas 131-148.

2 JUAN MANUEL, *Libro de la Caza*, ed. G. BAIST, 1880, pág. 1.

3 A. CASTRO, *España en su Historia*, obra citada, ed. 1954, en especial, el capítulo X. La cita, pág. 480; C. SÁNCHEZ-ALBORNOZ, *España, un enigma histórico*, obra citada, págs. 265-6.

vetas que examino luego, hay que contar con estas acomodaciones (procedentes de imitaciones como esta de Alfonso X o de otras Cortes con propósitos parecidos, aunque en menor grado), en las que la nueva condición de los tiempos abre continuamente diferentes perspectivas a una obra, cuyo fondo puede proceder de los antiguos o de los escritores latinos del Medievo.

LOS VISIGODOS

Por de pronto quedan fuera de la consideración de este tratado porque no hay textos de una literatura en lengua visigoda con entidad suficiente para considerarse como una parte de la literatura española. Ya se refirió la discusión entablada sobre si los visigodos llegaron a integrarse efectivamente en el proceso de la vida española de los primeros siglos de la Edad Media, y ya se mencionó antes la disparidad que existe en las opiniones de Américo Castro y Sánchez-Albornoz en cuanto a este punto; el primero insiste en la "no hispanidad" de los visigodos [4], y el segundo defiende la continuidad de la cultura hispánica a través de los eventos históricos [5].

Desde el punto de vista de las instituciones políticas, y siguiendo el complejo concepto de España, José Antonio Maravall asegura en concreto la necesidad de contar con los visigodos: "fueron los visigodos los que llevaron a realización plena esa intuición inicial, y que ellos son verdaderamente los creadores del concepto político de España..." [6].

---

4 Teoría expuesta en el artículo *El enfoque histórico y la no hispanidad de los visigodos*, "Nueva Revista de Filología Hispánica", III, 1949, páginas 217-263, e incorporada al mencionado libro *La realidad histórica de España*, ed. 1962, cap. V: "No había aún españoles en la Hispania romana ni en la visigótica", págs. 144-174.

5 En *España, un enigma histórico*, especialmente en el párrafo "Los godos y la retrogradación de la contextura vital de España", I, 130-140.

6 J. A. MARAVALL, *El concepto de España en la Edad Media*, obra citada, página 404.

Se ha estudiado la contribución de los visigodos en la formación de la lengua española [7]. La literatura de los visigodos fue un precedente de la española, y en este sentido hay que mencionar dos especies dentro de la misma: la popular, que los visigodos pudieron traer a España desde sus países germánicos; y la culta, expresada en el latín medieval.

En cuanto a la primera, Menéndez Pidal apoya sin reservas el origen germano de la poesía épica medieval [8]. Desde los testimonios de Jordanes (siglo VI) hasta los de Alfonso X en el siglo XIII, a través de estos siete siglos existió una manera de conservar en forma *poética* la memoria de los hechos históricos que Menéndez Pidal llama "histórica épica de la colectividad"; estima que esta historia ha corrido paralela a la "historia cronística de los doctos", los cuales escribieron su obra siguiendo la tradición culta de los escritores latinos. Una rama de los germanos se estableció en España, y estas gentes trajeron consigo usos y costumbres, y entre sus aficiones, la de conservar poéticamente estos cantos históricos de sus antepasados, y aún después los fueron acrecentando con los de los nuevos héroes. El hecho de que las historias latinas no nos hayan dejado noticia de estos cantos, no significa que no los hubiera, sino que no los consideraron fuente para la historia literaria; Menéndez Pidal buscó, pues, cuidadosamente los indicios de su existencia en otras partes.

---

7 E. GAMILLSCHEG, *Historia lingüística de los visigodos*, "Revista de Filología Española", XIX, 1932, págs. 117-150, 229-260. Y también W. REINHARD, *El elemento germánico en la lengua española*, en la misma revista, XXX, 1946, páginas 295-309. Una importante fuente del latín rústico visigodo se ha encontrado en unas pizarras, estudiadas por M. GÓMEZ-MORENO, *Documentación goda en pizarra*, "Boletín de la Real Academia Española", XXXIV, 1954, páginas 25-58.

8 Véase el artículo de R. MENÉNDEZ PIDAL, "Los godos y el origen de la epopeya española", en *Los Godos y la Epopeya española*, Madrid, 1956, páginas 9-57. Sobre las leyendas heroicas germanas en la poesía heroica occidental, véanse los *Estudios épicos medievales*, escritos por E. VON RICHTHOFEN, Madrid, 1954, continuados en el artículo *Interpretaciones histórico-legendarias de la épica medieval*, "Arbor", XXX, núm. 110, 1955, págs. 177-196.

Los godos forman el origen de la España medieval, y fueron fuente de nobleza para las gentes de los siglos posteriores. Sobrepasado el período crítico de la invasión árabe, los cristianos que en el Norte resistieron la acometida militar de los árabes, continuaron con las características propias de los visigodos, muy empobrecidas, y adaptadas a las circunstancias que exigía la nueva situación. Una de estas características fue la afición a estos cantos, que entonces servían también para afirmar el aliento heroico que necesitaba esta población cristiana combatiente; puede considerarse, según esta teoría, el origen de la nueva épica medieval. Aunque desconocemos la literatura primitiva de los visigodos, su influjo puede llegar por esta vía hasta los comienzos de las obras románicas, y en particular en Castilla sirve para encauzar el género más grandioso del período de orígenes: la épica. La posición de Menéndez Pidal es tajante en favor de la continuidad entre los visigodos y los españoles posteriores en este dominio. Se debe a estos godos la leyenda más importante sobre "la pérdida de España", hecho clave de la Edad Media que cambió las condiciones de la vida en la península.

Y desde un punto de vista político, la "herencia goda" se mezcló con el propósito de la Reconquista, que así aparecía como una restauración de las condiciones de la "nación goda", a la que se atribuyó el origen de los linajes primeros, y por tanto más preciados [9].

La literatura escrita en lengua latina en tiempo de los visigodos es un capítulo de la latina medieval que queda fuera de nuestra directa consideración [10]. El escritor más importante fue San Isidoro (560-

---

[9] J. A. MARAVALL, *El concepto de España en la Edad Media,* obra citada, cap. VII, págs. 299-337. Véase el artículo de C. CLAVERÍA, *Reflejos del "goticismo" español en la fraseología del Siglo de Oro,* "Homenaje a Dámaso Alonso", I, 1960, págs. 357-372, con referencia también a la Edad Media, en especial págs. 359-361.

[10] Sobre la literatura visigoda se han publicado varias síntesis generales con referencias bibliográficas: una es la de FRAY J. PÉREZ DE URBEL en la *Historia de España* dirigida por R. MENÉNDEZ PIDAL, vol. III, Madrid, 1940, titulada "Las letras en la época visigoda" (págs. 379-431); otra es la del P. J. MADOZ, "Escritores de la época visigoda", publicada en la *Historia general de*

636), una de las figuras más definidoras de la cultura europea de su época [11]. Isidoro sitúa en Sevilla una floración del espíritu de la Antigüedad, que representa una elevación cultural en la que se pueden encontrar las características creadoras de un Renacimiento, acontecido en el siglo VII.

LOS ÁRABES Y EL MEDIEVO ESPAÑOL

La relación entre los españoles de los diversos reinos cristianos y los árabes es un asunto en extremo complejo. Los historiadores que han penetrado en su estudio, se esfuerzan por señalar el carácter peculiar de estos tratos, y con frecuencia acuden a testimonios litera-

---

las literaturas hispánicas, Barcelona, 1949 (págs. 114-140); un estudio de conjunto: M. RUFFINI, *Le Origini Letterarie in Spagna*. I, *L'Epoca Visigotica*, Torino, [1951]. En particular sobre las supervivencias de creencias antiguas en el tiempo visigodo: S. MAC KENNA, *Paganism and Pagan survivals in Spain up to the fall of the Visigothic Kingdom*, Washington, 1938; y el P. J. MADOZ, *Ecos del saber antiguo en las letras de la España visigoda*, "Razón y Fe", CXXII, 1941, págs. 229-231.

[11] Es importante y guiadora la obra de J. FONTAINE, *Isidore de Seville et la culture classique dans l'Espagne wisigothique*, Paris, 1959, dos tomos. En las letras españolas se le recordó como Santo y como sabio; Alfonso X tuvo presente las Historias isidorianas. El Canciller Pero López de Ayala traduce su obra, y entre otros muchos el Marqués de Santillana lo cita como autoridad en la Carta-Prohemio al Condestable. Su alabanza de España *De Laude Hispaniae* en la *Historia Gothorum* obtuvo gran favor, y hallamos su influencia a través de las letras medievales (por ejemplo, el muy bello elogio de la tierra española en el *Poema de Fernán González*, estrofas 144-160). Los precedentes y formas antiguas y medievales del tema se tratan en el libro de C. FERNÁNDEZ-CHICARRO DE DIOS, *Laudes Hispaniae (Alabanzas de España)*, Madrid, 1948. La bibliografía isidoriana es muy extensa; una idea general de la vida y obra del Santo, en FRAY J. PÉREZ DE URBEL, *San Isidoro de Sevilla. Su vida, su obra y su tiempo*. Barcelona, 1940. También es de interés el prólogo de S. MONTERO DÍAZ a la traducción española de las *Etimologías* del Santo, Madrid, 1951, versión de L. CORTÉS Y GÓNGORA. Véase L. LÓPEZ SANTOS, *Isidoro en la literatura medieval castellana*, en *Isidoriana* (Colección de estudios sobre Isidoro de Sevilla), León, 1961, págs. 401-443; y también L. GARCÍA RIVES, *Estudio de las traducciones castellanas de las obras de San Isidoro*, "Revista de Archivos, Bibliotecas y Museos", LVI, 1950, págs. 279-320.

rios para completar la documentación de las diversas situaciones. K. R. Scholberg llega a la conclusión de que: "Los españoles de entonces se guiaron por principios de derecho internacional en sus tratos con ellos, firmaron tratados solemnes con los reyes musulmanes, canjearon con ellos embajadores y reconocieron derechos diplomáticos a sus emisarios" [12]. Juan de Mata Carriazo comenta un documento de 1479 como uno de los testimonios "más bellos de esa tolerancia recíproca, que contra toda presunción y con muchas y naturales excepciones fue rasgo predominante de las relaciones entre cristianos y musulmanes en la Edad Media Española. Sin ella no hubiera sido posible ese doble fenómeno, nuestro, del mozarabismo y del mudejarismo" [13].

LA CONVIVENCIA CON LOS MOROS

El ambiente de la vida cotidiana en la España cristiana era favorable a la relación entre árabes y cristianos. En el cuadro de la sociedad medieval, junto a la nobleza y la hidalguía caballeresca, hubo otras clases, más numerosas, de villanos, campesinos, oficiales y obreros de las artesanías de las ciudades que convivieron con todos los que habían permanecido junto a los árabes: mozárabes, mudéjares, esclavos, moros renegados, etc. Estas gentes trataban con tales intermediarios, y con los mismos árabes en muchas ocasiones, en las calles y dentro de sus casas. De esta convivencia resultó un influjo que quedó fuera del ámbito de la cultura eclesiástica y de la cortesana. Y aun gente de Iglesia y de Corte se hallaba en tolerante relación con los

---

12 K. R. SCHOLBERG, *Relaciones diplomáticas en la literatura medieval casteallna* [entre los cristianos y los musulmanes de España], "Nueva Revista de Filología Española", XII, 1958, págs. 357-368; la cita está en la 368.

13 Juan de Mata CARRIAZO, *Relaciones fronterizas entre Jaén y Granada el año 1479*. "Revista de Archivos, Bibliotecas y Museos", LXI, 1955, páginas 23-51. Y véase también el estudio de otro historiador, J. M. LACARRA, *Ideales de la vida en la España del siglo XV*, Zaragoza, 1949. La revista "Al-Andalus" recoge los artículos, noticias y reseñas de libros de la investigación española sobre el mundo árabe; se han publicado sus *Indices*, desde 1933 a 1955, que comprenden los veinte primeros volúmenes, Madrid-Granada, 1962.

árabes y sus intermediarios, como ocurre con los Arciprestes de Hita y de Talavera cuando, con intención artística, dejan fluir en su obra la voz del abigarrado pueblo castellano. Y también resultó eficiente este influjo por medio de las mujeres, aun de las de clase noble, que se servían de las moras en el hogar. Los caballeros cristianos no desdeñaron el amor de las moras, pues la belleza era un poder universal que igualaba las criaturas, y así se acercaban a moras (y judías) con tal de que fuesen hermosas. En resumen, esta situación compleja (y aun a veces contradictoria) hizo posible y fácil la relación entre la cultura árabe y las formas de vida cristiana, creando un espíritu de comprensión, tácito en muchas ocasiones, por el que pudo discurrir la influencia literaria [14]. Este entendimiento, sin embargo, era compatible con la irreducible condición de cada una de las leyes, cristiana y árabe, y aun con su encuentro bélico en el campo de batalla, si los apaños de las treguas se rompían por alguna causa.

RELACIONES LITERARIAS INMEDIATAS

El campo más importante y activo en que se han hallado nuevos hechos de esta relación es el de la lírica tradicional. No se trata propiamente de una comunicación entendida como influjo, sino de una situación peculiar, propia sólo de la tierra del Andalus, que ha resultado extraordinariamente fructífera en consecuencias. Lo que en 1912, con el estudio del *zéjel* pareció que era un episodio de la difusión de una forma métrica, se ha convertido en una exploración que ha traído nuevas perspectivas a la literatura europea, y en particular a la española [15].

[14] La simpatía de Juan Manuel hacia el mundo árabe se refiere en el artículo de M. R. Lida de Malkiel, *Tres notas sobre don Juan Manuel*, "Romance Philology", IV, 1950-1, págs. 155-194; y también, D. Marín, *El elemento oriental en don Juan Manuel: síntesis y revaluación*, "Comparative Literature", VII, 1955, págs. 1-14.

[15] Véase el Capítulo VII sobre "La lírica tradicional en la Edad Media", con la bibliografía del caso.

Además de la lírica, las otras relaciones se refieren a los cuentos, libros doctrinales y la épica. Las primeras obras de imaginación en la literatura castellana presentan una evidente relación con fuentes árabes. Desde comienzos del siglo XII se conocieron en España estos cuentos, mucho antes de que se tradujesen en otros lugares de Europa, y esta materia literaria comenzó a preparar el triunfo de la *novela*, el género moderno más fecundo de la literatura europea [16].

Por otra parte, el trabajo de la versión de estos relatos desde el árabe al español, cuestión de adstrato lingüístico, tuvo importantes consecuencias estilísticas para el desarrollo de la prosa española, no sólo en el aspecto léxico (acaso el más llamativo), sino en el morfológico y en el sintáctico; el árabe impulsó determinadas posibilidades sintagmáticas, ya preexistente al período de relación, y la habilidad técnica de los traductores se esforzó por recibir este influjo como signo estilístico, y por tanto intencional [17]. Este influjo se percibe hasta fines del siglo XIII, y después la corriente latinizante lo apagó al favorecer para la expresión culta otras modalidades de expresión diferentes.

---

16 El estudio de los cuentos de origen árabe ha sido realizado por M. MENÉNDEZ PELAYO en su obra *Orígenes de la novela.* I, Capítulo II. Del libro *Calila e Dimna* hay varias ediciones: por C. G. ALLEN, Mâcon, 1906; por J. ALEMANY BOLUFER, Madrid, 1915; por A. G. SOLALINDE, Madrid, 1917; y Madrid, 1945. El libro de PEDRO ALFONSO, *Disciplina clericalis* ha sido publicado con traducción del texto latino por A. GONZÁLEZ PALENCIA, Madrid-Granada, 1948. Sobre el *Sendebar,* véase *Versiones castellanas del Sendebar,* edición y prólogo del mismo GONZÁLEZ PALENCIA, Madrid, 1946. Una mención general de las relaciones de este aspecto de la novelística entre los árabes y los españoles se encuentra en el libro de A. GONZÁLEZ PALENCIA, *Historia de la literatura arábigo-española,* Barcelona, 1945, págs. 334-348. La ascendencia de estos cuentos es muy compleja, y así se encuentran motivos que remontan a la literatura india, como el tan conocido de Barlaan y Josafat, tratado por Juan Manuel; véase H. PERI, *Der Religionsdisput der Barlaam-Legende,* Salamanca, 1959.

17 A. GALMÉS DE FUENTES, *Influencias sintácticas y estilísticas del árabe en la prosa medieval castellana,* "Boletín de la Real Academia Española", XXV, 1955, págs. 213-275, 415-451; XXVI, 1956, págs. 65-131, 255-307; hay separata como libro, Madrid, 1956.

El posible influjo de una épica andaluza sobre los poemas castellanos fue defendido por Julián Ribera, pero esta tesis no ha prosperado [18].

Las relaciones precedentes se refieren a influjos de diversa clase desde la literatura árabe o a través de ella sobre la española. En los últimos tiempos de los árabes independientes en España, desde que queda su gobierno en manos de los reyes nasries, el moro, sobre todo en su condición de fronterizo, pasó en el siglo XV a ser personaje literario, al principio del Romancero y en la lírica, y después, en el siglo XVI, de la novela. Por esta vía española penetró en Europa una fuerte corriente de orientalismo literario de sentido romántico [19].

LOS MOZÁRABES

La existencia de estos intermediarios entre árabes y cristianos constituye una nota de originalidad de la cultura española en relación con otras europeas. Los mozárabes fueron de los más activos, aun cuando su función en el ámbito literario haya quedado oscurecida por no haber dejado apenas huella documental en este campo. Los mozárabes (cristianos que quedaron en el territorio de la Península

---

[18] J. RIBERA, en *Discursos leídos ante la Real Academia de la Historia.* Madrid, 1915. El título es: "Huellas que aparecen en los primitivos historiadores musulmanes de la Península de una poesía épica romanceada que debió florecer en Andalucía en los siglos IX y X". (Exposición resumida en el citado libro de GONZÁLEZ PALENCIA, págs. 348-354.)

[19] M. S. CARRASCO, *El moro de Granada en la literatura,* Madrid, 1956, y el extenso comentario de M. R. LIDA DE MALKIEL, *El moro en las letras castellanas,* "Hispanic Review", XXVIII, 1960, págs. 350-358. Sobre la frontera y la formación del tipo del moro de la novela, véase mi libro *El Abencerraje y la hermosa Jarifa,* Madrid, 1957. Y L. SECO DE LUCENA, *Orígenes del orientalismo literario,* Santander, 1963. Pero la materia literaria podía venir del Oriente, y así ocurre con las leyendas del Sultán Saladino, que en España adoptan una modalidad peculiar según los principios de la vida peninsular; véase A. CASTRO, *Presencia del Sultán Saladino en las literaturas románicas,* en *Semblanzas y estudios españoles,* Princeton, 1956, págs. 17-43.

que dominaron los árabes) vivían ya en apurada situación en el tiempo en que se desarrolló la literatura romance.

Por otra parte, si apenas hay una literatura documentada de los mozárabes, esto no impide que J. A. Maravall considere que este pueblo ha podido ejercer una gran influencia sobre los otros españoles actuando en la forma que en la lingüística se atribuye al "sustrato", esto es, que sus concepciones han podido rebrotar en épocas posteriores, dando sobre todo una tendencia profundamente conservadora a las manifestaciones culturales [20].

En la historia de los dialectos iberorrománicos, se observa que el mozárabe fue el que obtuvo una mayor extensión, durante los siglos VIII al XI, sobre la Península Ibérica. Sin embargo, este dialecto no traspasó la Edad Media, pues por razones políticas y sociales hubo de fundirse con los otros. El mozárabe fue la lengua de un pueblo cristiano que, si bien en los dos primeros siglos después del año 711 en que llegaron los árabes a España, tuvo una gran importancia, en los siglos siguientes fue reduciéndose a medida que los árabes coartaban y disolvían la vida cultural de los que se valían de él; la lengua mozárabe quedó cada vez más limitada al ámbito familiar, casi perdida su relación con el latín sin que tampoco el árabe que le rodeaba le prestase vuelos. Por otra parte, la expansión de los Reinos que desde el Norte iban ensanchando su dominio, al librar a estos cristianos de su dependencia con los árabes, hizo también que los mozárabes adoptasen fácilmente el habla de los vencedores [21]. El mozárabe pierde su personalidad lingüística con la incorporación del pueblo que lo habla

---

20 J. A. MARAVALL, *El concepto de España en la Edad Media,* obra citada, págs. 157-193.

21 Es clásica la obra de F. J. SIMONET, *Historia de los mozárabes de España,* Madrid, 1903. Sobre la lengua de los mozárabes, el estudio de MENÉNDEZ PIDAL en los *Orígenes del español,* obra citada, III, párrafos 86-91; véase A. STEIGER, *Zur Sprache der Mozaraber,* publicado en "Sache, Ort und Wort", Festschrift Jakob Jud, "Romanica Helvetica", XX, 1942, Zürich, págs. 624-723. El estudio más completo sobre el pueblo mozárabe: I. DE LAS CAGIGAS, *Minorías étnico-religiosas de la Edad Media Española.* I, *Los mozárabes,* t. I, Madrid, 1947; II, Madrid, 1948.

a los Reinos cristianos, y no alcanza el período de madurez romance de la literatura medieval. El influjo mozárabe ha sido ascendido a factor de primer orden en el proceso de la literatura castellana por la audaz tesis de Manuel Criado de Val, en la que defiende que el pueblo mozárabe, primero en los lugares en que permaneció cuando llegó el dominio árabe, y después desde los que repobló en las emigraciones hacia el Norte, ejerció una influencia decisiva en el español o castellano nuevo en el período de formación de la lengua literaria [22], radicado fundamentalmente en Toledo. No obstante estas precarias condiciones, se produjo un curioso fenómeno de simbiosis lingüística que hizo que se conservasen unas pocas canciones de la lírica popular de los mozárabes.

LITERATURA ALJAMIADA. LOS MUDÉJARES

La literatura aljamiada morisca fue de escaso aliento creador. Sus obras resultan ser más bien documentos sobre la situación cultural de los moros sometidos, que pasaron al servicio de los cristianos españoles. Así se presenta como la literatura de un pueblo sin esperanza de redención política, y en sus obras se halla el testimonio de una resignación cuyo solo consuelo es evocar las leyendas, creencias que degeneran en formas supersticiosas y mágicas.

Mudéjares (moros bajo la dominación de los cristianos) y moriscos (mudéjares cristianizados) escribieron en caracteres árabes por un religioso respeto hacia el alfabeto en que estaban escritos los libros sagrados; y también porque les eran más conocidos que las letras latinas. Estos escritos (que se encuentran desde el siglo XIV hasta comienzos del XVI), eran poéticos y de ficción; el más importante fue el *Poema de Yúçuf* (del que se hablará más adelante); un Poema en alabanza de Mahoma; alguno procedente de fuentes occidentales,

22 M. CRIADO DE VAL, *Teoría de Castilla la Nueva,* obra citada, especialmente págs. 128-132.

como la *Historia de los amores de Paris y Viana,* de una novela provenzal; y otro de fuentes árabes, como las *Leyendas moriscas,* y aun del tema de Alejandro[23].

No obstante esta pobreza, algunos autores señalan que el mudejarismo pudo ser una vía de intensa relación entre los cristianos y los árabes. La función de la juglaría musulmana puede ser considerada en este grupo, y un arabista, Jaime Oliver Asín, se refiere a tales relaciones en estos términos: "...no se puede comprender nuestra literatura medieval si no se descubre en ella un intenso mudejarismo, un reflejo muy vivo del contraste de lo cristiano con lo musulmán"[24]. Donde este sentido cultural del mudejarismo alcanzó su exposición más debatida, fue en la valoración literaria que A. Castro realizó de la obra de Juan Ruiz: "Visto en adecuada perspectiva, el Arcipreste deja de parecer cínico o hipócrita; su arte (porque arte es y no abstracta didáctica) consistió en dar sentido cristiano a formas literarias de algunos ascetas islámicos, y es así paralelo al de las construcciones mudéjares tan frecuentes en su tiempo"[25]. El estudio de las actividades de los mudéjares resulta sobre todo de gran importancia desde el punto de vista social, y en estudios de esta naturaleza la literatura es un elemento subsidiario.

LAS INFLUENCIAS EUROPEAS:

a) *Literatura provenzal*

De entre las literaturas de origen románico, la provenzal fue la primera que alcanzó gran desarrollo, logrado por autores de nombre

---

23 A. R. NYKL, A *Compendium of Aljamiado Literature* (containing: Rrekontamiento del Rrey Ališandᵉre —an aljamiado version of the Alexander legend, with an Introduction, Study of the Aragonese Traits, Notes and Glossary— the History and Classification of the Aljamiado Literature), "Revue Hispanique", LXXVII, 1929, págs. 409-611.

24 J. OLIVER ASÍN, *Historia y prehistoria del castellano "alaroza"*, "Boletín de la Real Academia Española", XXX, 1950, pág. 410.

25 A. CASTRO, *La realidad histórica de España,* ed. 1954, pág. 388.

conocido. El historiador de la literatura se halla ante un grupo de poetas, cuyas obras presentan la cohesión suficiente para darles entidad de género característico, y esto conseguido en términos de perfección y con un prestigio aceptado en otras partes como magistral. No es ocasión aquí de tratar de sus orígenes y manifestaciones, asunto de gran importancia por cuanto la provenzal es la primera literatura de carácter aristocrático que rompe con el prestigio del latín como lengua de expresión poética de una clase culta. Además, esta literatura fue creación de unas cortes, medio de la vida social de los señoríos feudales de Provenza, y no directamente relacionada, al menos en forma decisiva, con la vida de la Iglesia. Para la literatura española en castellano, la provenzal representó un magisterio cuyo ciclo de creación estaba terminado cuando ejerció su influjo, y es el primer fundamento para la defensa de la poesía nueva, tal como se mencionó en el testimonio del Marqués de Santillana. Su influjo en Castilla fue, pues, tardío e indirecto, a través de los juglares provenzales y de la lírica gallega. Al asimilar las letras castellanas esta influencia, quedó formando parte de la expresión de la lírica española, en especial en sus formas de poesía cortés, y no desapareció al sobrevenir las varias oleadas del influjo italiano, sino que en el Renacimiento perduró como una modalidad más de la poesía, y así siguió, a veces mezclada, otras paralela, junto con la de condición tradicional, al tiempo que la de carácter italianizante triunfaba como forma de moda. Con las restricciones en que tuvo lugar esta influencia, afirmó la consideración ideal de la mujer (no sólo de la señora —*midons*— pues este caso no fue común, si bien posible, sino también de la doncella), el rendimiento del amante ante ella y otras fórmulas de la cortesanía amorosa [26]. La admisión del convencionalismo de estas relaciones es-

---

26 Una obra de información general sobre la lírica de los trovadores: A. JEANROY, *La poésie lyrique des troubadours*, Paris, 1934, 2 tomos; en particular el tomo I, que trata de la difusión de la poesía provenzal. Un manual sobre poesía provenzal del mismo autor, *Histoire sommaire de la poésie occitane, des origines à la fin du XVIIIe siècle*, Toulouse, 1945. Véase el compendio del prólogo de *La lírica de los trovadores*. Antología comentada por M. DE RIQUER. Barcelona, 1948, págs. VII-LXI. Más reciente: R. R. BEZZOLA, *Les*

tableció, desde un principio, un léxico poético para el amor que, desde la fórmula cortés de la lírica y a través de su difusión por las varias clases de libros de ficción (caballeresca, sentimental, etc.), trascendió por entre las varias clases del pueblo español. La insistencia de su uso en la literatura hizo que este lenguaje del amor fuese no sólo propio para la expresión artística, sino que se difundiese también para los tratos de la relación humana común. Sobre este fondo lírico la poesía amorosa de los siglos de Oro pulió su extremado conceptualismo sentimental.

b) *Literatura francesa*

Si el influjo de la literatura provenzal queda limitado en el tiempo a un determinado período, la francesa, también vecina por la geografía, persiste durante la Edad Media, e influye en la española con mayor amplitud. Aparte de la trascendencia europea de las escuelas latinas, pueden encontrarse huellas del influjo francés en el mester de juglaría (período de los poemas largos) y en el mester de clerecía [27]. Los poemas y las leyendas poemáticas circularon no sólo entre los

origines et la formation de la litterature courtoise en Occident (500-1200), Paris, 1958-1960, 3 tomos. Sobre la influencia de los juglares trovadorescos R. MENÉNDEZ PIDAL en su estudio sobre *Poesía juglaresca*, Madrid, 1957. La obra de M. MILÁ Y FONTANALS, *De los trovadores en España*, Barcelona, 1861, es clásica. Estudio de conjunto en M. MENÉNDEZ PELAYO, *Antología de poetas líricos castellanos* (vols. XVII-XXVI de las Obras Completas). De la parte gallegoportuguesa, véase el estudio de J. FILGUEIRA VALVERDE, sobre "Lírica medieval gallega y portuguesa" en la *Historia general de las literaturas hispánicas*, obra citada, I, págs. 543-642. El libro de M. RODRIGUES LAPA, *Lições de literatura portuguesa. Época medieval, Coimbra*, 3.ª ed., 1952, contiene una exposición de esta materia con abundante información.

[27] Véase a este propósito R. MENÉNDEZ PIDAL, *Poesía juglaresca*, Madrid, 1957, págs. 265-269. También es de interés *La épica medieval en España y en Francia*, publicado en el libro *En torno al Poema del Cid*, Barcelona, 1963, páginas 67-94. Y J. HORRENT se ocupa de *La Chanson de Roland dans les littératures française et espagnole au moyen âge*, Paris, 1951. Es importante el estudio de M. DE RIQUER, *Los cantares de gesta franceses (Sus problemas, su relación con España)*, Madrid, 1952, y también E. VON RICHTHOFEN, *Relaciones franco-hispanas en la épica medieval*, en *Actas del Primer Congreso Internacional de Hispanistas*, obra citada, págs. 483-494.

juglares, sino también entre los clérigos. En una nota de un códice de San Millán de la Cogolla, escrita a fines del siglo XI, se lee una mención de la "materia épica" de Roncesvalles (redactada en un latín con abundantes romanceamientos), que viene a representar un estado anterior al relato tal como se halla en la *Chanson de Roland* de Oxford [28]. Las peregrinaciones a Santiago y la venida de los monjes cluniacenses, así como las relaciones familiares de los reyes españoles fueron un excelente medio de comunicación. Por otra parte, la presencia de franceses en las ciudades españolas ayudó a crear un ambiente favorable a estas influencias. El Marqués de Santillana se muestra aún en cierto modo en equilibrio entre la maestría de los provenzales y la de los franceses, pero de los libros que cita en favor de estos últimos, pocos fueron los que dejaron efectiva huella en las letras españolas. Una obra francesa, el *Roman de la Rose,* fundamental para el Medievo de la nación vecina, apenas halló eco en España [29].

Por otra parte, según Chandler Rathfon Post [30], los modelos franceses de la alegoría hicieron triunfar esta modalidad de poesía en España, y para este crítico la imitación e influencia francesa avivaron la afición por la alegoría que desde los orígenes romanos (mejor aún, de los hispanolatinos) existía en las letras españolas, y abrieron cauces

---

28 D. ALONSO, *La primitiva épica francesa a la luz de una "Nota Emilianense"*, "Revista de Filología Española", XXXVII, 1953, págs. 1-94; publicado en *Primavera temprana de la literatura europea,* Madrid, 1961, páginas 81-200. Un resumen del mismo en *Hallazgo de la "Nota Emilianense"*, publicado en el libro *De los siglos oscuros al de Oro,* Madrid, 1958, páginas 34-44. Ha puesto reparos a la fecha propuesta R. N. WALPOLE, *The Nota Emilianense. New light (But How Much?) on the Origins of the Old French Epic,* "Romance Philology", X, 1956-7, págs. 1-18; y ha contestado a los mismos, asegurando las conclusiones de D. Alonso, G. MENÉNDEZ-PIDAL en su artículo *Sobre el escritorio emilianense en los Siglos X a XI,* "Boletín de la Real Academia de la Historia", CXLIII, 1958, págs. 7-19, en especial en la última.

29 M. DEFOURNEAUX, *Les français en Espagne aux XIe et XIIe siècles,* Paris, 1949. Y F. B. LUQUIENS, *The "Roman de la Rose" and medieval Castilian Literature,* "Romanische Forschungen", XX, 1907, págs. 284-320.

30 CH. R. POST, *Medieval Spanish Allegory,* Cambridge, 1915.

para su desarrollo. Pierre Le Gentil[31] insiste también en realzar las relaciones entre las letras francesas y las españolas (en particular en el dominio de la poesía lírica). Según él, la lírica peninsular sigue una evolución paralela a la lírica francesa, y con el fin de notar las relaciones que se establecen en este paralelismo hace una gran exposición tanto de géneros como de temas, y encuentra en ambos contactos continuados, favorecidos por la comunidad de ideales literarios y por la vecindad y relaciones entre los dos países.

c) *Literatura italiana*

La influencia italiana tuvo en su favor inicialmente el hecho de que ocurrió en un período relativamente avanzado de la literatura española, en el que el castellano poseía ya unos medios de expresión probados en los *mesteres* y en la lírica. Se trataba además del influjo de autores conocidos, cuya creación se consideró según las normas de la obra culta, si bien romance. Para el Marqués de Santillana la obra italiana estaba en el estilo medio, entre el alto, de la antigüedad, y el bajo, o cantares populares. De los autores italianos, de acuerdo con el espíritu de la época, fueron unas determinadas obras las que gozaron del favor de los españoles del Medievo.

Así de Dante no se recogió la "novedad" de la *Vita Nuova,* obra perteneciente a una naciente sensibilidad lírica, sino la *Divina Comedia,* difundida o por copias del texto italiano que hallamos en las Bibliotecas, o por las traducciones. Dante fue autor que mereció pronto comentarios que reunieron en torno de la *Comedia* un complejo aparato de notas de todo orden, descifradoras y aclaratorias de su obra. Estos comentarios fueron fuente de información de carácter humanístico, y de manera semejante Santillana y Mena fueron objeto

---

31 P. Le Gentil, *La poésie lyrique espagnole et portugaise à la fin du Moyen Âge.* Tomo I. Les thèmes et les genres, Rennes, 1949. Tomo II: Les formes, Rennes, 1953. Es importante la extensa reseña que le dedicó E. Asensio en la "Revista de Filología Española", XXXIV, 1950, págs. 286-304 al aparecer el tomo I. Véase también W. J. Entwistle, *La chanson populaire française en Espagne,* "Bulletin Hispanique", LI, 1949, págs. 256-268.

en su obra de análogo trato. La fortuna de Dante fue más bien adversa en cuanto a los efectos de servir de modelo y fuente; unos pocos autores del *Cancionero de Baena* con Imperial a la cabeza, lo tomaron como bandera de moda, y los grandes poetas del siglo XV no parece que recibiesen su influencia de manera efectiva. Ya en el límite con el siglo XVI, Juan de Padilla y otros escritores moralizadores lo usan más bien con un sentido popular, adaptando la alegoría a la poesía de piedad y de devoción. La creación de Dante, monumental en cuanto a su lograda estructura teológica, tan personal por otra parte, no era adecuada para ser objeto de imitación, y los otros autores, Petrarca y Boccaccio, ofrecían fórmulas más accesibles a la influencia. La figura de Dante fue reduciéndose de su grandeza, y pasó a ser considerado como sabio filósofo, al que se atribuían dichos sentenciosos, y en particular se le tuvo como defensor de la virtud lograda por las virtudes frente al prestigio del linaje ilustre sólo por herencia.

Petrarca obtuvo pronto entre los escritores de España la fama de varón sabio, y su coronación le dio crédito de poeta consagrado como los antiguos: se le empareja con Boecio y Séneca; se le tuvo por el gran moralista consolador de la humanidad en los casos adversos, defensor de la soledad, autor ascético. La consideración de la melancolía del tiempo y de su paso inevitable para el hombre obtuvo a través de su obra un favor europeo, del que participó también España. Los logros expresivos de la lírica de Petrarca no habrían de triunfar de un modo definitivo hasta Boscán y Garcilaso, de tal manera que precisamente la obra de estos dos amigos viene a señalar para muchos críticos el paso de la Edad Media al Renacimiento. Los poetas castellanos de la Edad Media preferían otro sistema de verso, y la flexibilidad moderna del endecasílabo no se consiguió, a pesar de la conciencia que tuvo Imperial de este verso como propicio para recibir el influjo de Dante, y de los esfuerzos del Marqués de Santillana. Los primeros petrarquistas recogieron el contenido místico y espiritual de Petrarca, las visiones alegóricas de los *Triunfos* que sucedieron a las de Dante, y ciertos procedimientos de estilo, como el uso de la oposición. Las letras españolas tienen en Ausias March una original versión de Petrarca; dentro de la relativa uniformidad del petrarquismo europeo, la voz del poeta Ausias March ha de renovar este influjo, y de tal manera que hasta se antepuso al propio Petrarca en la preferencia de algunos poetas del Renacimiento. La influencia italiana en las letras españolas ha sido estudiada por numerosos investigadores, y es una de las cuestiones más elaboradas [32].

d) *El espíritu europeo de la caballería literaria*

En este grupo relativo a Europa ha de citarse la influencia de los libros de caballerías, que se leyeron y tradujeron en España como en otras partes de Europa, y sirvieron para formar la concepción literaria del caballero, intensamente enlazada con la vida entre la clase noble. Estos libros se imitaron y reformaron hasta venir a parar en la creación del *Amadís*. El tal influjo es en extremo complejo. Se ha agrupado en dos ciclos: el "carolingio" y el "bretón", según que su inspiración proceda de libros franceses relativos a Carlomagno y su fama, o de libros relacionados con el espíritu de las aventuras del rey Artús y sus caballeros (por lo que también este grupo se llama "artúrico"). A los primeros pertenece la *Crónica de Turpín*, en latín, narración clerical en exaltación de Carlomagno, obra que está rela-

[32] Desde un punto de vista universal, puede verse estudiada la influencia de Dante en comparación con la recibida por otras literaturas en la obra de W. P. FRIEDERICH, *Dante's Fame abroad 1350-1850*, Roma, 1950; la parte española, en págs. 13-55. Planteó la cuestión en relación con el grupo del Renacimiento italiano B. SANVISENTI: *I Primi Influssi di Dante, del Petrarca e del Boccaccio sulla Letteratura Spagnuola*, Milán, 1902. Con mayor amplitud, la obra de información general de A. FARINELLI, *Italia e Spagna*, Turín, 1929, 2 tomos. Otros trataron el tema estudiando autores en particular; así, el ensayo de A. GONZÁLEZ DE AMEZÚA sobre *Fases y caracteres de la influencia del Dante en España*, publicado en *Opúsculos histórico-literarios*, I, Madrid, 1951, páginas 87-127. R. ROSSI, *Dante e la Spagna*, Milán, 1929; C. B. BOURLAND, *Bocaccio and the "Decameron" in Castilian and Catalan Literature*, "Revue Hispanique", XII, 1905, págs. 1-232, etc. Véase también J. M. AZÁCETA y G. ALBÉNIZ, *Italia en la poesía de Santillana*, "Revista de Literatura", III, 1953, págs. 17-54.

cionada con la literatura creada en torno a los monasterios del camino de Santiago. Entre otros libros de este ciclo, el *Maynete,* relato referente a la juventud de Carlomagno, plantea interesantes cuestiones. La materia de Francia, o libros carolingios, resultó de la prosificación de la épica francesa, proceso que no fue decisivo en la española.

Del ciclo bretón, la manifestación inicial de conjunto es la *Historia regum Britanniae,* de Godofredo de Monmouth (entre 1136 y 1138), en donde hallamos las situaciones y los personajes que han de formar la trama de estos relatos. Suele situarse en el reinado de Alfonso VIII (1158-1214) la probable difusión de estas leyendas bretonas en España, por su casamiento con doña Leonor, hermana de Enrique II de Inglaterra. Alfonso X utiliza la obra del obispo de Monmouth en su *General Historia,* y probablemente hubo libros de esta clase en romance por la corte de Alfonso X y Sancho IV. El curso de esta influencia en España está desde el principio enredado con las refundiciones y compilaciones que sufrieron estas leyendas, de tal suerte que se designa con la denominación colectiva de "materia de Bretaña" esta intrincada red de aventuras de caballeros, inquietos por la angustia de un amor de tormento en un mundo de fantasía y misterio. El desasosiego de los héroes de estos libros iba acorde con la punzante inquietud de la lírica cortés; y sus complicadas aventuras imaginarias formaron una red de leyendas que se difundió bastante, y que citan poetas y escritores, en una difusión muy difícil de seguir por el número de copias retocadas y refundidas. No se sentían como libros de una nación determinada, sino como lectura de entretenimiento propia de una clase social que así distraía el ocio afirmando aún en la distracción su sentido de la vida. Resultaron, por tanto, una materia común en que temas, motivos y tipos se reiteraron, y acabaron por agotar la capacidad creadora del género histórico. En este punto aparece el *Amadís,* del que me ocuparé más adelante [33].

---

[33] Es fundamental la información de los estudios recogidos y publicados por R. S. Loomis, *Arthurian Literature in the Middle Ages* (Una historia en colaboración), Oxford, 1958; la parte española corre a cargo de M. R. Lida de Malkiel, *Arthurian Literature in Spain and Portugal* (págs. 406-418).

INFLUENCIA DE LA LITERATURA MEDIEVAL DE ESPAÑA SOBRE LAS OTRAS LITERATURAS

a) *Los árabes españoles y Europa*

Los estudios comparatistas entrañan un doble sentido en el trato de las influencias de una literatura: el que va desde las literaturas ajenas a la que se estudia; y el que va desde esta a las otras. Ambos sentidos son de condición diferente, y el movimiento de los influjos y su carácter proceden de las condiciones culturales que rodea la difusión de la obra literaria. La literatura medieval española no se manifestó en obras que fuesen de condición expansiva hacia las otras europeas; el castellano y los otros dialectos literarios no pasaron de ser, aun con su cultivo literario, lenguas de un área limitada, y fueron escasas las ocasiones políticas que las llevaron más allá de los Pirineos, y sólo en los últimos tiempos de la Edad Media. Esto ocurrió en cuanto se refiere a las obras y a los autores como tales, pero en los estudios de la literatura comparada no cuentan sólo obras y autores, sino también otros aspectos o piezas de la creación literaria. La complejidad cultural de la Edad Media española ya fue objeto de consideración en párrafos anteriores, sobre todo en relación con el influjo recibido de los árabes, y en este lugar hay que considerar que

---

Véase E. FARAL, *La légende arthurienne. Les plus anciens textes:* I, *Des origines à Geoffroy de Monmouth;* II, *Geoffroy de Monmouth,* y III, *Documents,* París, 1929, 3 tomos. En particular sobre Tristán, la excelente obra de BÉDIER, *Le Roman de Tristan par Thomas.* París, 1905. Con relación al ciclo artúrico en España: W. J. ENTWISTLE, *The Arthurian Legend in the Literatures of the Spanish Peninsula,* London-Toronto, 1925; se tradujo al portugués con unas pocas adiciones: *A lenda arturiana nas literaturas da Península Ibérica,* Lisboa, 1942. Véase también A. REYES, *Influencia del ciclo artúrico en la literatura castellana,* en los *Capítulos de literatura española,* segunda serie, México, 1945, págs. 294-302. J. MARX, *Nouvelles recherches sur la littérature arthurienne,* París, 1965.

los españoles, además de aprovechar este influjo, sirvieron de trasmisores del mismo hacia los otros países de Europa [34].

a) *Relaciones culturales de carácter general.* — Estas relaciones sobrepasan los fines de este libro porque su estudio ha de hacerse en común con las creaciones culturales del Cristianismo medieval. Su fundamento se halla en la comunicación que hubo entre cristianos y árabes en la Edad Media, uno de cuyos caminos más transitados fue el de España. Si bien esta función es de enlace, dejó también en España su huella creadora. Vossler dio con acierto el título de una "Ilustración medieval" o "época de las luces" al período en que estas relaciones adquirieron mayor intensidad. Los reinos cristianos de la península fueron buena ocasión para esto, pues los bordes de sus fronteras tocaban la tierra de los musulmanes; España fue "el conducto trasmisor más rico y preferido. Las condiciones para esta labor eran aquí singularmente favorables: ricas bibliotecas, con textos árabes llenos de la vieja sabiduría de Oriente, grandes señores eclesiásticos y seglares que promovían la actividad traductora, muchos mozárabes con dos idiomas maternos, judíos poliglotos y finalmente constantes ocasiones de ejercitarse en el papel de intérprete" [35]. Un volumen de Menéndez Pidal recoge varios estudios con este significativo título: *España, eslabón entre la Cristiandad y el Islam* [36]. En términos generales puede decirse que esta comunicación tuvo un carácter científico: libros de matemáticas, astronomía, alquimia, geografía, etc. [37].

---

34 Un libro de información general sobre el Islam es el de F. M. PAREJA (en colaboración con A. BAUSANI y L. VON HERTLING, con un apéndice de E. TERÉS) titulado *Islamología*, 2 tomos, Madrid, 1952-4.

35 C. VOSSLER, *La ilustración medieval en España y su trascendencia europea*, publicado en *Estampas del mundo románico*, obra citada, 1946, páginas 131-148. La cita procede de las págs. 132-133; y *Trascendencia europea de la cultura española*, en *Algunos caracteres de la cultura española*, Madrid, 1962, págs. 89-151.

36 Madrid, 1956. Uno de los artículos que contiene es el de "España y la introducción de la ciencia árabe en Occidente" (págs. 33-60).

37 A. GONZÁLEZ PALENCIA, *Moros y cristianos en la España medieval*, Madrid, 1945. Del mismo autor hay un manual sobre *Historia de la España musulmana*, 4.ª ed., Barcelona, 1945, y otro (en el que se estudia la relación

b) *Cuestiones relativas a la literatura comparada, de orden general.* — Como un aspecto concreto del anterior conjunto, la literatura comparada encuentra un campo fructífero en el establecimiento y valoración de las relaciones literarias entre el Islam y Occidente. Las graves cuestiones que en este campo se han suscitado pueden ordenarse así:

I) Relaciones entre la espiritualidad árabe y la cristiana. Esta tesis ha sido defendida sobre todo por el maestro del arabismo español, Miguel Asín Palacios: el pueblo árabe, nómada en sus formas de vida, sirvió de trasmisor entre Oriente y Occidente a través de grandes distancias geográficas. Inflamado en su ardor guerrero por la doctrina de la guerra santa de Mahoma, el árabe tuvo ocasión de conocer la vida de los anacoretas cristianos de Oriente, y aprendió también el ansia de perfección espiritual que los guiaba. Como estos anacoretas tenían el Cristianismo como fundamento de su vida religiosa, resultó que pudo haber una relación a través de este fondo común del Islam "cristianizado". Las huellas del Islam pueden aparecer en autores cabalmente ortodoxos, y las coincidencias de expresión, a veces turbadoras, son fruto de comunicaciones oscuras, lecturas, leyendas y la presencia de los que estaban a la vez conviviendo con árabes y cristianos [38].

---

entre árabes y cristianos en particular) sobre *Historia de la Literatura arábigo-española*, que ya se citó antes. Asimismo es de gran interés la colección de textos de C. SÁNCHEZ-ALBORNOZ, *La España musulmana, según los autores islamitas y cristianos medievales*, Buenos Aires, 1946, 2 tomos. Aunque más bien trata el asunto de una manera general, refiriéndose a datos culturales, resulta informativo el artículo de A. GONZÁLEZ PALENCIA, *Huellas islámicas en el carácter español*, "Hispanic Review", VII, 1939, págs. 185-205, incluido también en el mencionado libro *Moros y cristianos* (págs. 61-99). Véase: A. GONZÁLEZ PALENCIA, *El arabismo español y los estudios literarios*, "Bulletin of Spanish Studies", XXIV, 1947, págs. 108-116. Las costumbres de los musulmanes en cuanto a su influjo sobre los españoles cristianos se estudian, desde el punto de vista de A. Castro, en los capítulos VI y VII de la ed. de 1962 de su libro *La realidad histórica de España* (págs. 175-275).

38 M. ASÍN PALACIOS, *Huellas del Islam* (Santo Tomás de Aquino, Turmeda, Pascal, San Juan de la Cruz), Madrid, 1941.

II) Relación entre una idea del amor "platónico" de los árabes y de los occidentales. El estudio de la cultura árabe ha puesto de manifiesto que junto a la poligamia propia de la religión de Mahoma, también existió la idea de un amor de orden espiritual, contemplativo, semejante en sus manifestaciones al de la poesía de provenzales e italianos. Un árabe andaluz, Ben Házam de Córdoba (994-1063), escribió un tratado sobre el amor y los amantes, titulado *El collar de la paloma,* fascinante libro en el que se examinan las modalidades y el proceso del amor, en forma tan penetrante como en Ovidio [39]. La formulación de tópicos tan esenciales para la literatura, como el de la *donna angelicata,* queda, pues, patente a ambos lados de la frontera, y su posible relación es objeto de vivas polémicas. No hay que pensar en que se pueda encontrar una relación evidente entre dos obras, sobre todo si estas pertenecen a grupos selectos bien de orden social o por el carácter de su espiritualidad; la comunicación puede establecerse del modo más inesperado, siempre dentro de la imprevisible condición humana. Márquez Villanueva trata de relacionar Juan Ruiz con este mismo Ben Házam, aun cuando de una manera directa no se halle testimonio: "La frontera entre lo oculto y lo popular no está siempre tan perfilada como una piedra lanzada a un estanque, cuya honda y salpicadura no se sabe nunca, al cabo de un milenio, hasta donde pudieron llegar. La impresión causada en un pequeño número de lectores puede irse filtrando, con el multiplicador de los años, hasta alcanzar el nivel de la más amplia vulgarización. Las ideas de moda en círculos selectos de Bagdad y Córdoba en el siglo X podían ser en el XIV tópicos viejos y patrimonio mostrenco de toda aquella gente mora y judía con quien tan bien se llevaba Juan Ruiz" [40].

---

39 IBN HAZM DE CÓRDOBA, *El collar de la paloma. Tratado sobre el Amor y los Amantes,* trad. de E. GARCÍA GÓMEZ, pról. de J. ORTEGA Y GASSET, Madrid, 1952.

40 F. MÁRQUEZ VILLANUEVA, *El buen amor,* "Revista de Occidente", III, 1965, pág. 290.

III) Un aspecto particular de estas relaciones lo constituye la trasmisión de las leyendas de ultratumba y su repercusión en la *Divina Comedia*[41].

b) *La cuestión de los orígenes de la lírica europea*

Más adelante se tratará de los orígenes de la lírica española y de la aparición de las jarchas mozárabes, que han situado estas manifestaciones en el primer lugar de la cronología de la lírica europea. Con esto la lírica mozárabe se ha puesto por delante de la poesía provenzal, que era tenida por la primera que apareció en Europa, y esto obligó a una revisión de las influencias. Por otra parte, el origen de la lírica provenzal era tema muy debatido, y una de las teorías, la llamada tesis árabe, quería relacionar determinadas características de la poesía de Provenza con aspectos de la literatura árabe (difusión del zéjel por Provenza, Francia e Italia; e interpretación del juego del amor cortés a través de doctrinas árabes)[42]. De esta manera, estas

41 M. ASÍN PALACIOS, *La escatología musulmana en la Divina Comedia*, 2.ª ed., Madrid, 1943. Esta edición va seguida de una "Historia y crítica de una polémica" (págs. 481-609) de gran interés porque recoge la bibliografía fundamental del asunto entre 1919, en que apareció la primera edición, y la fecha de la segunda. Véase también: *La escala de Mahoma*, ed. J. MUÑOZ SENDINO, Madrid, 1949; E. CERULLI, *Il Libro della Scala e la questione delle fonti arabo-spagnole della Divina Commedia*, Ciudad del Vaticano, 1949; G. LEVI DELLA VIDA, *Nuova luce sulle fonti islamiche della Divina Commedia*, "Al-Andalus", XIV, 1949, págs. 377-407, y, finalmente, una visión general del asunto en E. CERULLI, *Dante e l'Islam*, "Al-Andalus", XXI, 1956, págs. 229-253.

42 R. MENÉNDEZ PIDAL, *Poesía árabe y poesía europea*, Madrid, 1941, páginas 1-77.

Comentarios sobre estas tesis y su encaje en la literatura universal se hallarán en el artículo del germanista TH. FRINGS, *Altspanische Mädchenlieder aus des Minnesangs Frühling (Anlässlich eines aufsatzes von Dámaso Alonso)*, en "Beiträge zur Geschichte der deutschen Sprache und Literatur", LXXIII, 1951, págs. 176-196; y en el artículo de L. SPITZER, *La lírica mozárabe y las teorías de Theodor Frings*, publicado en versión española de su original inglés de 1952 en *Lingüística e Historia literaria*, Madrid, 1955, págs. 65-102. MENÉNDEZ PIDAL ha reunido una valoración general de la lírica española y su repercusión en el artículo, ya citado, *La primitiva lírica europea, Estado actual del problema*, "Revista de Filología Española", XLIII, 1960, págs. 279-354.

influencias pudieron pasar a través de España, y en el camino dejar su huella, a la vez que preparar la recepción del influjo de la poesía provenzal, cuya maestría fue fundamental en España como en el resto de Europa [43].

Varias modalidades de la lírica de Europa, las *chansons de femme* y los *Frauenlieder*, se han reunido con las canciones españolas, y su estudio conjunto ha sido esclarecedor. Así resulta que, desde los tiempos protohistóricos, la lírica española se muestra comedida en las cuestiones del amor; el amor virginal, familiar, predomina, y con él una austeridad que alcanza a la forma expresiva, más tendente a la concisión que a la expansión verbal. Para Menéndez Pidal Andalucía fue la región española de más vigorosa fuerza creadora, y su canción tiene una ascendencia asegurada por más de dos mil años. Ya tomó cuerpo, en la cronología literaria de Europa, la existencia de una época pretrovadoresca, cuya importancia se presiente tanto del lado románico como del lado árabe, si bien las cuestiones que plantea son extraordinariamente complejas.

---

[43] R. MENÉNDEZ PIDAL presenta un cuadro de tales influencias en *Origins of Spanish Literature considered in relation to the origin of Romance Literature*, "Cahiers d'Histoire Mondiale", VI, 1961, págs. 752-770.

Capítulo VI

LA RELIGIOSIDAD MEDIEVAL Y SU RELACIÓN CON LA LITERATURA ROMANCE

CARÁCTER RELIGIOSO DE LA LITERATURA MEDIEVAL

La literatura medieval ofrece en todas las partes de Europa un acentuado carácter religioso; hay que pensar que fueron hombres de la Iglesia los que orientaron hacia las formas escritas la literatura en lengua vulgar, y de esta manera crearon un medio eficaz para la difusión de la doctrina cristiana, y cuanto de piedad y devoción la acompañaban como manifestaciones de la vida espiritual del pueblo. De ahí que se encuentre un tono común en las varias literaturas vernáculas, cuya raíz se halla en la Iglesia de condición católica, esto es, universal y romana al mismo tiempo. La Teología era así la ciencia suma, y las Letras y las Ciencias estaban a su servicio, como elementos cuya trascendencia última era la honra y conocimiento de la obra de Dios. Por tanto, la literatura medieval española también participa de esta condición general, en la que la religiosidad representa a la vez un camino para la salvación del alma, y al mismo tiempo una intensa y extensa actividad espiritual, sobre todo de un sentido ilustrador. Con el desarrollo que había logrado el latín medieval como lengua común de la Iglesia, no hubo ocasión para que en la lengua vulgar se tratasen, en estos primeros siglos de su literatura, las altas especulaciones de la vida espiritual religiosa, como son las místicas, y aun muchos aspectos de la ascética y dogmática. Para la lengua romance quedaban las modalidades que, desde un punto de vista intelectual, fueron las más modestas y elementales: la exposición de la doctrina cristiana, las oraciones, los libros de consejos, devotos, los comentarios de las Sagradas Escrituras, sobre todo en los episodios que por su emotividad pudieran mejor servir para crear un estado de ánimo propicio a la exposición de los principios cristianos, etc.

Los grandes tratados sobre la vida espiritual estaban escritos en latín, y en esta lengua culta se hallaba el orden uniforme de la disciplina que seguían las almas dedicadas al servicio de Dios. Para el adoctrinamiento de los fieles en general, de los que vivían en y por el mundo, se aprovechó muy pronto el servicio de las nuevas lenguas, en el punto en que se sintieron apartadas del latín y de su patrimonio espiritual. La primera dignificación de la lengua vulgar fue obra de la Iglesia, cuando autorizó a explicar la doctrina de Cristo en la lengua que usaba el pueblo, tal como se acordó en el año 813 en el gran Concilio de Tours. Esta resolución hemos de pensar que se cumplió en los reinos hispánicos, y en efecto la primera manifestación completa de la lengua romance hispánica fue una oración [1], y las palabras sueltas que sirvieron de ayuda para traducir un texto del latín eclesiástico. Pero esta clase de obras, o la parte que en otras de diferente intención se dedica a este fin, suele ser de gran sencillez retórica, como se verá al tratar de los orígenes de la prosa. Si se tiene, pues, presente este adoctrinamiento constante que los clérigos realizaron con el pueblo, podemos contar con que las verdades fundamentales de la Iglesia, su liturgia, y cuanto resulte de su intervención en la vida del siglo, formaron un patrimonio espiritual que fue común

---

[1] Esta oración se encuentra en el texto de unas Glosas Emilianenses, publicadas con otros textos por R. MENÉNDEZ PIDAL en sus *Orígenes del Español*, obra citada, pág. 8. Véase el leve pero matizado comentario de D. ALONSO, "El primer vagido de nuestra lengua", en *De los Siglos Oscuros al de Oro*, obra citada, págs. 13-16.

a los hombres de la Edad Media. Y así en efecto, de manera declarada o indirecta, se encuentra manifestado desde el *Poema del Cid* hasta la última obra del período.

EL ARTE MEDIEVAL, COMO ILUSTRACIÓN EN EL COMBATE DE LA VIDA

Hay que considerar, pues, la condición del arte del Medievo desde el punto de vista de su trascendencia religiosa. Como señaló Leo Spitzer[2] en unos párrafos de denso sentido, el arte medieval es como una inmensa *ilustración:* quiere exteriorizar y representar de manera perceptible las cuestiones del espíritu. Con objeto de que cualquier hombre, por inculto que sea, pueda entender este contenido espiritual (bien se refiera a la información sobre la tradición cristiana en cualquiera de sus aspectos, bien a las cuestiones tocantes a su salvación, pasado y futuro coincidiendo en el presente de una vida), el escritor, valiéndose del habla común, pretende exponer la significación de esta espiritualidad religiosa, que por esto mismo es humana, pues Dios mismo hizo la más notable de las *manifestaciones* cuando se hizo hombre para salvar a todos los hombres. Trovadores moralizantes, autores de fábulas, sermoneadores, escritores de todas clases, iluminadores de textos, etc., todos se valen libremente del mundo conocido (naturaleza, historia, vida cotidiana, etc.) para ilustrar con él esta espiritualidad que favorece la salvación del alma. El Universo entero, obra de Dios mismo en último término, es la materia con la que los artistas expresan las manifestaciones de la vida interior, y trabajan esta "materia universal" con la fe paciente del artesano que es creyente. La labor sobre la materia del arte —piedra, madera, lienzo, lengua, música— es *manual* (esto es, esfuerzo, en el caso de la literatura, cultivo del uso lingüístico, creación de un artificio que logra

[2] Tomo estas indicaciones de L. SPITZER, *L'amour lointain et les sens de la poésie des troubadours,* Chapel Hill, 1944, en especial, pág. 72.

en su forma más alta la condición de poesía) y oración (intención de ayudarse en el camino de la salvación).

El arte, concebido de esta manera, fluía con la doctrina de la Iglesia, y la *ilustraba*. En muchas ocasiones, sobre todo para el hombre de mundo, el arte podía resultar mejor camino para conocer las verdades de la salvación, que la misma exposición doctrinal, a secas. Juan Ruiz reconocía esto al decir en su *Libro de Buen Amor*:

> *Y porque mejor de todos sea escuchado*
> *hablarvos he por trovas y cuento rimado;*
> *es un decir hermoso y saber sin pecado,*
> *razón más placentera, hablar más apostado.*
>
> (Est. 15)

En este sentido se habían manifestado los teólogos, ascetas y místicos que seguían una orientación afectiva en la exposición de la doctrina de la Iglesia; partiendo sobre todo de San Bernardo y de San Buenaventura, a través de los franciscanos, esta corriente viene a parar en el siglo XV a la "devotio moderna", de la que después se hablará. En esta concepción de la vida espiritual, la poesía, y aún más la romance, recibía la aprobación, pues en último término también ayudaba, a su modo, en la salvación del alma, el premio que resulta al fin de las luchas de la vida. La vida del hombre se consideraba como el curso de un combate que duraba hasta la muerte. En el alma luchaban las fuerzas del Bien contra las del Mal; Prudencio[3] en su *Psychomachia* dejó una expresión alegórica de este combate, que quedó como un modelo logrado del procedimiento de la alegoría, instituida desde entonces como un sistema para sostener los argumen-

[3] PRUDENCIO fue un hispanorromano del siglo IV, y su *Psychomachia* (o Lucha por el alma humana) personifica y mueve vicios y virtudes en torno del alma (puede verse, por ejemplo, en la edición de "Les Belles Lettres", París, 1943). Véanse también las consideraciones de F. LECOY en sus *Recherches sur le "Libro de Buen Amor"*, París, 1938, y más recientemente, M. R. LIDA DE MALKIEL volvió sobre este asunto en sus *Nuevas notas sobre el "Libro de Buen Amor"*, "Nueva Revista de Filología Hispánica", XIII, 1959.

tos con un contenido de carácter espiritual. Y el procedimiento alegórico resultó el más conveniente si un escritor trataba de referir cualquier conmoción del alma humana, no sólo ya con ocasión de una causa religiosa, sino por cualquier razón de la vida secular y profana. La alegoría representaría una disposición en la exposición del asunto, que estaba asegurada por esta tradición, y que a través de su uso resultaba comprensible para un gran número de lectores, ya habituados al procedimiento; la armazón de una alegoría era preferible al intento de describir directamente una situación o proceso del alma, y desde luego, de más alta condición literaria.

SIMBOLISMO Y ALEGORÍA EN LA LITERATURA MEDIEVAL

En un estudio de las maneras expresivas de la literatura medieval, hay que contar en primer término con la función del simbolismo [4]. Los contenidos más diversos adoptaron una formulación simbólica, y puede decirse que este sistema constituyó un hábito mental del hombre de la Edad Media cuando se situaba ante la realidad del mundo, tanto visible como invisible, tanto en el presente como en el pasado. El origen de la palabra *símbolo* se halla en la literatura religiosa desde el siglo IV, y fue al principio un signo de reconocimiento o forma sencilla con que los cristianos se identificaban entre ellos. En los primeros siglos del Cristianismo, al comienzo de la Edad Media, la literatura religiosa fue la más cultivada e importante; antes de que aparezcan las primeras noticias de las literaturas vernáculas, durante siglos hubo un repetido ejercicio literario que viene a confluir en un método para el comentario de la verdad recibida por la tradición y para la consideración de los hechos percibidos por la experiencia.

---

[4] Resulta fundamental, con su base en la *Divina Comedia,* la obra de H. F. DUNBAR, *Symbolism in Medieval Thought and its consummation in the Divine Comedy,* New Haven, 1929; con referencia a la literatura francesa puede verse el sistemático estudio de S. BAYRAV, *Symbolisme médiéval,* Estambul, 1957.

La tradición escrita y la realidad de la experiencia quedaban así muy cerca, y el prestigio de la palabra dominó como vía del conocimiento. El signo lingüístico poseía una extrema eficacia simbólica, y bastaba él solo para asegurar en la penetración en la realidad por la vía de la literatura.

El simbolismo, considerado de una manera general, tuvo un gran influjo en la literatura, lo mismo que en las otras Artes. En la expresión de la religiosidad resultó fundamental, sobre todo en la mística; así, el escritor podía elevarse en su amor a Dios a través de los objetos más comunes, que con estas interpretaciones resultaban válidos para la expresión del amor divino. Los animales tuvieron significación simbólica, como los colores y las piedras preciosas y los números. Las obras de los gentiles podían quedar así como predicciones en las que la verdad de Cristo aparecía anunciada.

El simbolismo pasó también al dominio de la literatura profana, confundido con frecuencia con la alegoría. La alegoría [5] tuvo sus precedentes en la Retórica de la antigüedad, y en los tratados medievales aparece mencionada de diversas maneras; en su origen fue una figura retórica en la que el orador da una segunda significación a las palabras, diciendo algo y dejando con ello entender un contenido mucho más complejo e importante. El uso de la alegoría fue creciendo dentro del pensamiento de raíz simbólica, y fue el medio común de representar los movimientos del alma; los sentimientos se expresaron mediante figuras abstractas como si fueran personajes con voluntad propia de acción, y así se mostraban los combates interiores del alma, las dudas, las cualidades y atributos del hombre. La "visión" como forma literaria permitió al autor el libre manejo de los datos de la

---

[5] Sobre la alegoría en la literatura medieval europea, véase C. VOSSLER, *Formas híbridas de prosa y poesía*, publicado en *Formas poéticas de los pueblos románicos*, Buenos Aires, 1960, págs. 68-89, especialmente. Sobre la alegoría en España, en términos generales puede verse el libro de CH. R. POST, *Mediaeval Spanish Allegory*, obra citada. Concretamente, estudiando un texto de Berceo, A. DEL CAMPO ha mostrado el entramado literario de la alegoría en el artículo *La técnica alegórica en la introducción a los "Milagros de Nuestra Señora"*, "Revista de Filología Española", XXVIII, 1944, págs. 15-57.

realidad, y la creación de un mundo poético en el que la alegoría se desarrolla con libertad, en forma de éxtasis o sueños. Los *Triunfos* de amor, los *Infiernos* de enamorados, la *Cárcel* de amor, los *Testamentos* de amor, etc., son modalidades de este sistema de formulación literaria. El Humanismo medieval dio variedad a estas alegorías arrimándoles el rico material de la mitología. Los mismos nombres de los personajes dejan de ser designaciones arbitrarias, y buscan mostrar alguna significación: o con el lugar de donde proceden, el carácter, alguna peculiaridad personal, etc.

Puede asegurarse, pues, que los procedimientos del simbolismo y la alegoría medievales contribuyeron a formar la estructura de la obra de esta época; fueron a veces la armazón argumental de la misma, y otras, partes de ella que daban un sello característico al conjunto a que se aplicaban. En estas obras la significación no se detiene en la superficie de las palabras o de los hechos narrados, sino que los traspasa hacia una trascendencia o sentido último. El autor incita con esto al lector u oyente para que "adivine" el término final, y este esfuerzo por penetrar en la velada significación constituye uno de los valores de la expresión de la Edad Media. Inteligencia e imaginación van parejas en la construcción poética, y se mezclan y armonizan según el grado de la habilidad creadora del escritor.

EXÉGESIS Y GLOSAS

La exégesis que antes se mencionó y que servía para penetrar en el sentido de los textos que así lo requerían, se aplicó también a la poesía en lengua romance, sobre todo a la que fue escrita con un propósito latinizante. Las declaraciones de Juan de Mena en los comentarios de su *Coronación* establecen (con más o menos precisión, según los casos) una *ficción*, seguida de una *historia y verdad* y acabando en una *aplicación y moralidad*. A veces el comentario se encuentra expresado en la extensión de una glosa, y entonces la pieza literaria adopta una disposición compleja. En estos casos la obra poética se compone de un texto básico de un determinado poeta o procedente de un cantar popular, seguido de la *glosa* o desarrollo de su sentido poético [6]. Por medio de la glosa el poeta pierde el orgullo de la invención, y se convierte en un recreador dentro del cauce de un espíritu común, que en este caso es el de la cortesía. La libre versión de los poemas clericales y aun la adopción en la lengua romance de España de los modelos italianos y franceses se verificó a veces fundiendo la propia personalidad del poeta con la del modelo, de acuerdo con una técnica en la que pudo aprovecharse la experiencia de la glosa. Por tanto, la alternancia *texto-glosa* (que puso, por ejemplo, de manifiesto Juan Ruiz en su *Libro de Buen Amor*, est. 1631) y sus efectos resultan fundamentales para el entendimiento de muchos aspectos de la literatura medieval. Una fórmula como esta, procedente probablemente de una escuela:

> *Littera gesta docet; quid credas, allegoria;*
> *Moralis, quid agas; quo tendas, anagogia.*

ha de ser recordada cuando se trate de interpretar una obra de la Edad Media, sobre todo si pudo tener de cerca o de lejos alguna relación con el arte clerical, pues es la formulación elemental de la condición expresiva del simbolismo literario.

Este procedimiento se aplicaba sobre todo a la exégesis de las Sagradas Escrituras. El método entendía que el esfuerzo por conocer alguna cuestión había de seguir cuatro vías intelectivas:

1.ª) interpretación *literal*, en la que se explicaba la palabra en su uso común, y las asociaciones que con ella podían establecerse en la descripción o en la asociación arbitraria;

2.ª) interpretación *alegórica*, en la que la cuestión se relacionaba con las verdades que un cristiano conocía en relación con Cristo, cabeza de la Humanidad;

---

6 H. H. Glunz, *Die Literarästhetik des europäischen Mittelalters: Wolfram, Rosenroman, Chaucer, Dante*, Bochum-Langendreer, 1937.

3.ª) interpretación *tropológica,* en la que formulaba la lección moral que el hombre puede deducir de cualquier acontecimiento; y

4.ª) interpretación *anagógica,* que quería alcanzar una última verdad, de orden místico.

LA BIBLIA EN LA EDAD MEDIA

El libro por excelencia en la Edad Media fue la Biblia. Sobre él se concentró la ciencia y el arte de la interpretación literaria, y la exégesis bíblica es el monumento más grandioso de los tiempos medios. El texto bíblico poseía un sentido literal, intangible, por ser la palabra de Dios, pero el ejercicio de la exégesis bíblica, siguiendo la técnica que antes se señaló como desentrañadora del sentido simbólico de la literatura medieval, mostraba a cada uno el aprovechamiento de esa Palabra en un sentido moral y místico. Realzar la significación e iluminar el sentido hondo de la palabra de Dios eran los fines de esta interpretación, y estos comentarios, que constituían la *glosa,* resultaban el complemento necesario del texto. Una técnica análoga, sólo que establecida en el dominio de la ciencia de la Ley, se aplicó a algunos textos del Derecho romano. De esta manera la exégesis de un texto representaba para el escritor medieval el más completo ejercicio intelectual que podía aplicarse a una obra; y dando una trascendencia al sistema, si la verdad de Dios era única y universal, todo cuanto el hombre podía imaginar de fábulas y ficciones podía aplicarse al comentario de esta verdad, a su *ilustración,* como se dijo antes. H. H. Glunz [6] ha llegado al extremo de decir que la literatura medieval puede explicarse como una inmensa exégesis de la Biblia. En otra parte escribe Spitzer para manifestar la gran importancia de esta disposición del pensamiento: "Así como el mundo siempre nuevo y en eterna renovación es, sin embargo, la glosa del texto escrito un día por Dios en la Biblia, así también el libro humano, copia del divino, ha de ser mudable en su interpretación: la glosa del lector pertenece también al texto de la obra poética, igual que la vida terrestre de las criaturas todas pertenece al mundo creado por Dios. El texto original contiene todos los posibles sentidos e interpretaciones posteriores: contar con esos sentidos e interpretaciones significa comprender la ambigüedad polimórfica del mundo y su ubérrima fuerza vital en perpetuo y gozoso despliegue" [7]. También, por otra parte, el enorme valor que algunos escritores otorgan a la letra como representación de la verdad (como cuando el autor del *Libro de Alexandre* escribe: "en escrito yaz esto, es cosa verdadera", est. 2161) puede referirse a esta técnica de la exégesis.

La Biblia se vertió y aprovechó en lengua romance desde los primeros monumentos de la literatura hispánica [8]. No hay que pensar, sin embargo, que los autores de estas primeras obras medievales en lengua romance tuvieron preocupaciones filológicas en su labor de verter el texto sagrado. Primero había que esforzarse en que el mensaje resultase comprensible en la lengua vernácula, y que además fuese adecuado al lugar en que se empleaba [9]. Antes que las traducciones sistemáticas hubo el aprovechamiento sobre todo del caudal didáctico de los libros sagrados, la narración de las partes anecdóticas, la intención de popularizar las personas bíblicas entre las gentes. En forma ya intencionada, como extracción literaria, la Biblia fue también una fuente siempre manante de palabras que pasaban a la lengua vernácula en los esfuerzos por romancear sus textos; a veces, las palabras se ordenaban en listas, cuya cohesión tenía un sentido mora-

---

[7] L. SPITZER, *En torno al arte del Arcipreste de Hita,* en el libro *Lingüística e Historia Literaria,* Madrid, 1955, pág. 123. Sobre las ediciones y estudios particulares de la Biblia de la Edad Media, véase H. SERÍS, *Bibliografía de la lingüística española,* obra citada, págs. 270-275.

[8] Véase la amplia bibliografía de orientación, clasificada por asuntos, de M. MORREALE, *Apuntes bibliográficos para la iniciación al estudio de las traducciones bíblicas medievales en castellano,* "Sefarad", XX, 1960, páginas 66-109. S. BERGER, *Les Bibles castillanes et portugaises,* "Romania", XXVIII, 1899, págs. 360-408 y 508-567. Hay una hermosa edición de la *Biblia* (Antiguo Testamento), traducida del hebreo al castellano por RABBI MOSÉ ARRAGEL y publicada por el Duque de Alba, Madrid, 1920-1922, 2 tomos.

[9] S. F. GORMLY, *The use of the Bible in representative works of Medieval Spanish Literature 1250-1300,* Washington, 1962.

lizador. Así ocurre con las referentes a virtudes y vicios, sobre todo en el Nuevo Testamento, y en particular con las Epístolas [10]. El léxico bíblico y su ordenación pasaban a la literatura con esta función de instrucción moral y religiosa.

Alfonso X hizo abundante uso de ella, sobre todo en la *General Historia*. En los tiempos visigodos hubo en España una gran escuela de paleografía sagrada, cuya herencia recogió la liturgia mozárabe. Un gran esfuerzo en los estudios bíblicos de la Edad Media, sobre todo en lo que se refiere a la traducción del texto sagrado, representa la Biblia de Alba; y la Biblia Políglota Complutense, la gran obra que comienza el Renacimiento religioso de los Siglos de Oro, es el fruto de una secular dedicación y trato del libro por excelencia.

CARÁCTER MORALIZADOR DE LA LITERATURA MEDIEVAL

De esta universal condición religiosa de la literatura medieval procede una de sus más importantes características: su sentido moralizador. En efecto, suele ser una obra destinada al *aviso*, para aconsejar al hombre que busque el Bien y huya del Mal (*castigo* según la palabra medieval). El hombre que estaba dentro de la Iglesia sabía que su vida era más segura (según expresión de Santa Teresa) en lo que tocaba al negocio de la salvación eterna, que la del que vivía en el mundo, expuesto a sus peligros, y sobre todo olvidado de su condición de cristiano. Por eso la función de la literatura había de ser en todo momento avisar al hombre del mundo, en cualquier ocasión, aprovechándola en donde se presentase [11]. Esta finalidad se so-

---

[10] Véase M. MORREALE, *Los catálogos de vicios y virtudes de las Biblias Romanceadas de la Edad Media*, "Nueva Revista de Filología Hispánica", XII, 1958, págs. 149-159.

[11] Así ocurría con los sermones, cuya finalidad era "ad utilitatem et edificationem populi, anuntiando eis vitia et virtutis, poenam et gloriam", según la regla franciscana. Véase J. BENEYTO, *Teoría cuatrocentista de la oratoria*, "Boletín de la Real Academia Española", XXIV, 1945, pág. 420. La crítica

breponía a las demás, y el Marqués de Santillana amonesta al escritor que no se aparte de este fin:

> *Inquiere con gran cuidado*
> *la Ciencia,*
> *con estudio y diligencia*
> *reposado;*
> *no codicies ser letrado*
> *por loor,*
> *mas sciente reprehensor*
> *del pecado* [12].

La ciencia en su más amplio sentido servía para poner de manifiesto y reprehender el pecado; el letrado "por loor" (por fama de sabiduría, por curiosidad, por honra, señala un comentarista) quedaba así menospreciado según este criterio, que hizo crisis a fines de la Edad Media, como se dirá al referirse al proceso del humanismo. Para este fin moralizador los predicadores dijeron los sermones y se escribieron los Tratados que se han mencionado, y también otras obras, que cuentan mejor en el campo de la literatura, aun coincidiendo con el mencionado propósito; y pocas obras escapan de cerca o de lejos, en versión divina o profana, a la intención de dejar impresa alguna enseñanza en el ánimo del oyente o lector. Voy a enunciar algunas de estas manifestaciones, las más claramente determinadas:

---

actual se esfuerza por penetrar en esta intención religiosa, aun en casos en que esta parece muy ajena, como en el caso del artículo de T. R. HART, *"El Conde Arnaldos" and the Medieval Scriptural Tradition*, "Modern Language Notes", LXXII, 1957, págs. 281-285, en que el romance se explica en un sentido religioso: un hombre ha aceptado la invitación de Cristo para asociarse a su Iglesia, y de este modo se ha salvado. R. LAPESA pone de relieve la importancia de la moralización en el *Laberinto* de Mena en *El elemento moral en el "Laberinto" de Mena: su influjo en la disposición de la obra*, "Hispanic Review", XXVII, 1959, págs. 257-266.

12 Iñigo López de Mendoza, Marqués de Santillana, *Los proverbios con su glosa*, [Sevilla, 1494], Ed. dirigida por A. Pérez Gómez, Valencia, 1965, folio d.

a) *Moralizaciones de los libros de la antigüedad*

La literatura española recoge el fruto de una secular moralización que desde el siglo VI actuaba sobre la tradición gentil antigua. Desde los primeros siglos de la Edad Media esta tradición fue cristianizada de diversas maneras, de modo que, interpretada en un sentido alegórico, resultó ser un elemento fundamental del arte clerical. Los libros de los antiguos podían también glosarse, verterse y parafrasearse, y en este ejercicio quedaban cristianizados, sobre todo si se aplicaban con un fin moralizador. La justificación de su uso procedía sobre todo de San Agustín, que con una mención del *Éxodo* ("spoliare Aegyptios", III, 22; XII, 35-36) justificó el aprovechamiento de la obra de los gentiles en el ejemplo de los judíos, que se llevaron al salir de Egipto riquezas de esta nación para adornar las ceremonias de su religión. Algunos moralistas, de criterio estrecho, vieron un peligro en la difusión de la Antigüedad gentil, y este asunto se ha replanteado en diversas ocasiones. La literatura medieval española recoge esta situación general, y dentro de la misma se caracteriza sobre todo por su afición a Séneca, creando el sentido de un estoicismo cristiano o cristianismo estoico, según fuera el punto de vista que se considerase.

La clase del género literario dio muchas veces el carácter de este tono moralizador, declarado en los lugares en que esto podía resultar más conveniente. La misma historia nace bajo este signo, pues Alfonso X, después de escribir que los libros de su *General Historia* se escribieron contando las bondades y malicias de los hombres, lo justifica diciendo que esto fue "porque de los hechos de los buenos tomasen los hombres ejemplos para hacer bien, y de los malos, que recibiesen castigo [amonestación] por se saber guardar de lo no hacer" [13].

---

[13] ALFONSO EL SABIO, *General Estoria*, obra citada, I parte, prólogo página 3.

b) *Versiones a lo divino*

Una vez organizado un cauce para las literaturas profana y religiosa, estas relaciones entre ambas pudieron establecerse aún más de cerca cuando una y otra se prestaron sus medios de comunicación, y confundieron sus formas y expresiones en favor de uno u otro sentido. Así el espíritu de moralización tiene una de sus manifestaciones más características en la interpretación a lo divino de las obras profanas. Bruce W. Wardropper, en el más amplio estudio que hay del asunto, ha propuesto llamar con el término "contrafactum" a esta obra que define así: "es una obra literaria (a veces una novela o un drama, pero generalmente un poema lírico de corta extensión) cuyo sentido profano ha sido sustituido por otro sagrado. Se trata, pues, de la refundición de un texto"[14]. En esta clase de obras el poeta atrae al pueblo con el señuelo de la melodía popular o del entretenimiento que existe en el libro o poema que le sirve de base, y convierte la obra profana en otra en que el sentido moralizador o el religioso queda declarado. De esta manera, esta vuelta a lo divino quiere establecer un compromiso entre los moralistas que rechazan la literatura profana por pecaminosa, y los que dejan libre su lectura por indiferente. Las versiones a lo divino son propias de la religiosidad que pacta con el mundo, y quiere valerse de sus propios entretenimientos para encaminar el alma a la salvación por vías más afectivas que intelectuales. Escribe Wardropper: "En términos generales se puede decir que el ascetismo y el misticismo literarios resultan de una decisión de desarraigar del alma todo pensamiento mundano; en cambio, la divinización literaria es obra de los que absorben y subliman el mundo en sus escritos religiosos"[15]. Las modalidades de esta poesía son tardías en Castilla, y salvo el episodio, diversamente interpretado, de la Cantiga de Berceo: "Eya, velar...", la primera versión enteramente definida de esta modalidad pertenece

---

[14] B. W. WARDROPPER, *Historia de la poesía lírica a lo divino en la Cristiandad Occidental*, Madrid, 1958, pág. 6.

[15] *Idem*, págs. 54-55.

a una canción de cuna de la *Representación del nacimiento de Nuestro Señor* de Gómez Manrique (mediados del XV). A fines de la Edad Media el procedimiento se hizo común [16], sobre todo en el caso de la versión de los villancicos, que más adelante, en los Siglos de Oro, y después por la fama de estas vueltas, habrían de quedar sólo en su significación religiosa, aplicada a la Navidad [17].

c) *Parodias religiosas*

La otra manifestación posible es el cambio de significación en sentido contrario: el uso de la expresión religiosa, aplicado a la poesía profana. Una grave cuestión aparece en el fondo del asunto, y es la posible intervención de este cambio en el comienzo de la literatura románica, en particular de la lírica, según la teoría que quiere darle un origen paralitúrgico. Pero eso no afecta de manera directa la consideración de la lírica culta castellana, que es de fechas tardías y que se desarrolla cuando esta cuestión ya no existe, al menos como se plantea en los teorizadores de los orígenes de la lírica europea. La manifestación literaria de la parodia religiosa fue propia de los goliardos [18], que vertían en un sentido profano las expresiones del culto y oraciones de la Iglesia, como puede verse de manera sencilla en este ejemplo:

—Introibo ad altare Dei.	*—Introibo ad altare Bachi.*
—Ad Deum qui laetificat iuventutem meam.	*—Ad eum qui laetificat cor hominis.*

16 Sobre todo después que Álvarez Gato hace triunfar este género de versiones; véase el libro de F. MÁRQUEZ VILLANUEVA, *Investigaciones sobre Juan Álvarez Gato*, Madrid, 1960, en especial págs. 252-256.

17 Un estudio sobre el villancico desde la Edad Media hasta el siglo XVI en M. P. ST. AMOUR, *A Study of the 'Villancico' up to Lope de Vega* (Its Evolution from Profane to Sacred Themes, and specifically to the Christmas Carol), Washington, 1940.

18 Véase, en general, el libro de P. LEHMANN, *Die Parodie im Mittelalter*, Munich, 1922.

La literatura goliardesca se escribió en latín [19], y ha de entenderse que fue obra de autores de elevado nivel cultural y que requería además un círculo de lectores ya entrenado, seguro de su ortodoxia, para el que las audaces expresiones eran sólo ocasión de entretenimientos y de burlas que no se hacían recaer en la condición del texto original, sino en la habilidad expresiva del autor; y esto no era común en los que sólo conocían la lengua vulgar. Sin embargo, hay algunas manifestaciones, como la del Arcipreste de Hita (est. 372-387); en un trozo de su *Libro de Buen Amor* explica el proceso de una conquista amorosa con expresiones de los oficios de los clérigos. En la lírica amorosa del siglo XV esta clase de obras se desarrolló bastante: así encontramos la *Misa de Amores* de Juan de Dueñas, y la *Misa de Amor* de Suero de Ribera [20].

OTROS ASPECTOS DEL INFLUJO LITERARIO DE LA RELIGIOSIDAD MEDIEVAL: LA VIRGEN MARÍA Y SANTIAGO

He enunciado el sentido que, en general, tiene la obra literaria, por razón de pertenecer a un período en el que las manifestaciones de la espiritualidad iban casi siempre por estos cauces religiosos; y completar el estudio de sus numerosos aspectos entra ya en el campo de la especialización. Sin embargo, de entre ellos conviene poner de

---

19 Véase la exposición de F. LECOY, *Recherches sur le "Libro de Buen Amor"*, obra citada, en particular págs. 213-229; y para la literatura del siglo XV, en especial págs. 220-223. Y M. R. LIDA DE MALKIEL, *Nuevas notas sobre el "Libro de Buen Amor"*, "Nueva Revista de Filología Hispánica", XIII, 1959, artículo citado, pág. 36, nota 30.

20 La *Misa de amor* de SUERO DE RIBERA puede leerse en el *Cancionero Castellano del Siglo XV*, ed. Foulché-Delbosc, II, págs. 189-190, composición núm. 425. Las estrofas del *Libro de Buen Amor* han sido comentadas por O. H. GREEN, *On Juan Ruiz's parody of the canonical hours*, "Hispanic Review", XXVI, 1958, págs. 12-34. El texto primero fue publicado por J. PICCUS, *La Misa de Amores de Juan de Dueñas*, "Nueva Revista de Filología Hispánica", XIV, 1960, págs. 322-325 (y anotado en la misma Revista por A. ALATORRE, págs. 325-328).

relieve dos: los correspondientes a la Virgen María, y a Santiago y su camino de peregrinación.

La Virgen María aparece mencionada en muchas ocasiones en la literatura medieval romance [21]; el incremento de su culto y devoción aconteció al mismo tiempo que las nuevas literaturas iban creciendo y asegurándose, de manera que su exaltación poética fue un aspecto más de la religiosidad de los últimos siglos de la Edad Media. Su figura como Madre de Dios y mediadora entre Él y los pecadores se ha considerado también como uno de los factores que más favorecieron el respeto e idealización de la mujer; en este sentido la lírica provenzal favoreció el desarrollo de una cortesía, por entre la cual pudo progresar la idea de un amor espiritual, que los italianos formularon en su grado más alto.

Las leyendas de los milagros de la Virgen en favor de la doliente y pecadora humanidad se coleccionaron en libros como el *Speculum historiale,* de Vicente de Beauvais (hacia 1200-1264). Estos códices tuvieron una gran difusión por Europa, y fueron traducidos, refundidos y aumentados en las lenguas románicas. Las obras marianas de Berceo y de Alfonso X son la más importante representación en España de estas manifestaciones literarias. La devoción a la Virgen en sus varias advocaciones resulta un asunto reiterado, bien en alusiones dentro de otras obras, o bien en piezas especialmente dedicadas a su exaltación, según los diversos géneros de la literatura medieval [22].

---

21 En general, véase A. VALBUENA PRAT, *El sentido católico en la literatura española,* Barcelona, 1941; en parte pasan estos ensayos a *Estudios de literatura religiosa española* (Época medieval y siglos de Oro), Madrid, 1964. Bibliografía moderna sobre el tema en Europa: T. MEIER, *Die Gestalt Marias,* Berlín, 1959. También *Maria. Études sur la Sainte Vierge,* ed. de H. DU MANOIR, París, 1952, 2 tomos. Véase J. A. SÁNCHEZ PÉREZ, *El culto mariano en España.* Tradiciones, leyendas y noticias relativas a algunas imágenes de la Santísima Virgen, Madrid, 1943; J. M. CASTRO CALVO, *La Virgen y la poesía,* Barcelona, 1954. E. WECHSSLER, *Das Kulturproblem des Minnesangs,* Halle, 1909, insistió en la teoría de que el culto de la Virgen intervino en la formulación del amor trovadoresco; pero en la literatura española este asunto no se plantea como problema de orígenes, como se dijo poco antes.

22 Así: C. NÚÑEZ DIZ, *La Asunción en la literatura medieval castellano-*

La religiosidad española tuvo en el Medievo su expresión peculiar en el Apóstol Santiago[23]. "Santiago —su acción secular, sus irradiaciones variadísimas— es uno de los pilares de la historia española [...] Santiago fue un reflejo de la guerra santa musulmana, y un apoyo para la guerra santa que hubieron de oponerle los cristianos, con lo cual el Apóstol evangélico se convertía en el maestre nato de las órdenes militares...", afirma Castro en su libro[24].

El culto del Apóstol fue un motivo de afirmación política en la España de los tiempos difíciles de la Reconquista, pues bajo su advocación lucharon los cristianos españoles con afanes de Cruzada contra la guerra santa de los árabes. Y la Iglesia de Santiago de Compostela fue el hito final del camino francés por el que los peregrinos de Europa iban a venerar al Apóstol. Por está vía entraron en España diversas influencias de carácter literario.

---

galaica, "Estudios Marianos", VI, 1947, págs. 413-427. A fines de la Edad Media, los incunables siguen con la gloria de la Virgen como *El triunfo y los amores de la preciosa Madre de Dios,* de Martín MARTÍNEZ DE AMPIÉS, Zaragoza (1495), publicado en edición facsimilar por A. PÉREZ GÓMEZ, Valencia, 1952; su curioso autor loa a la Virgen en un *Triunfo* de corte petrarquista en arte mayor, y en coplas que llama *Amores.*

23 Información general en L. VÁZQUEZ DE PARGA, J. M. LACARRA y J. URÍA RÍU, *Las peregrinaciones a Santiago de Compostela,* Madrid, 1948-1949, 3 tomos. Trata también del asunto extensamente A. CASTRO, *La realidad histórica de España,* ed. 1962, capítulos IX y X, págs. 326-406, y *Santiago de España,* Buenos Aires, 1958. Referencia de una guía del camino: *Le Guide du Pèlerin de Saint-Jacques de Compostelle,* texto del siglo XII, ed. de J. VIELLARD, Mâcon, 1938.

24 Citado en la nota precedente, págs. 352-353.

CAPÍTULO VII

LA LÍRICA TRADICIONAL EN LA EDAD MEDIA

POESÍA DE LOS TIEMPOS OSCUROS

Para el estudio de la primitiva literatura medieval existe siempre un grave obstáculo: las pocas noticias que nos quedan de las obras, autores y circunstancias de la creación de aquella época. Por eso se la llama de "los tiempos oscuros", pero esto es sólo desde el punto de vista de nuestro conocimiento con respecto a ella, pues en la Edad Media existió, como en todas las edades, la luz de la poesía. Mientras que el latín fue, entre los grupos sociales de un alto nivel cultural, en los primeros siglos de la Edad Media una lengua con ímpetu creador, manifestado en una obra literaria, cuya técnica de expresión aseguraba la Retórica y con una tradición común en Europa, las variantes románicas hubieron de sobreponerse lentamente a la dispersión dialectal propia del habla de la conversación, y después crear una grafía que fuese la base de la escritura de los documentos. Cada una de las modalidades en que se fue diferenciando en un proceso secular el latín vulgar hispánico, pudo servir para manifestar la expresión de su poesía. La relación entre lengua y literatura, de la que se trató antes en términos generales, vuelve aquí a presentarse de un modo inexorable, tal como lo enuncia Menéndez Pidal: "La lengua y la poesía son una misma cosa. Los pueblos hijos de la gran cultura latina no podían pasarse cinco largos siglos sin un solaz literario, y ese solaz existía..."[1]. Ya dije que Menéndez Pidal señala la existencia entre los latinos de una poesía tradicional, junto a la mantenida por la obra escrita y autorizada. La gran dificultad estriba en encontrar testimonios de esta obra, aún no accesible al documento.

No se puede comenzar un estudio de la obra literaria sin documentos, que pueden ser directos (o sea los textos de las obras) o, en caso apurado, indirectos (o noticias que se refieran a ellas de algún modo). El historiador de la literatura medieval escruta esta oscuridad de los orígenes. Con la aparición de los textos poéticos documentados por la escritura existe ya una base firme, y comienza propiamente la función del conocimiento crítico, que requiere tener ante sí la obra que ha de comentarse. Sólo que el historiador no quiere quedarse en este límite de la obra conocida, y emprende entonces la gran aventura crítica, consistente en penetrar en esta oscuridad, valiéndose de las noticias indirectas, que, bien fundadas, pueden tener también su valor probatorio.

El difícil y costoso material de los folios y el paciente trabajo de la copia que los había de llenar, tenían un *valor* que dependía del carácter del texto; y este, como es natural, no se establecía de acuerdo con un juicio de carácter literario. Chaytor ha caracterizado en términos generales el proceso de la literatura medieval como la lenta transición de la expresión poética oral a la escrita[2]; hasta la imprenta no se alcanza un criterio firme en cuanto al establecimiento del texto, y lo que precede (la difusión de la obra poética sólo por manuscritos), es también una manifestación de la variabilidad que caracteriza a esta tradición establecida por vía oral. Por eso la literatura que menos probabilidad tiene de pasar al documento fue por paradoja la más arraigada en el pueblo: la poesía tradicional.

---

1 *La "Chanson de Roland" y el neotradicionalismo*, ed. citada, pág. 422.

2 H. J. CHAYTOR, *From Script to Print*, obra citada: en varias partes, en especial pág. 4.

El solaz literario de que habla Menéndez Pidal existió desde los orígenes de la lengua en forma de canciones; sólo que para conocerlo hay que romper este cerco del silencio documental en la Edad Media.

MOTIVOS DE LA LÍRICA POPULAR

Menéndez Pidal, en un estudio titulado *La primitiva lírica castellana* (1919) supo ver el planteamiento de este asunto, debatido por los críticos, que habían llegado a negar o a menospreciar la existencia de esta clase de poesía en la literatura española; reuniendo las noticias, entonces escasas y dispersas, alcanzó a dar una primera interpretación a un riquísimo caudal que estaba disperso o soterrado. Dentro de una orientación de orden romántico, Menéndez Pidal afirmaba que en Castilla hubo una lírica primitiva, como en otras partes de España, porque su existencia es razón de vida: "la lírica popular brota como expresión espontánea siempre que la aridez de la vida se interrumpe por un momento de emoción, mientras que en esos momentos la lírica letrada permanece rígida, indiferente..." [3]. Cuando aún no había lírica letrada, el pueblo cantaba su canción; y cuando la hubo, y se encasilló en los cancioneros, el pueblo continuó cantando a su manera. El motivo de estos cantos es muy variado, y suele darse en forma semejante en diversas culturas y lenguas. En primer término, las situaciones de la vida que son más propensas a la emoción, crean la circunstancia propicia: el amor es la primera; los afectos familiares, el paso de las estaciones, el trabajo, que si es del campo es una vía para la percepción poética de la naturaleza, los cantos de camino para acompañarse, en el paso de las sierras, animar a las bes-

[3] Publicado en varias ocasiones, *Estudios Literarios*, y en *España y su historia*, obra citada, pág. 787. MENÉNDEZ PIDAL estima complemento necesario de esta obra el artículo *Sobre primitiva lírica española*, que figura en el volumen titulado *De primitiva lírica española y antigua épica*, Buenos Aires, 1951, págs. 113-128.

tias de carga, la soledad del pastor, etc. La religiosidad popular es otro motivo, manifestada en las fiestas de la familia con ocasión de las grandes celebraciones litúrgicas, los Santos y Patronos de los lugares, etc. El ritmo alcanza su más lograda manifestación en la música, que es sustancial en estas canciones; el trabajo, ayudándose de un compás o acorde, resulta más llevadero; el ritmo puede alcanzar expresión plástica en el baile, con ocasión de reuniones en las romerías, las plazas, los patios. Los bailes, con su sentido a veces ritual, han podido conservar a través de los siglos fórmulas de expresión cuyo valor simbólico primitivo se perdió o yace oculto y modificado, puesto a tono con la vida medieval. La letra de estos cantos es solo una parte del conjunto formado por la unidad de música y texto en una de estas situaciones propicias para que alce su vuelo la canción lírica. Pero aun reconociendo la complejidad del canto en su integridad, en términos de historia literaria es solo la letra o texto el elemento que importa considerar. La trasmisión de esta letra o texto queda asegurada en parte por la melodía, y su perduración a través de los tiempos es muy difícil de seguir. La condición del canto lírico es distinta de la del romance, aun siendo ambos poesía conservada por una tradición mantenida por un mismo pueblo. Eduardo M. Torner escribió lo siguiente en un importante estudio para seguir el curso de la lírica popular y sus derivaciones por entre la poesía culta: "Aquellos [los romances] nos hablan de hechos, de personas, de costumbres que, bien por la historia, bien por la tradición, nos son más o menos conocidos, y, por otra parte, el lenguaje y la forma revelan con suficiente claridad la época de tal género de poesía. En cambio, la lírica popular, siempre viva, canta de mil modos y en formas diversas el eterno tema universal, el amor, y sólo cuando las analogías no son directas, se puede referir el canto a tal o cual época por determinados conceptos adjuntos o por especiales maneras de expresión; detalles, en fin, no siempre fáciles de advertir"[4].

---

[4] E. M. Torner, *Lírica Hispánica. Relaciones entre lo popular y lo culto,* Madrid, 1966, pág. 14. En esta obra se encontrará un abundante material lírico de raíces medievales y el testimonio de su posterior perduración hasta

El término *popular*, por la extensión y diversidad de su empleo, puede resultar equívoco. Con razón Menéndez Pidal, que tanto hizo por el conocimiento de la literatura del pueblo, avisa repetidas veces de este peligro, y en uno de sus más recientes estudios precisa así su alcance, sobre todo en relación con el de *tradición*: "Es preciso distinguir claramente en el confuso adjetivo de *poesía popular* dos solos significados: 1) *Poesía popularizada*, poesía de un autor acogida por el pueblo en sus cantos como una novedad grata, que es olvidada pronto, porque pasa de moda; las variantes que cada cantor introduce son sólo (convengamos aquí con la *Rezeptiontheorie*) deturpación del texto original que todo el mundo conoce como auténtico; 2) *Poesía tradicional*, poesía acogida por el pueblo durante mucho tiempo, asimilada como cosa propia, herencia antigua; las variantes que cada autor introduce, unas deforman el texto y se pierden, otras perduran en la tradición, reformando el texto recibido y conformándole al gusto común de cada tiempo; estas variantes ejercen una función creadora o re-creadora; así la poesía arraigada en la tradición vive en variantes y refundiciones, y esto lo mismo en la letra de la poesía que en la música; el proceso refundidor se observa muy claramente en los largos textos narrativos de la balada-romance, pero también actúa, aunque menos perceptible, en los brevísimos cantarcillos líricos. Por consiguiente, creo debe evitarse el adjetivo *popular*, usándolo sólo para el caso de la amplia popularidad entre todas las clases sociales, y usar *tradicional* que alude a la asimilación y elaboración del canto popularizado durante mucho tiempo" [5].

De estos motivos de la canción popular hay uno que constituye el *cantar de amigo*, fundamental por su gran desarrollo: es el canto de una joven que expresa una confidencia de amor, en unos casos a

---

nuestros días; véase también M. FRENK ALATORRE, *Supervivencias de la antigua lírica popular*, en el "Homenaje a Dámaso Alonso", I, Madrid, 1960, páginas 51-78.

[5] R. MENÉNDEZ PIDAL, *La primitiva lírica europea. Estado actual del problema*, "Revista de Filología Española", XLIII, 1960, artículo citado, páginas 296-297.

la madre (o a otras personas de la familia), y en otros al amado. El carácter de la canción puede variar, pero casi siempre expresa una experiencia femenina que puede ser de muy diversa especie: la mención de un simple gesto de inquietud, la confesión del amor y de sus efectos en el alma, y todo manifestado con la delicadeza propia de la mujer, aunque a veces muestre un guiño picaresco o incluso una audacia. No quiere decir que falte la canción propia de hombres, pero esta resultó más propicia a la contaminación del estilo cortesano, y difícilmente se salvó de este influjo, sobre todo en período avanzado. Y también ocurrió que como estas canciones están ambientadas en circunstancias de orden familiar, cuando no íntimo, hubo más ocasión de que permaneciesen en una poesía que se pone en boca de mujeres (y aun de niños, en sus cantos infantiles), que de hombres. Sin embargo, no hay que caer en la ingenuidad romántica de considerar que estas obras se dan siempre dentro de la ambientación que ellas manifiestan por las alusiones que contienen y por el estilo que las expresa. No siempre el canto de amigo es espontáneo, y la lírica popular posee su propio sistema de expresión, en el que cuenta el convencionalismo de las situaciones, que se admite como una parte integrante del sentido poético. Las mismas apariencias de que es una mujer la que canta, no impiden que una poesía de esta naturaleza pueda ser interpretada por un hombre y aun creada por él. La espontaneidad y la sencillez de la expresión alcanzan a ser manifestaciones artísticas, aun cuando mantengan las condiciones de la primaria poesía popular.

Estos motivos elementales de la canción han podido ser válidos para los pueblos del Medievo hispánico. Una canción de esta naturaleza es obra de carácter lírico; responde a incitaciones primarias de la vida, poco elaboradas en cuanto a su raíz vital; de fundamento más sentimental que lógico, tiene que guiarse por la intuición en un grado que la poesía culta no había de descubrir hasta que maduró el Romanticismo; casi siempre la música formó parte integrante de ella. En el examen de los restos que quedan de esta poesía hay que lograr una comprensión de su carácter popular en relación con la vida histórica española de la Edad Media. Lo que pertenece a las generalidades de la canción popular ha de señalarse en esta circunstancia en relación sobre todo con su carácter tradicional, cuestión esta que ha tomado cada vez más importancia, y también los límites y relaciones que presenta con la canción culta, mucho mejor documentada en sus textos.

EL CONOCIMIENTO DE ESTA LÍRICA

a) *El episodio del zéjel*

En primer lugar desde tiempos se tuvo noticias de la complejidad lingüística del Andalus; la lengua árabe que allí se habló se encontraba contaminada de mozarabismos, sobre todo la usada por el pueblo. Pero fue en 1912 cuando el asunto obtuvo una primera expresión científica en los dominios del arabismo. Una de las modalidades de la poesía popular de estos árabes, el *zéjel,* presentaba en sus textos palabras mozárabes sueltas, y su forma estrófica no existía en el árabe clásico (rimas *aa bbba...*); se trataba de una variante avulgarada de un género de composiciones que recibían el nombre general de *muguasajas*[6]. Se ha conservado incluso el nombre del poeta hispanomusulmán al que se atribuye la invención del zéjel: Mocádem ben Moafa, natural de Cabra, que murió hacia el 920. Un poeta de

---

[6] La denominación española de esta estrofa tiene variantes: *muwaššaḥa* (E. García Gómez); *muwaxaha* (T. Navarro); *muwaschaha* (Menéndez Pidal); *moaxaha* (H. Serís). D. Alonso propone castellanizar el término en la forma *muguasaja* que sigo aquí, y E. García Gómez, en *moaxaja.* Adopto la forma castellanizada *jarcha.* Para las cuestiones referentes a la métrica medieval, el libro básico que sigo es la obra de T. Navarro, *Métrica española,* obra citada (parte medieval, págs. 23-173); comentado en esta parte por P. Le Gentil, *Discussions sur la versification espagnole médiévale — à propos d'un livre récent,* "Romance Philology", XII, 1958, págs. 1-32. En el dominio románico: M. Burger, *Recherches sur la structure et l'origine des vers romans,* Genève-Paris, 1957.

Córdoba, Abén Guzmán, escribió un *Cancionero* que ha llegado a nuestros días, y cuya publicación ha permitido conocer este género de poesía tal como se cantaba por las ciudades y aldeas de la Andalucía árabe a mediados del siglo XII[7].

b) *Muguasajas, jarchas y su relación con el zéjel*

El descubrimiento del zéjel dio vislumbres sobre esta situación crítica del pueblo mozárabe, y quedó la esperanza de que se hiciese más luz sobre el asunto. En esta ocasión también una peculiaridad métrica de las literaturas árabe y hebrea sirvió para la conservación del documento poético. Y ese fue el gran descubrimiento de la historia literaria de este siglo: documentar los textos de unas canciones mozárabes, cuya antigüedad probada alcanza por lo menos hasta el año 1042, en tanto que el *Poema del Cid* se sitúa comúnmente hacia el año 1140[8]. En 1948 dio a conocer el hebraísta S. M. Stern las

---

[7] *El Cancionero de Abén Guzmán*, Madrid, 1933 (Ibn Quzman), ed. A. R. NYKL; estas noticias comenzaron a conocerse en 1912 por un discurso del arabista JULIÁN RIBERA.

[8] Indico los títulos de dos artículos pertenecientes a romanistas, escritos con intención de informar sobre el conjunto del asunto: D. ALONSO, *Cancioncillas "de amigo" mozárabes (Primavera temprana de la lírica europea)*, "Revista de Filología Española", XXXIII, 1949, págs. 297-349, incluido en *Primavera temprana de la literatura europea*, Madrid, 1961, págs. 81-200, y R. MENÉNDEZ PIDAL, *Cantos románicos andalusíes*, "Boletín de la Real Academia Española", XXXI, 1951, págs. 187-270, incluido en *España, eslabón entre la Cristiandad y el Islam*, Madrid, 1956. La edición e interpretación de S. M. STERN se halla reunida en su libro *Les Chansons Mozarabes*, reeditado en Oxford, 1964, tomándolo de la obra publicada en Palermo, 1953. Una compilación de estas piezas poéticas y su interpretación se halla en: K. HEGER, *Die bisher veröffentlichten Ḫarǧas und ihre Deutungen*, Tübingen, 1960. La función de judíos y árabes en la trasmisión ha sido objeto de discusiones; véase el punto de vista de F. CANTERA, hebraísta, en *La Canción mozárabe*, Santander, 1957, y los comentarios de E. GARCÍA GÓMEZ, *Las jarŷas mozárabes y los judíos de Al-Andalus*, "Boletín de la Real Academia Española", XXXVII, 1957, págs. 337-394.

primeras poesías de esta naturaleza, y desde entonces no cesa la busca y la interpretación de estas obrecillas poéticas.

La muguasaja es un poema escrito en la lengua árabe clásica, de estructura semejante al zéjel, terminado en una estrofilla en lengua popular, que podía ser árabe avulgarado, una jerga en que se mezclaba este árabe con el mozárabe, o el mismo romance de estos cristianos, que oían los poetas andaluces por todas partes. Esta estrofilla constituye la *jarcha,* que desde el punto de vista lingüístico estaba colocada en un nivel de expresión más bajo que la muguasaja, pero que para los teóricos entusiastas de este género de moda, había de escribirse primero porque representaba la esencia del sentido de la composición entera [9]. Existe una grave dificultad en el estudio de estas muguasajas: este tipo de composiciones no tuvo una forma definida con precisión, y presentan variantes de diversa especie, unas por causa de la tendencia clasicista (tan fuerte en la poesía árabe), y otras, por la popularizante. Emilio García Gómez ha definido así el tipo primitivo y normal de estas composiciones: "es una poesía destinada a encuadrar una *jarŷa* romance, que constituye su final y su punto de gravedad. Ante ella van cinco o seis estrofas, en árabe clásico, dividida cada una en dos partes: una, con rimas independientes, y otra, con rimas y estructura exactamente iguales a las de la *jarŷa,* que queda incluida en la última estrofa" [10]. El mismo arabista establece el cuadro general de la evolución de la muguasaja [11].

---

9 E. GARCÍA GÓMEZ menciona el juicio de un poeta árabe de principios del siglo XIII: "Algunos poetas por ser incapaces de componer una jarcha, toman una ajena, lo cual es mejor que el que compusieran por sí mismos otra más floja" (*Sobre un tercer tipo de poesía arábigoandaluza,* "Estudios dedicados a Menéndez Pidal", II, 1951, pág. 405).

10 E. GARCÍA GÓMEZ, *La lírica hispano-árabe y la aparición de la lírica románica,* "Al-Andalus", XXI, 1956, págs. 303-333. Es un planteamiento general del asunto, útil para una visión de conjunto desde el punto de vista de los arabistas. La cita en pág. 316 (Con el mismo título, en francés, en "Arabica", V, 1958, págs. 113-144).

11 Este esquema se encuentra en la pág. 319 del citado artículo.

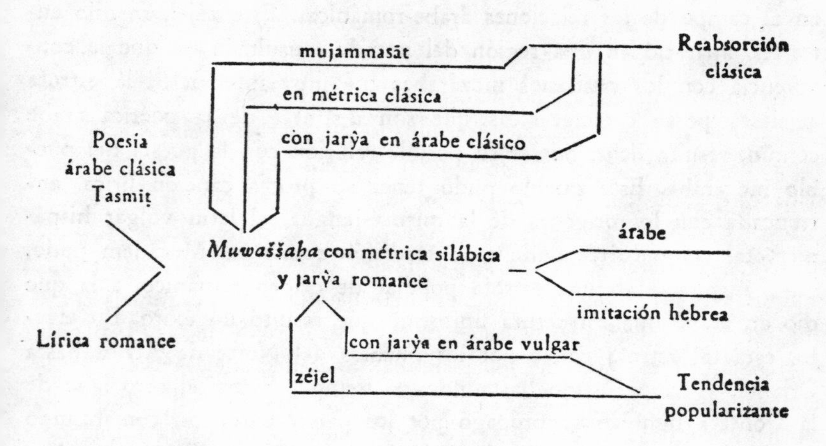

Gracias al esfuerzo de García Gómez, pueden leerse las jarchas junto con las muguasajas árabes que las contienen; de esta forma este orden de creación poética, puede entenderse en su difícil complejidad de origen. Como puede observarse, el zéjel representa el grado de mayor popularización de este tipo de composiciones, y García Gómez establece de este modo sus diferencias con la muguasaja: "en estar todo él escrito en árabe dialectal, sin *iʿrāb* [sintaxis desinencial]; en que el número de sus estrofas puede ser mucho mayor que el de la *muwaššaḥa;* en que la *jarŷa* ha perdido en él casi todas o todas sus características, y en que la intervención de la lengua romance, si la hay, pasa a ser en forma de palabras aisladas en cualquier lugar del poema; y en que a veces pierde su valor lírico para adoptar un tono francamente narrativo" [12]. Los estudios sobre el zéjel, realizados antes de que se conociesen las muguasajas, abrieron una perspectiva nueva

---

12 *Idem,* pág. 318. La mencionada edición conjunta de jarchas y moaxajas se encuentra en el libro de E. GARCÍA GÓMEZ, *Las jarchas mozárabes de la serie árabe en su marco.* Edición en caracteres latinos, versión española en calco rítmico y estudio de 43 moaxajas andaluzas, Madrid, 1965. Junto a los textos antiguos y acompañándolos de las correspondientes notas para su interpretación, ha situado su traducción ajustadísima, "calco rítmico" que se ciñe al sentido hasta donde lo permite el traslado de la poesía.

en el campo de las relaciones árabe-románicas. Este zéjel, se dijo entonces, apareció en una región del mundo musulmán en que la convivencia con los cristianos mozárabes fue muy intensa. Si la estrofa zejelesca posee características que son distintas de la poética árabe común, resulta lícito buscar su posible relación con la poesía del pueblo mozárabe. Este pueblo pudo tener su propia canción lírica, entroncada con los orígenes de la misma lengua, el latín vulgar hispánico, tal como corresponde a su tradición románica. Mocádem pudo, pues, inspirarse en una estrofa popular de origen románico, a la que dio en árabe una estructura uniforme que resultó un éxito. En efecto, esta tal estrofa corrió por los pueblos del Norte de África hasta Oriente, y ha persistido hasta nuestro tiempo. Y por el otro lado de la frontera también se propagó por los países europeos, comenzando por la España cristiana, donde se la encuentra en los Cancioneros gallegoportugueses, y en las *Cantigas* de Alfonso X, y después en Juan Ruiz como una estrofa común de la métrica española [13].

Algunas de estas jarchas pudieron ser creación de los poetas cultos, pero aun en este caso el carácter del conjunto exigía que esta "salida" de la composición fuese escrita en el estilo popular; algo semejante pasa a veces con poesías de Gil Vicente o Lope de Vega, en las que resulta imposible asegurar si son obra de ellos o recogidas de la tradición. Los hispanohebreos hicieron lo mismo en su poesía, en la que usaron la forma de una muguasaja análoga en la que alternan el hebreo culto y la lengua vulgar mozárabe.

Los restos de esta poesía mozárabe son pocos, pero en número suficiente para que abran un primer capítulo en la historia de la literatura española. Esta doble vía lingüística por la que llegaron hasta nuestros días, el árabe y el hebreo, marca una preferencia en la se-

---

13 R. MENÉNDEZ PIDAL, *Poesía árabe y poesía europea*, Madrid, 1941, páginas 1-77. P. LE GENTIL estima que el origen de las formas semejantes es más bien resultado de una poligénesis que de un parentesco, imposible de establecer por la pobreza de datos: *Le virelai et le villancico. Le problème des origines arabes*, París, 1954. En relación con Provenza, véase A. R. NYKL, *Hispano-Arabic Poetry and its relations with the old Provencal Troubadours*, Baltimore, 1946.

lección de las canciones utilizadas como "salida". Así los poetas árabes eligieron las que quedaban más cerca de su modo de entender el amor, y recuerdan la canción de alba, y no se recatan en la expresión del goce físico. Los poetas judíos prefirieron las canciones que se encuentran en relación con la intimidad del sentimiento amoroso de la mujer; suele faltar en ellas el sentido de la Naturaleza, como si hubieran limado este tema de la poesía popular prefiriendo más bien las situaciones propias de la vida urbana, con el canto de un amor melancólico, en el que las tristezas sentimentales se derramasen en la confidencia que la doncella hace a la madre o a las hermanas.

Los testimonios más patentes de esta poesía se encuentran en Andalucía, en cuyas circunstancias políticas y sociales se creó el medio de comunicación que ha permitido la temprana conservación de estas obras y sobre todo su documentación en las difíciles condiciones de que se habló. De ahí que se la conozca con el título de cantos andalusíes.

LAS CANTIGAS DE AMIGO EN LA LÍRICA GALLEGOPORTUGUESA

En las historias de la literatura española solía citarse siempre el contraste entre la rica lírica gallegoportuguesa y lo pobre que resultaba a su lado la castellana. Más de medio millar de composiciones, llamadas *cantigas de amigo,* constituían una espléndida isla de lirismo poético en el curso de la literatura de la Edad Media española. Después de los precedentes estudios se han incorporado a una tierra común, y su valoración se verifica dentro de una tradición poética hispánica; la *jarcha* resulta otro aspecto de la misma, diferentemente conservado pero de raíces semejantes. La *cantiga de amigo* se desarrolla en un sistema paralelístico, en el que lo lírico y lo narrativo se conjugan en diferentes voces de mujer. Sobre esta forma primitiva la poesía gallegoportuguesa elaboró un cultivo poético, en el que se apura el procedimiento hasta lograr los más delicados matices de expresión [14]. La cantiga de amigo, que hoy conservamos abundantemente documentada por haberse incluido entre las composiciones de los Cancioneros, representa una poesía introvertida por un casuismo amoroso en el que el alma queda en soledad radical; apenas hay alguna referencia a un paisaje elemental, de vaguedad buscadamente lírica. Esta soledad emotiva acabó por ser la representación más significativa de la lírica occidental, al cabo de una tan insistente reiteración del tema. La limitación de la misma resultó una prueba para los poetas que lograron mantenerla en un tan reducido dominio anecdótico, sin perder la condición del estilo popular dentro del convencionalismo admitido como constitutivo de estas obras; tan difícil unión de la persistencia popular con el cultivo artístico dan a las cantigas un peculiar encanto poético.

EL VILLANCICO, COMO FORMA DE ORIGEN DE ESTA LÍRICA

En párrafos anteriores se ha visto cómo la lírica popular logró en determinadas ocasiones la consideración de poesía *escrita*, y alcanzó entonces el grado de documento literario. La valoración poética de esta obra y el estudio de su evolución se han de establecer sobre el testimonio de estos restos; y aunque se reconoce que no son más que contadas muestras de una gran riqueza literaria perdida inexorablemente, resultan con todo suficientes para fundar un juicio sobre la misma. Si por entre la diversidad de los precedentes párrafos se busca lo que en común puede ilustrar un conocimiento de esta lírica popular, se halla que esta poesía posee un núcleo primero que es expresión sumamente concentrada de su contenido poético. La situación humana que dio origen a esta obra siguió acompañándola en su perpetuación, ya

14 Véase E. ASENSIO, *Poética y realidad en el cancionero peninsular de la Edad Media*, Madrid, 1957, págs. 7-132. Información general en el capítulo de J. FILGUEIRA VALVERDE "Lírica medieval gallega y portuguesa" de la *Historia General de las Literaturas Hispánicas*, vol. I, Barcelona, 1949, páginas 543-642.

como género literario, y así ocurre que se reitera esta poesía por razón misma de la condición original, en tanto que persiste el pueblo que la sostiene. Esta poesía es sumamente breve y muy densa en su significación; en virtud de la cohesión entre el intérprete y el oyente, partícipes ambos de la misma experiencia, bastan unas pocas palabras para la inteligencia poética en común; más que decir y contar es suficiente insinuar, señalar. Dámaso Alonso propone un nombre específico, el de *villancico*, para este germen poético [15]. Este villancico será, pues, la quintaesencia de la poesía popular, y sus formas métricas están en relación con su carácter musical; por esto resulta ser poesía acentual y no silábica [16]. Su estrofa menor es el dístico, y también puede llegar a una síntesis de expresión del tipo del refrán o mote, con el que a veces tiene límites confusos; puede ser también estrofa de tres y hasta cuatro versos.

El villancico suele hallarse metido en una composición más compleja, enlazándose con otras estrofas; la jarcha, unida con la muguasaja, podría ser una de estas combinaciones. Otras modalidades serían las de la extensión paralelística, que las canciones de amigo gallegoportuguesas desarrollaron en forma tan particular, si bien no exclusiva porque se han hallado también en Castilla, y con características propias que los desprenden de la creencia que sólo se debían a influjo occidental. El cantar paralelístico castellano se atiene a formas simples y primitivas, mientras que el gallegoportugués despliega una gran variedad; el castellano está más directamente relacionado con la realidad de la naturaleza y de las relaciones sociales, y el gallegoportugués re-

---

15 El término ha de ser entendido en un sentido genérico y no como una forma métrica ajustada, pues como tal no se encuentra hasta el *Cancionero General*. Véase T. NAVARRO, *Métrica española*, obra citada, pág. 151. Y también sobre las diversas acepciones del villancico desde un punto de vista histórico: J. SUBIRÁ, *El villancico literario-musical*, "Revista de Literatura", XXII, 1962, págs. 5-27.

16 Véase P. HENRÍQUEZ UREÑA, *La versificación irregular en la poesía castellana*, Madrid, 1933; también en los *Estudios de versificación española*, Buenos Aires, 1961, *La poesía castellana de versos fluctuantes*, págs. 9-250.

sulta más interior, apurando la técnica sicológica de la introversión sobre todo amorosa [17].

Otra forma es la que Menéndez Pidal estima más propia de la lírica castellana, en la que las estrofas siguientes al villancico desarrollan el "argumento" de éste; en este caso el villancico es el elemento sustantivo, tradicional, que todos cantan a coro, mientras que las estrofas unas veces mantienen este carácter, y otras denotan el estilo del poeta cortesano. Las jarchas son villancicos sueltos, incorporados a poemas árabes o hebreos. En la lírica castellana el villancico se puede encontrar unido tan estrechamente a las estrofas siguientes que lleguen a formar unidad, y entonces el villancico aparece como un estribillo [18]. La glosa se aplicó lo mismo a la expansión poética de un canto de la lírica culta que a la de la popular, pero los caracteres del desarrollo de la glosa varían en uno u otro caso. Mientras que la glosa de la poesía culta resulta, como diré luego, un alarde de la técnica del verso, la de la popular mantiene el cantarcillo lírico que le sirve de fundamento en una integridad que asegura y prosigue el espíritu poético original. Así dice Margit Frenk Alatorre: "La glosa popular no es un poema en sí: es esclava fiel de la breve canción, cuyo desarrollo repite variándolo, o desarrolla con mayor o menor extensión, o despliega o explica o complementa, todo ello de acuerdo con ciertas técnicas tradicionales" [19]. La versión a lo divino puede considerarse en relación con la estructura de esta poesía; el villancico básico sigue siendo el núcleo, y el desarrollo del tema en un sentido religioso representa otra modalidad posible de la unidad poética del conjunto. Un poeta cortesano que escriba en esta dirección poética, y por tanto se haya asimilado su estilo, puede lograr una obra que se confunda enteramente con el cauce de la tradición popular, y sea una manifestación más de la misma.

---

17 Véase E. ASENSIO, el cap. "Los cantares paralelísticos castellanos. Tradición y originalidad" en el mencionado libro *Poética y realidad en el Cancionero Peninsular de la Edad Media.*

18 RENGIFO les dio el nombre de *cabeza* al primero y *pies* a las segundas.

19 M. FRENK ALATORRE, *Glosas de tipo popular en la antigua lírica,* "Nueva Revista de Filología Hispánica", XII, 1958, págs. 301-334; la cita en la página 302.

CAPÍTULO VIII

EL ARTE DE LA JUGLARÍA

LOS MESTERES MEDIEVALES: CONSIDERACIÓN DEL JUGLAR Y SU ARTE

La primera declaración de un autor en lengua romance sobre su obra se encuentra al comienzo del *Libro de Alexandre*. Y es importante por tratarse del primer intento de clasificar las obras de la literatura romance en dos grandes grupos que se denominan mesteres:

Mester traigo hermoso, no es de juglaría;
Mester es sin pecado, ca [*pues*] *es de clerecía...*

(Est. 2)

Estos *mesteres* (menesteres o ministerios), observados desde nuestra perspectiva de la historia literaria, resultan ser complejas ordenaciones de la nueva poesía, y su fundamento se halla en la *juglaría* y la *clerecía* como fuente de actividades literarias. La novedad de estas obras de la juglaría y de la clerecía se unía al hecho insólito de que poesía en lengua vulgar fuese conservada en manuscritos, cuando esto sólo se hacía con los libros latinos. La primera advertencia que hay que establecer ante la aparición de estas novedades es que ni el juglar ni el clérigo fueron solamente escritores, tal como pudiera entenderse en un sentido moderno de oficio o profesión. Ambos desarrollan otras muchas actividades, y una de ellas (y no la más importante, aunque sí lo sea desde nuestro punto de vista) resultó ser la de crear obras poéticas en las lenguas romances.

El juglar ejercía su oficio entreteniendo a las gentes con sus habilidades, que eran muy diferentes según su clase y según el público que le rodeaba: juegos de circo, músicas, cantos con instrumentos, etc.[1]. Existieron también juglaresas, y los había moros y moras. De entre los entretenimientos que mostraban los de la juglaría hubo uno que toca directamente a la literatura: cuando el "texto" de los cantos eran obras de carácter poético. Como es natural, de este espectáculo sólo nos queda, en el mejor de los casos, el testimonio de la letra del cantar, o su noticia.

Entre los asuntos de estas obras juglarescas los hubo de carácter religioso, o incluso hasta cortés, y en estos casos la obra de los juglares podía recibir inspiración clerical, de manera que la división de los mesteres no ha de entenderse de manera tajante. El ajuglaramiento de algunas leyendas religiosas fue común en Europa. En España conservamos trozos de un *Libre dels Tres Reys d'Orient,* donde se cuenta la leyenda del buen ladrón con un relato del nacimiento e infancia de Cristo; y también una *Vida de Santa María Egipciaca,* sobre la vida de esta Santa que antes fue gran pecadora[2]. Son, pues, argu-

---

[1] La obra básica para el estudio de los juglares en España es la de R. MENÉNDEZ PIDAL, *Poesía juglaresca y orígenes de las literaturas románicas,* última edición de Madrid, 1957 (anteriores de *Poesía juglaresca y juglares,* Madrid, 1924; y Buenos Aires, 1945). Menéndez Pidal tiene anunciada una "inédita historia de la épica española". Las citas que hago del *Libro de Alexandre* proceden de la ed. de R. S. WILLIS, Princeton, 1934.

[2] Estos poemitas ajuglarados están publicados: el *Libre dels tres Reys d'Orient,* en edición facsímil por la Hispanic Society of America, New York, 1904; y la *Vida de Santa María Egipciaca,* en edición de R. FOULCHÉ-DELBOSC, Barcelona, 1907; y M. S. DE ANDRÉS CASTELLANOS, *La vida de Santa María Egipciaca, traducida por un juglar anónimo hacia 1215,* Madrid, 1964. Sobre la adaptación de la leyenda en esta versión medieval, v. M. ALVAR, *Fidelidad y discordancias en la adaptación española de la "Vida de Santa María Egipciaca",* "Gesammelte Aufsätze zur Kulturgeschichte Spaniens", XVI, 1960, páginas 153-165.

mentos que fueron populares a través de la Edad Media, y que si bien, como diré luego, puede perseguirse su ascendencia clerical, su difusión corrió dentro de este sentido de la juglaría.

Pero el grupo más importante de obras propias del arte de la juglaría es el que constituye lo que en las historias de la literatura se llama la "poesía épica medieval". Como es sabido, de acuerdo con la crítica más reciente, si en el estudio de una obra hay que conocer la clase social del público al que la misma va dirigida, en este caso, por tratarse de una poesía de "oficio", resulta fundamental. En los siglos de los juglares, los reinos de España continuaban empeñados en la guerra "contra el moro", mientras que la política interior quedaba a la contingencia de las sucesiones y enlaces de los Reyes. Los juglares procuraban entretener a las gentes de los diversos Reinos de España con asuntos que fuesen de interés común: la memoria de los héroes pasados y presentes, leyendas de todos sabidas o traídas de otras partes, canciones que recreaban por su sentimentalismo o su gracia. Los juglares eran viajeros por razón del oficio, y su arte había de gustar a gentes muy diversas, tanto en clase social como en cuanto a diversidad de lugares. Si se llama al juglaresco un arte *popular*, ha de ser entendiendo que el pueblo lo forman las clases sociales reunidas en una convivencia de diversa naturaleza: Reyes, Cortes, señoríos, ciudades, villas, aldeas y cuantos pudieran juntarse por los caminos de peregrinación y por los reales y sendas.

Los juglares fueron considerados con prevención por los moralistas de la Iglesia y en los textos de las leyes. Pero los que cantaban hechos famosos o de asunto religioso figuran mencionados favorablemente por Alfonso X en las *Siete Partidas*, donde dice que los caballeros, cuando están comiendo, conviene que les lean historias de esforzados hechos, y que si hubiese juglares en la reunión que fuesen de los de gesta, que hablasen de hechos de armas [3]. La juglaría recogió no sólo obras religiosas y épicas, sino otras de moda en el tiempo, que to-

---

[3] Véase el artículo de R. MENÉNDEZ PIDAL, *Alfonso X y las leyendas heroicas*, publicado en *De primitiva lírica española y antigua épica*, Buenos Aires, 1951, págs. 52-3.

maban de otros países y adaptaban a la lengua y a los gustos de España, como luego hemos de ver en el estudio de los debates. La diversidad de su arte obedece a estas condiciones señaladas; tuvo que servir los gustos de un público muy diverso. Unos preferían la tradición, de modo que había asuntos que no envejecían porque el pueblo gustaba siempre de oírlos. Otros querían la renovación de las modas, impuesta por la variedad de un arte que entretiene por oficio. Pero esta intención popular que pudo tener la obra del juglar por razón de la lengua y de los asuntos, no se ha de entender como propia de un arte descuidado. El mismo autor del *Libro de Alexandre,* que mostró la diferencia de los dos mesteres para favorecer al suyo, el clerical, dice, sin embargo, de un juglar:

> *un juglar de gran guisa sabía bien su mester,*
> *hombre bien razonado, que sabía bien leer,*
> *su viola tañendo vino al rey ver...*
>
> (Est. 232)

La escuela de juglaría, como veremos, tuvo también su propio sentido artístico, expresado en una técnica literaria que constituiría una manifestación más de un profesionalismo, de condición diferente según las ocasiones y lugares, pero de entidad suficiente como para constituir para todos los que de él viviesen un menester o *mester.*

LA "ÉPICA MEDIEVAL ROMANCE"

Un grupo de estas obras juglarescas eran poemas extensos, de curso narrativo, dispuestos en series de versos rimados. Los argumentos contaban episodios de personajes nobles, en los que se celebraban hazañas y casos de la vida social o familiar (vasallaje, amistad, venganza, traición, amor, odio, etc.). Estas obras son *gestas* (esto es, hechos, acción), relatos de *nuevas* (grandes hechos que constituyen "noticia" que merece correr de boca en boca), *cantares* (por ser obra así interpretada por los juglares, que solían añadirle la indicación *cantares de gesta)* [4]. Coinciden, pues, con lo que la retórica llama *épica,* y con esta calificación constituyen un género literario al que se añade la mención de *medieval* (para distinguirlo de la épica antigua y de la renacentista), y *romance,* para señalar la lengua en esta ocasión histórica en que la dominante es el latín. La condición de medieval se refiere también a que esta obra empareja con otras de la literatura europea, de la misma especie y con parecidos propósitos, en especial con la literatura del Norte de Francia.

El desarrollo de la filología en la segunda mitad del siglo XIX encontró en los estudios de la épica medieval un campo pronto cumplido de frutos; la erudición y la crítica crearon obras de gran entidad relacionando la épica de las diversas literaturas medievales, y a la vez estudiaban las características de cada grupo. En el caso de España fue Manuel Milá Fontanals el gran estudioso y sistematizador de estas noticias. Su obra *De la poesía heroico-popular castellana* (1874) [5] es la primera afirmación con validez filológica de este importante conjunto poético, que puso en claro que en Castilla hubo también una epopeya heroica, además del romancero, que siempre había sido mejor conocido por su persistencia.

La grave dificultad que existe para el conocimiento de la épica medieval española es la gran escasez de obras que de ella existe: apenas textos, y aún la noticia, difícil. Ramón Menéndez Pidal lo señala con estas desoladoras palabras: "La tradición española, lo mismo en su edad heroica primitiva que en la de su mayor florecimiento literario, pierde todos o casi todos sus textos; de su época más floreciente sólo se han salvado cinco miserables manuscritos, todos des-

---

[4] *Cantar* en el *Poema del Cid* designa tanto la obra completa como cada una de las partes en que se divide. CASTRO insiste en la importancia de la designación *nuevas* (*La realidad histórica de España,* obra citada, ed. 1954, página 570). *Romanz* aparece en la nota final del *Poema del Cid* (escrita en el siglo XIV).

[5] M. MILÁ Y FONTANALS, *De la poesía heroico-popular castellana.* Tomo I de las *Obras de Manuel Milá y Fontanals,* ed. de M. de Riquer y J. Molas, Barcelona, 1959.

piadadamente maltratados, faltos de muchas hojas y alguno representado muy pobremente tan sólo por un par de folios" [6]. ¿Cómo, pues, tener una idea de lo que fue esta épica medieval, tan pobremente documentada? La obra que llegó a nuestros días no pudo haber sido la única existente, y en modo alguno el principio del género. Se plantea, por tanto, un agudo problema con respecto a los comienzos de la épica medieval, que se reúne, además, con la otra cuestión, siempre batalladora en la crítica literaria, de los orígenes del género. Menéndez Pidal ha realizado la más profunda y extensa exploración de la épica de los primeros tiempos. Su gran obra ha sido reconstruir este período después de una paciente investigación acerca de las noticias indirectas de los poemas perdidos, y también levantar una teoría para entender la verdadera naturaleza de esta poesía. Investigación y teoría se complementan sobre la obra para así salvar el vacío de la pérdida. Su gran objetivo fue señalar que las condiciones de la creación de la obra juglaresca fueron diferentes de las que existen en la "obra de un autor". Habituados los críticos de la literatura a considerar la obra como una creación personal, este punto de vista no puede aplicarse a la épica del Medievo.

TEORÍA DE LA ÉPICA MEDIEVAL. ESTADO LATENTE Y TRADICIÓN

Una obra del mester de juglaría subsistió por medio de una tradición oral, de carácter juglaresco, y solo de manera ocasional adopta forma manuscrita. Sobre todo al principio de este proceso escribe Menéndez Pidal: "... los orígenes de las literaturas románicas [y por tanto, de la épica] son muy anteriores a los textos hoy subsistentes, ya que estos no pueden ser explicados sin tener en cuenta una larga

[6] Véase el artículo de R. MENÉNDEZ PIDAL, *Problemas de poesía épica,* en *Los godos y la epopeya española,* Madrid, 1956, pág. 80. En una impresión de conjunto sobre los rasgos de gran pobreza de la Historia hasta Alfonso X escribe en el mismo artículo: "es la historiografía más avara de noticias que se practicó en todos los reinos de Occidente" (*Idem,* pág. 22).

tradición de textos perdidos, en los cuales lentamente se han ido modelando la forma y el fondo de los diversos *géneros literarios*" [7]. Unamos, pues, a la dificultad por saber algo documentado de una tradición oral, esta pérdida de textos, y así tocamos desde el principio las dificultades propias del estudio de la épica. Nos hallamos, pues, en el caso de tener que considerar lo que pudo haber sido esta continuidad de "textos" perdidos, teniendo en cuenta que la tradición se perpetúa por las formas orales y por las formas escritas. Unas y otras forman parte legítima de la tradición, y han de compartir la función de mantener la memoria del poema, cada cual según sus medios.

En cuanto a las formas escritas resulta muy difícil penetrar en las condiciones en que se llevó a cabo esta trasmisión, diferente de la que pudo servir para las obras corteses y con más o menos arraigo humanístico, aunque pudiera aprovecharse en ocasiones esta misma técnica de copia. Menéndez Pidal cree que "la popularidad implica muy poco esmero en la transmisión escrita de los textos: las copias se estiman nada más que como recurso efímero del momento, algo provisional, como el favor del público que pide siempre obras nuevas y renovadas; también por eso las copias son de inferior calidad material, poco acreedoras a los cuidados de la bibliofilia" [8]. En este género de poesía, por sus condiciones, son más frecuentes las trasmisiones orales que las escritas. La tradición oral se basa en el ejercicio activo de la memoria aplicado a la retención del "texto" de una obra, que se trasmite de unos a otros a través del tiempo. Lo mismo que ocurre en la transmisión escrita, la oral tiene también una peculiar manera de mantener el texto admitiendo en cada caso las variantes que el nuevo intérprete quiera añadirle, bien de manera intencionada para retocar algunas partes, bien por necesidad de reconstruir otras, daña-

---

[7] R. MENÉNDEZ PIDAL, *Reliquias de la poesía épica*, Madrid, 1951, página IX.

[8] R. MENÉNDEZ PIDAL, "La forma épica en España y en Francia", en *La épica medieval en España y en Francia*, publicado *En torno al "Poema del Cid"*, obra citada, pág. 88.

das por el olvido; la valoración artística de estas variaciones será luego objeto de consideración.

Este ejercicio de la memoria podía educarse por oficio, como ocurre en el caso de los juglares (que en esto actúan como los actores de todos los tiempos); o bien las obras eran sabidas de memoria por la más diversa gente del pueblo, que se gozaba con esto y consideraba que los cantos eran parte integrante del patrimonio de la colectividad, perpetuadores de una tradición a la que todos pertenecían. El mantenimiento de la tradición se confundía así con la vida misma del pueblo, qué consideraba el presente como una continuidad desde un pasado aún vigente en su efectiva realidad.

Cada vez que una obra se puso de manifiesto porque la cantase un intérprete, esto era como un "texto" oral, de validez limitada a aquella ocasión. La obra permanecía, si no, en *estado latente*. Su manifestación era ocasional, pero su integridad estaba mantenida por esta *tradición* que asegura la persistencia de la poesía. La memoria sirve lo mismo que la letra en el caso del texto escrito, sólo que no logra convertirse en una realidad objetiva y perdurable independientemente del que la escribe, como ocurre con ésta. La tradición recoge las obras de una colectividad, que el ejercicio de la memoria conservó de forma vital: sólo se recuerda lo que es vivo y lo que en la vida tiene un fin. La tradición, así concebida, mantiene la persistencia de estas obras, y también tiene que renovarse y enriquecerse, al compás de las gentes que la sostienen. Esta renovación o fuerza de la "moda" puede ser un peligro si se olvidan las obras antiguas, y que se pierdan de modo irreparable si por alguna contingencia no han llegado a la forma escrita. En España, el grado de persistencia de la tradición fue siempre elevado por el carácter conservador de su pueblo, y esto permitió que, aunque se perdió la "letra" de muchos cantares de gesta, su contenido tradicional perduró por otros cauces, como se estudiará más adelante. La obra de la juglaría se trasmite dentro de este sentido literario, reforzado por el hecho de que la memoria sea en este caso educada por el ejercicio de una profesión, y porque en su composición se hayan aplicado las normas del arte juglaresco.

DISCUSIÓN DE TEORÍAS

Menéndez Pidal expuso en varias ocasiones cómo su manera de concebir el arte tradicional está en oposición con la otra teoría que él llama en conjunto *individualista.* En esta denominación quedan encerrados criterios a veces diversos en una fórmula esquemática. He aquí uno de los enunciados de esta oposición, que se repite casi con los mismos términos en otras obras de Menéndez Pidal: "Una teoría [se refiere a la suya, *neotradicionalista*] piensa que entre las varias formas de arte existentes, hay una forma de arte tradicional, en la que el gusto literario es profundamente colectivo. El autor de cada obra es anónimo por esencia, porque él, individuo, se sumerge en la colectividad. Por esta forma de arte tradicional y anónimo comienzan históricamente todas las literaturas. La otra teoría [la que llama individualista] considera siempre en todo caso predominante la individualidad del artista, del poeta, el cual, si es anónimo, lo es por pura casualidad. El influjo de la colectividad sobre el artista es meramente accidental, sin trascendencia. Todas las literaturas se inician por una obra genial que abre caminos nuevos"[9]. Aplicado al caso de la épica medieval, la tesis individualista quedó expresada sobre todo en la obra de Joseph Bédier, *Les légendes épiques,* que menciona en especial la función creadora del poeta; ha de contarse también con el ambiente social de un camino de peregrinación, jalonado de monasterios en los que se fomentaba el cultivo de las leyendas de los santos y héroes; las memorias, probablemente documentales, de los grandes hechos fueron inspiración de los poemas. La obra de Bédier no es una exposición de principios, sino la sucesión de una serie de monografías (referentes todas ellas a la épica francesa), de las que se desprenden unas conclusiones que pueden considerarse resumidas en los siguientes párrafos del último libro: "En vez de cansarse buscan-

[9] Tomo esta formulación de la obra antes citada *Los godos y la epopeya española,* págs. 61-62. Un poco más extensa en *Dos teorías sobre la épica medieval,* La Laguna de Tenerife, 1952.

do hipotéticos modelos perdidos de las canciones de gesta, hay que aceptarlas tal como son, en los textos que tenemos (pues sus modelos perdidos, si los hubo, quedarían muy cerca), hay que apreciarlas e intentar comprenderlas por lo que son. Hasta ahora no tuvimos derecho a esto. Cuantas veces encontrábamos en un relato de caballerías un personaje histórico o un acontecimiento de la época carolingia o merovingia, estábamos obligados a admitir que el libro era un arreglo de cantos lírico-épicos o de poemas épicos de aquellas épocas. Mostrando que en el siglo XII unos hombres tenían determinadas razones para interesarse en un personaje o en un acontecimiento del pasado, habremos desembarazado a la crítica de esta obligación, y devuelto a los libros del siglo XII el derecho que poseían de haber sido imaginados en el siglo XII. Por esto tiene interés el recurso de las peregrinaciones, las ferias, las iglesias. Permite a los poemas situarse en el tiempo y en el lugar. Pero para explicarlos las peregrinaciones no bastan; se necesitan las cruzadas de España en el siglo XI y las de Tierra Santa en el XII. Es necesario el concurso de las ideas y los sentimientos que formaron el armazón de la sociedad feudal y caballeresca; se precisa toda la vida del tiempo. Así el peregrino y el clérigo, sin duda, pero también el caballero, el burgués, el villano. Y sobre todo se necesita al poeta, no ese bardo romántico que en el siglo VII o en el X, componía (según se dice) los cantos en plena batalla, sino el poeta del siglo XII, el que ha puesto en rima el asunto que ha llegado a nosotros, que ha trabajado en pulir la obra como lo haría un escritor de hoy, y que para que su obra gustase a los contemporáneos suyos, ha sabido plegarse a sus gustos, participar en sus pensamientos, pasiones y espíritu" [10]. La renovada tesis tradicional, por su parte, se basa en las ideas del romanticismo sobre la épica; Menéndez Pidal reunió la obra de la erudición y crítica de esta primera mitad del siglo XX, ajustó los datos y los concertó en la

---

[10] J. BÉDIER, *Les légendes épiques. Recherches sur la formation des chansons de geste*, 3.ª ed., I, Paris, 1926; II, 1926; III, 1929, y IV, 1929. El fragmento mencionado en el tomo IV, págs. 431-2.

amplia exposición de principios que forma la primera parte de su libro *La "Chanson de Roland" y el neotradicionalismo*[11].

Una cuestión de la teoría de Menéndez Pidal, la del posible aspecto formal del estado latente de la épica, ha sido examinada por Pierre Le Gentil[12]. La *leyenda* se desarrolló siempre, y más aún en este período oscuro de las literaturas, y Le Gentil se pregunta por su función en cuanto al estado latente. Siempre ignoraremos la relación entre un hecho y la formación de la leyenda sobre el mismo. Si el hecho fue de los que sirvieron de argumento al poema épico, cabe la duda de si la obra literaria tuvo su raíz en el hecho o en su leyenda. Las leyendas constituyen un patrimonio de las colectividades, y su perduración en la conciencia de las gentes resulta muy difícil de precisar. Un hecho, y más si es importante para todos, queda siempre sujeto al juicio e interpretación de los que lo presenciaron y vivieron. Y esto pasó en la Edad Media de manera diferente de como pudo acontecer después, pues la leyenda estaba entonces junto al mismo acontecimiento, rodeándolo. Un poeta juglaresco pudo recoger el fundamento de su poema en este período temprano en el que la leyenda aún no ha deformado el hecho; cantar y leyenda pueden entonces ser semejantes. Pero a poco que el hecho entre en el cauce de la leyenda, se junta entonces con una "materia legendaria", o conjunto de las leyendas que perduran en la colectividad y se pueden producir los cambios y fusiones más inesperados. La "ma-

---

11 R. MENÉNDEZ PIDAL, *La "Chanson de Roland" y el neotradicionalismo (Orígenes de la épica románica)*, Madrid, 1959. Es la obra fundamental sobre la cuestión, pues la parte propiamente en relación con la *Chanson* francesa, va precedida de un examen cuidadoso de su teoría general sobre la épica, que se va señalando después punto por punto en cuanto a la *Chanson*. Véase la interpretación y comentarios de la teoría de este libro en CH. V. AUBRUN, *Tradición literaria y crítica tradicionalista*, "Filología", VII, 1961, págs. 1-11.

12 P. LE GENTIL, *La notion d'"état latent" et les derniers travaux de M. Menéndez Pidal*, "Bulletin Hispanique", LV, 1953, págs. 113-148. Otra vez examinó la teoría del tradicionalismo en el artículo *Le traditionalisme de D. Ramón Menéndez Pidal (d'après un ouvrage récent)* [la nueva edición de *Poesía Juglaresca*], "Bulletin Hispanique", LXI, 1959, págs. 183-214.

teria legendaria" arrastra una trama muy confusa en que viejos mitos, creencias ancestrales, recuerdos históricos y ficciones se reúnen [13].

Italo Siciliano, en su razonado libro sobre los orígenes de las canciones de gesta, ha querido reunir en una síntesis los diversos aspectos de las teorías. Así, en cuanto a las opiniones sobre un posible origen secular o clerical, escribe: "Fue así como los poetas concibieron sus poemas y los dramas de sus héroes, y nadie sabrá si ellos pensaron primero en el combatiente y después en el cristiano, pues el héroe es un combatiente cristiano. Nadie podrá saber si el espíritu religioso influyó en el heroico, o al revés, porque se trata de una síntesis profunda e impenetrable". Y sobre los temas que pudieran haber inspirado los poemas comenta: "Temas sin fecha, y de origen visiblemente diverso, que podían proceder de lejos, y aun de muy lejos. Pero el espíritu en el que estos temas fueron concebidos, los conflictos patéticos, los dramas humanos, la concepción de la patria, del deber, del honor —la verdadera esencia de la canción— pertenecen al poeta o a su tiempo, nacen de él y con él. El poeta no pidió al pasado crónicas y poemas latinos que le hubieran quitado toda ilusión, sino ficciones y mitos que pudieran alimentar sus ilusiones; no ha buscado figuras verdaderas; no ha buscado la precisión de la historia, sino el misterio de las cosas lejanas en las que podían vivir maravillosamente sus nuevas ficciones, un cuadro imaginario —e imaginado— en el que poder desarrollar los dramas que él creaba, las empresas heroicas preferidas por él y por su pueblo" [14].

En el caso de la épica española, las obras hubieron de conservar (por lo que se deduce de los testimonios que quedan) una noticia bastante verosímil de los hechos narrados en los argumentos, pues la consideración legendaria no deformó el carácter de los personajes.

---

[13] Para las consideraciones sobre la leyenda, véase el citado prólogo de V. García de Diego a la *Antología de leyendas*, Madrid, 1953; también fue mencionado el estudio de E. von Richthofen, *Estudios épicos medievales*, y el artículo sobre *Interpretaciones históricolegendarias en la épica medieval*, citados en la nota 4 del Capítulo V de este libro.

[14] I. Siciliano, *Les origines des Chansons de Geste. Théories et discussions*, trad. francesa, Paris, 1951, págs. 218 y 223 respectivamente.

Esto ocurrió en parte por haber aparecido en fecha temprana, con la memoria aún viva de los hechos, y en parte por ser así el gusto del pueblo español, especialmente de los castellanos. Parece como si los mismos hechos valieran por sí mismos para colmar la medida de la imaginación que el pueblo de Castilla pedía a sus juglares, o al menos que su verosimilitud (siempre relativa, por tratarse de una obra poética y no histórica) se mantuviese dentro de unos límites en los que este pueblo pudiese reconocer como de su patrimonio tradicional a los héroes y a las aventuras de estos cantos.

LOS PRIMEROS CANTOS ÉPICOS

El período primero de la épica medieval, del que no quedan textos, se ha explorado por una circunstancia propia de la redacción de las Crónicas históricas. Los historiadores de estos siglos (XI-XIV), tanto los que escribieron en latín como los que lo hicieron en romance, recogieron noticias de leyendas poemáticas de sentido histórico [15]. En algunos casos declaran seguir versiones de procedencia juglaresca. Menéndez Pidal establece en el desarrollo de la épica juglaresca un primer período (o primitivo) que comprende desde las primeras obras hasta 1140 (fecha atribuida al *Poema del Cid*). Las primeras referencias de esta clase están en una *Chronica Gothorum*, atribuida a un mozárabe toledano (siglo XI), y el gran arsenal de noticias se halla en la *Crónica General* de Alfonso X. Escribe sobre esto Menéndez Pidal: "...el medio siglo empleado en la redacción de las más grandes *Crónicas generales* en romance, la primera hacia 1289, y la segunda en 1344, es la época de apogeo y preponderancia de los juglares de gesta en la historiografía" [16].

[15] Véase R. MENÉNDEZ PIDAL, *Relatos poéticos en las Crónicas medievales*, "Revista de Filología Española", X, 1923, págs. 329-372; y la exposición general en el antes mencionado libro, fundamental para este tema: *Reliquias de la poesía épica española*, Madrid, 1951.

[16] R. MENÉNDEZ PIDAL, *Poesía juglaresca*, obra citada, pág. 286. Pueden encontrarse reunidas en una útil colección, escrita de manera muy acorde con

Las noticias de los argumentos que han quedado de este período se refieren a asuntos familiares de los reyes y condes cristianos, a sus querellas y a las relaciones que tuvieron con los árabes. Las versiones conservadas, de procedencia poemática o legendaria, o de ambas a la vez, nos bastan para dejar de manifiesto relatos en que las tragedias familiares se mezclan a veces con leyendas (de origen germánico, algunas). Son demostración de aquella tercera situación que Menéndez Pidal ha querido llamar en síntesis "historia novelada". Estos poemas serían breves, de unos 500 ó 600 versos según Menéndez Pidal, el cual ha llegado a la conclusión de que en sus caracteres formales coincidirían con los que manifiestan los poemas del segundo período, ya mejor conocido. Así, el verso sería anisosilábico, y la rima, asonante; y en cuanto a otras manifestaciones de su expresión es de creer que no resultarían muy diferentes de los otros poemas posteriores puesto que hubo una sucesión continuada entre unos y otros, y esta división en períodos es más bien un recurso de la historia literaria.

EL POETA

La falta de pretensiones literarias de esta obra aparece como tal si se establece su relación con la latina, pero esto no implica que el poeta no tuviese a su modo un "oficio". Este oficio (el menester o *mester* del título) quiere decir que el juglar-poeta conocía cuál había de ser la estructura poética de un poema de juglaría, sabía en qué consistía el carácter de estas obras y, en consecuencia, se valía de un estilo que era el adecuado para que el público percibiese los efectos que él buscaba intencionadamente. Por tanto, los mesteres de juglaría y clerecía no fueron géneros cerrados, y si al tratar del de clerecía se dirá que sus poetas conocían el formulismo de los juglares, y los recursos de su técnica, éstos, a su vez, han de relacionarse con los clérigos en

---

el carácter de la obra, por R. CASTILLO, *Leyendas épicas españolas,* versión moderna de los poemas perdidos, Valencia, 1956.

el común esfuerzo por crear los principios de la literatura en lengua romance. Hay, pues, que tener en cuenta que si al autor del mester de juglaría se le llama "juglar" (sin hacer una distinción entre el creador y el intérprete, el cual también disponía de la libertad de rehacer la obra), nos señala Menéndez Pidal que "al hablar de los juglares en el siglo XII, no quiero decir sino *poetas* que escriben para legos", y añade de manera que quiere salvar hasta la participación del arte clerical latino: "no poetas indoctos, desconocedores de la literatura latina" [17]. Incluso en otra parte asegura una participación más directa al decir que "el esfuerzo creador de las literaturas nacientes lo realizan los anónimos juglares, legos acaso indirectamente influidos por la cultura eclesiástica, y entre ellos quizá algunos clérigos ajuglarados, mal vistos en las noticias que de ellos nos dan los escritores eclesiásticos" [18]. De esta manera, pues, se ha de entender que el poeta actúa dentro de una tradición, recogiendo la efectividad de una organización literaria que procede de unas "poéticas" que, aunque probablemente nunca fueron formuladas como las latinas, también ejercieron su función, y que él cuida de acomodar a las necesidades de la expresión juglaresca; no conviene desechar tampoco la experiencia de los clérigos que tenían la suya, pero que podía coincidir en algunos puntos. Los juglares cantaron también temas clericales, y aunque los trasformaron convenientemente, esto demuestra que ambos sistemas de expresión no se repelieron, sino que en muchos casos se complementaron, y aun puede decirse que juglares y clérigos, puestos en el caso de crear ambos unos recursos literarios sobre una común lengua conversacional carente de ellos, pudieron coincidir en muchos casos; y mucho más si por alguna razón el juglar tuvo desvelos clericales, o el clérigo, aficiones juglarescas, no importa que esto fuese real o que lo fingiese como formalidad literaria.

---

17 *Castilla, la tradición y el idioma,* artículo sobre "Cuestiones de método histórico", Buenos Aires, 1955, pág. 80.

18 *La "Chanson de Roland" y el neotradicionalismo,* obra citada, pág. 423

PERÍODO DE LOS GRANDES CANTOS ÉPICOS

La característica más acusada del siguiente período de la juglaría fue el influjo de la épica francesa, que vino a reunirse con la evolución autóctona de los cantares de gesta. Esta influencia, sin embargo, no fue tan intensa como para desviar los nuevos poemas de los rasgos que tuvieron los del período primitivo. No se siguieron las formas más perfectas de los poemas franceses, en un grado de evolución más avanzado desde el punto de vista de la técnica literaria del verso [19]. Los poemas españoles mantuvieron la métrica anisosilábica, y la rima continuó siendo asonante, tendencias que entonces tomaron el carácter de arcaizantes, si se las compara con la evolución de las obras francesas [20].

Los versos del Poema oscilan entre las 10 y las 20 sílabas. Cada uno está claramente partido en hemistiquios, cuya medida es en orden de mayor a menor frecuencia: 7, 8, 6 sílabas, que se combinan:

---

19 R. MENÉNDEZ PIDAL, *La épica medieval en España y en Francia*, publicado en la Colección de estudios, *En torno al "Poema del Cid"*, obra citada, en especial la parte II "La forma épica en España y en Francia", págs. 81-94. Desde un punto de vista comparativo, A. DESSAU, *Relations épiques internationales: les changes de Thèmes entre les legendes héroiques françaises et espagnoles*, "Cultura neolatina", XXI, 1961, págs. 83-90.

20 La idea de que el verso del *Poema del Cid* era anisosilábico, que defendió MENÉNDEZ PIDAL después de quedar convencido de que no poseía medida fija, ha sido hoy admitida por la generalidad de los críticos. Véase en su edición *Cantar de Mío Cid*, Madrid, 1956, en las páginas de Adiciones, 1174-1177, una referencia de los trabajos que disienten de esta teoría. Sobre esta misma cuestión CH. V. AUBRUN publicó un artículo: *La métrique du "Mio Cid" est régulière*, "Bulletin Hispanique", XLIX, 1947, págs. 332-372, y *De la mesure des vers anisosyllabiques médiévaux*, en la misma revista, LIII, 1951, págs. 351-374. T. NAVARRO la rechaza en su *Métrica española*, obra citada, pág. 32. El punto de vista que MENÉNDEZ PIDAL expuso con respecto al metro de los versos franceses, E. C. HILLS lo estudió con relación a otras épicas europeas: *Irregular epic metres. A comparative study of the metre of the Poem of the Cid and of certain Anglo-norman, Franco-italian and Venetian Epic Poems*, "Homenaje a Menéndez Pidal", I, Madrid, 1925, págs. 759-777.

7-7, 7-8, 6-7, o sea que los versos más comunes son de 14, 15, 13. Los versos no forman estrofas fijas, sino series cuya cohesión mantiene la rima asonante. La extensión de este verso fluctuante es la propia de la expresión común de la lengua, como señaló de manera acertada Navarro Tomás: "Las medidas de 7, 8, 6 sílabas, predominantes en los hemistiquios del *Cid*, coinciden con las de los grupos fónicos más frecuentes en la prosa castellana" [21].

Los cantares continuaron siendo sobrios en el uso de la fantasía, realzando la dignidad del héroe sin que perdiese su condición de hombre.

Este influjo literario es sólo un aspecto de las relaciones culturales que en el siglo XI, en tiempos de Alfonso VI (1040-1109) se establecieron entre España y la Francia del Norte. De fundamental importancia resultó la peregrinación a Santiago de Compostela, cuyo camino, por la afluencia de franceses, llegó a tomar el nombre de camino francés, jalonado de ciudades y villas en las que esta relación entre españoles y franceses se estableció corporativamente reuniéndose incluso estos en barrios dentro de las poblaciones [22]. Los juglares franceses se hubieron de juntar en este camino de Compostela con los españoles, y estos tomaron algunos aspectos del arte de los primeros para renovar sus cantares de gesta. Los cantares se alargaron, y el *Poema del Cid* tiene cerca de los 4000 versos, y el fragmento que queda del *Poema de Roncesvalles* parece indicar que llegaría a los 5000; procedimientos como la anáfora, locuciones épicas, y algún rasgo de la fantasía (como la aparición del Arcángel Gabriel) indican esto mismo. Pero en general la relación no resultó decisiva, y los poemas españoles mantuvieron hasta el fin los rasgos arcaizantes de la forma que les son propios.

---

21 T. NAVARRO TOMÁS, *Métrica Española*, obra citada, pág. 33.

22 Véase el párrafo correspondiente al estudio de las peregrinaciones en el cap. VI.

EL "POEMA DEL CID"

A este período pertenece el *Poema del Cid*, la obra maestra y casi única de la épica medieval española[23]. Según Menéndez Pidal hubo de escribirse hacia 1140[24], o sea poco menos de medio siglo después de la muerte de Rodrigo Díaz de Vivar. Puede decirse que el estudio y la valoración de la épica medieval castellana como hecho efectivo de poesía se realiza casi solamente sobre este poema. Gracias a la conservación del *Poema del Cid*, la literatura castellana, como raíz de la española, se sitúa al lado de las otras europeas que empiezan su historia con un gran poema épico. La obra, al que este azar de conservarse en el manuscrito de Pedro Abad destinó para tal cometido, cumple con dignidad su función; resulta una obra maestra en cuanto a creación poética del arte juglaresco, y sirve como testimonio de los gustos de una colectividad, de manera afortunada.

Si se examina el argumento del *Poema del Cid*, queda de manifiesto que se encuentra en directa relación con la historia de los hechos del Cid. No quiere esto significar que el Poema resulte al pie de la letra una narración de valor histórico, pues cantar de gesta,

---

23 Obra básica: R. MENÉNDEZ PIDAL, *Cantar de Mío Cid*. Texto, Gramática y Vocabulario. Tomo I, 1.ª Parte: Crítica del texto. Gramática, 3.ª ed. Madrid, 1954, págs. 1-420; Tomo II, Vocabulario, Madrid, 1954, págs. 423-904; Tomo II. Cuarta Parte. Texto del Cantar y Adiciones, Madrid, 1956, páginas 907-1232. (Los tres tomos tienen numeración seguida.) La edición crítica formó un volumen de "Clásicos Castellanos", cuyo prólogo (1913) ha sido reeditado por su autor en el libro *En torno al "Poema del Cid"*, 1963, páginas 7-65, junto con otros estudios sobre el Poema; el último es una recapitulación que recoge lo esencial de los muchos trabajos del autor sobre el asunto (1962), págs. 187-220, con una bibliografía final. Hice una versión moderna del *Poema del Cid*, ya citada, Valencia, 3.ª ed. 1965, que repite la 2.ª ed. de 1961; en el prólogo me extiendo en una consideración literaria del Poema.

24 Menéndez Pidal rechaza las objeciones recientes a esta fecha en la nota *Sobre la fecha del Cantar de Medinaceli* (1960), publicada en *En torno al "Poema del Cid"*, obra citada, págs. 163-169.

Crónica y Poema latino[25] fueron géneros diferentes en estilo y fines. La historia del Cid ha quedado cuidadosamente establecida por Menéndez Pidal en *La España del Cid,* un monumento de la moderna investigación[26]. El *Poema del Cid* resulta ser un testimonio poético de la fama que dejó este valiente y hábil capitán. De la compleja personalidad de Rodrigo (h. 1043-1099) el poeta juglar elige algunos aspectos. En primer lugar, la lealtad hacia el Rey, señor natural del Cid, puesta a prueba por las calumnias de unos enemigos. El Rey se enojó por estas insidias con don Rodrigo, y lo desterró. Señor de su hueste, el Cid se aleja de Castilla, pero no se rebela. Penetra en tierra de moros, y a unos vence con las armas y a otros los hace sus vasallos por tratos. Su política de guerra le conduce a ganar Valencia, y el favor real, y su honra crece hasta emparentar como suegro con linajes reales. Su condición heroica se basa en creer que la buena obra, en paz o en guerra, conduce al triunfo. La acción virtuosa redondea su personalidad de fuerte caballero: fe en Dios, piedad, lealtad con el Rey, justicia en su señorío, amor por la familia, valor en el combate, etc. El héroe, en este Poema, demuestra con hechos su nobleza, y se muestra mesurado, y aun sabe vibrar con comedida ternura. De esta manera el *Poema del Cid* mantiene la condición heroica sin desorbitar los hechos por caminos de fantasía[27].

EL ESTILO JUGLARESCO DE LOS CANTARES DE GESTA

Sólo la consideración directa de una obra puede darnos la caracterización de un estilo poético; el *Poema del Cid* es el medio de que

25 La crónica latina de Alfonso VII, y el Poema de Almería referentes al Cid están traducidos y comentados en el libro de M. LAZA PALACIOS, *La España del Poeta de Mío Cid,* Málaga, 1964, págs. 147-189.

26 Cuarta edición, totalmente revisada y añadida, Madrid, 1947, 2 tomos.

27 J. CASALDUERO, en *El Cid echado de tierra,* publicado en sus *Estudios de Literatura Española,* obra citada, págs. 28-58, estudia la inventiva del *Poema* entremetida en la materia histórica.

disponemos para tener una idea de la expresión de los cantares de gesta. Si bien los juglares, como se dijo, podían entretener de muchas maneras, había unos *juglares de gesta* cuyos cantos eran relatos de hechos heroicos; estos han de ser considerados como los intérpretes de los cantares épicos. Hay que tener en cuenta, por tanto, que el cantar de gesta fue creado poéticamente para que este juglar lo interpretase ante un público. La relación entre juglar y público se ha de establecer dentro de los recursos propios del arte dramático, pues es una poesía que ha de ser comunicada mediante una *representación*. El autor de un cantar de juglaría cuenta, pues, con que el juglar-intérprete y el auditorio están reunidos en el curso de la comunicación de la obra. El lenguaje es sencillo, y los sintagmas se acomodan con holgura en los hemistiquios y versos, y el anisosilabismo es un sistema flexible en donde acentos y medida quedan al arbitrio artístico del juglar para apoyar el ritmo de la obra.

El resultado es que el *Poema del Cid*, siendo la primera obra de gran extensión en nuestra literatura, tiene un sentido poético que en comparación relativa resulta más moderno que otras de épocas posteriores de la Edad Media. El poeta-juglar conoce su arte y los gustos del público. Como juglar sabe que el auditorio requiere un canto fluyente y sencillo, y por eso ha de usar hábilmente los recursos del arte narrativo, y aplicarse a dar una sólida constitución al Poema. La apariencia de sencillez no se opone a que la obra tenga un gran sentido de unidad, que se desarrolla de manera que cada parte está en función del conjunto. Aun cuando la obra haya podido pasar en su elaboración, tal como se encuentra en el manuscrito de Pedro Abad, por varias manos, siempre hubo un último poeta que, recogiendo el legado tradicional, mantuvo en la obra un grado de cohesión que sólo los más afinados análisis estilísticos o una consideración profunda de índole temática, pueden intentar una separación de las partes. Tal ha sido el esfuerzo último de Menéndez Pidal, que ha querido encontrar dos *poetas* en la formación del *Poema del Cid*, tal como ha llegado hasta el manuscrito de Pedro Abad. Uno de ellos, al que llama el "poeta de San Esteban de Gormaz", sería el que concibió primero la obra (y no le parece que fuese un eclesiástico) para resaltar la persona del Cid; este primer estado del Poema sería más allegado a la noticia y pródigo en alusiones a la geografía de su lugar. El otro, el "poeta de Medinaceli", actuó más bien como refundidor, más lejos de los hechos y sin interés literario por su verdad, pero supo dar al desarrollo un más alto tono poético. El Cantar del Destierro fue poco retocado; más el de las Bodas; y el de Corpes es el más novelizado [28]. Esta exploración, basada en el contraste de la historicidad de la narración y en pormenores métricos, no representa sino la apreciación de dos grandes matices, y se escapan, imposibles de precisar, los otros retoques que han podido existir en el curso de la trasmisión [29].

El *Poema del Cid* pertenece a un estilo tradicional en el que no domina la personalidad de un poeta, sino que este y los que con él hayan podido colaborar en los sucesivos retoques, se identificaron con el gusto literario de la comunidad que oye el cantar de gesta. Pero esto no quiere decir que el poeta no dejase, manteniendo esta intención a través de las reformas, la huella genial de su creación en una obra que, aunque aparentemente sencilla, según Dámaso Alonso, tiene un estilo "tierno, frágil, vívido, humanísimo y matizado" [30].

---

28 R. Menéndez Pidal, *Dos poetas en el "Cantar de Mío Cid"* (1961), publicado en *En torno al "Poema del Cid"*, obra citada, págs. 107-162.

29 Así planteada la cuestión, quedaba abierta la formulación de las hipótesis sobre quiénes hubiesen sido estos poetas. Según A. Laza Palacios en *La España del Poeta de Mío Cid*, obra citada, págs. 68-70 especialmente, por las coincidencias que establece, llega hasta formular la hipótesis de si este poeta de Medinaceli pudo ser Domingo Gundisalvo. J. Horrent, en *Tradition poétique du "Cantar de Mío Cid" au XIIe siècle*, "Cahiers de Civilisation Médiévale", VII, 1964, págs. 451-477, halla una sucesión desde un Poema inmediato a la muerte del Cid, un arreglo hacia 1140-50 bajo Alfonso VII de Castilla, una modernización hacia 1160 bajo Alfonso VIII y de este estado parte una copia de 1207 que Pedro Abad trascribiría en el siglo XIV.

30 D. Alonso, *Estilo y creación en el Poema del Cid*, publicado en los *Ensayos sobre poesía española*, Madrid, 1944, págs. 69-111.

ÚLTIMO PERÍODO DE LA ÉPICA JUGLARESCA

Los cantares de gesta, cuyos rasgos propios de la literatura tradicional fueron mencionados, constituyeron un género literario de duración limitada. Hallándose en esta época límite en que la literatura escrita impone su peculiaridad, su desaparición coincide con la del juglar que fue su intérprete y mantenedor. Este período final es tan pobre como los anteriores, y desde el punto de vista métrico no hay variaciones, pues a fines del siglo XIV y comienzos del XV persiste el anisosilabismo (con predominio del octosílabo) y la asonancia. Sin embargo, la tensión entre historia y fantasía se ha resuelto en favor de la segunda. El héroe, aun el histórico, aparece tratado libremente, ateniéndose la obra a versiones legendarias, tardías y deformadas.

El cantar de las *Mocedades de Rodrigo*[31], mal conservado en un manuscrito e incompleto, que trata del mismo don Rodrigo, considerado en este poema con una gran fantasía, es lo poco que conocemos de reelaboraciones de un mismo asunto, al menos en su representación poética. La obra ha sido duramente juzgada por la crítica, acaso por hallarse como en la sombra del otro *Poema del Cid,* y sólo en estos últimos años los críticos lo han estudiado por sí mismo[32], y A. D. Deyermond[33] ha interpretado alguno de sus rasgos como propios de un influjo eclesiástico, entendiendo que la forma que se nos conserva

---

31 Hay edición facsímil por la "Hispanic Society of America", New York, 1904; y por B. P. BOURLAND, "Revue Hispanique", XXIV, 1911, páginas 310-357, con referencias bibliográficas; y modernizada por L. GUARNER, Barcelona, 1952. R. MENÉNDEZ PIDAL incluyó una edición del texto en *Reliquias de la poesía épica española,* obra citada, págs. 257-289, bajo el título de "Rodrigo y el rey Fernando", como llama al poema de las *Mocedades de Rodrigo* (pág. LXXIII).

32 S. G. ARMISTEAD, *The Structure of the "Refundición de las Mocedades de Rodrigo"*, "Romance Philology", XVII, 1963-1964, págs. 338-345.

33 A. D. DEYERMOND, *La decadencia de la epopeya española,* "Anuario de Estudios Medievales", I, 1964, págs. 607-617.

es un poema rehecho en la diócesis de Palencia y entregado a los juglares.

Con esto se señala el fin de la épica romance medieval, que en España no se trasforma en libros de aventuras caballerescas en prosa. La abundante presencia de los libros de caballerías europeos, al menos entre las clases cortesanas, y la riqueza expresiva del "romance", un género nuevo o al menos que logra su testimonio poético en la literatura de esta época, acabaron con el género al desaparecer el juglar. Como herencia quedó una "materia épica" que representando un fondo legendario se perpetuó por cauces muy diversos de la literatura española [34].

EL VERISMO DE LA ÉPICA ESPAÑOLA

En el estudio de la épica medieval española, Menéndez Pidal halló razones que, unidas a las que proceden del examen de la épica hispanorromana y de la renacentista, le han valido para formular la tesis de que la épica española fue preponderantemente *verista*. Estas razones son de dos clases: en cuanto a los Poemas considerados en sí, y en cuanto a su comparación con la épica francesa, sobre todo. Esta tesis forma parte de sus argumentos frente a Bédier, el cual cree en un vacío poético entre el hecho histórico y su versión en una obra épica. Para Menéndez Pidal resulta fundamental la aproximación entre hecho y Poema, y el que este sea en cierto modo la *nueva* o noticia de aquel. El uso que los cronistas hicieron de los Poemas en sus obras lo manifiesta también [35].

---

34 Estos cauces fueron objeto de estudio por R. MENÉNDEZ PIDAL, en uno de sus trabajos primeros (1909, publicado en 1910) en el libro *La epopeya castellana a través de la literatura española* (2.ª edición que en lo fundamental mantiene la primera), Madrid, 1959.

35 En su última obra insiste en estos puntos de vista, que formula así con palabras decisivas, en relación con el cantar de gesta: "El cantar de gesta nace desde luego relatando gestas o hechos notables de actualidad [...], no la conmoción que en modo eventual promueve algún que otro suceso extraordinario, sino la ordinaria y permanente necesidad sentida por un pueblo

Otros críticos no juzgan tan decisiva esta condición como para situarla en un primer término en la consideración de la épica medieval. Es indudable que este género de poesía no es sólo español, y puesto entonces el asunto en un plano comparativo, los juicios son diferentes. Leo Spitzer formuló la tesis de que el Cid como personaje del Poema fue concebido siguiendo las ideas comunes de la universalidad de la Edad Media católica[36]. El Cantar narra la biografía novelada de don Rodrigo, pero de manera diferente a la epopeya mítica de los héroes de la *Chanson de Roland*. Y escribe: "el juglar que compuso el *Cantar de Mío Cid*, el primer cidófilo, se atreve a trasformar en tipo ideal, anovelándola, la persona histórica, porque buscaba en la historia una enseñanza moral, y debía trasformar aquélla cuando no cuadraba con ésta"[37]. Ernst Robert Curtius, por su parte, ha querido poner de relieve el artificio artístico del *Poema del Cid*; la obra romance tiene una intención diferente de la que podría haber conducido a un Cid *realista*[38]. Menéndez Pidal ha contestado defendiendo su concepción de las observaciones que pudieran desviarla[39].

---

que respira un ambiente heroico, necesidad de conocer todos los acaecimientos importantes de su vida presente, y deseo de recordar los hechos del pasado que son fundamento de la vida colectiva [...]". El poema sirve la *apetencia historial* del pueblo, y la fórmula última o evangelio del neotradicionalismo se expresa así: "En el principio era la historia" (*La "Chanson de Roland" y el neotradicionalismo*, obra citada, pág. 429).

36 L. SPITZER, *Sobre el carácter histórico del Cantar de Mío Cid*, "Nueva Revista de Filología Hispánica", II, 1948, págs. 105-117.

37 *Idem*, pág. 116.

38 E. R. CURTIUS, *Zur Literarästhetik des Mittelalters*, "Zeitschrift für romanische Philologie", LVIII, 1938, págs. 1-50; 129-232 y 433-479.

39 Contestó a Spitzer en *Poesía e Historia en el Mío Cid (El problema de la épica española)*, "Nueva Revista de Filología Hispánica", III, 1949, páginas 113-120; las ideas básicas de este artículo, sin las referencias polémicas, fueron ampliadas después en *La épica medieval en España y en Francia*, parte I: "Verismo épico", en *En torno al "Poema del Cid"*, obra citada, páginas 69-81. Y a Curtius en *La épica española y la "Literarästhetik des Mittelalters" de E. R. Curtius*, en la misma "Zeitschrift", LIX, 1939, págs. 1-9 (recogido luego en el tomo *Castilla, la tradición y el idioma*, págs. 75-93); y también: *Fórmulas épicas en el "Poema del Cid"*, "Romance Philology", VII, 1953-4, páginas 261-267.

Niega la diferencia entre las dos épicas como la vio Spitzer, y encuentra la distinción sustancial en que "La poetización fabulosa, en que predomina la ficción sobre la historia, no la hallamos para la leyenda de Mío Cid sino en el siglo XIII [...] pero toda esa labor de novelización corre siempre dentro de los cauces de la realidad, sin nada sobrenatural o prodigioso, sin apartarse de lo que comúnmente se llama 'lo verosímil', desarrollando, pues, un verosimilismo realista. Igual realismo se observa siempre en las demás gestas españolas, aun en las más novelescas, que a todo más admiten lo sobrenatural milagroso, creído verdadero. En Francia, por el contrario, abunda el *verosimilismo fantástico* [...], donde la similitud con la verdad incluye las ficciones más irreales" [40].

Un punto fundamental de la interpretación de Menéndez Pidal consiste en asegurar estas diferencias insistiendo en el sentido irreal de la francesa y su contraste con la española: "Tratar el *Poema del Cid* como la *Chanson de Roland*, de tan irreal poesía; interpretar los dos poemas en serie, en el mismo taller de la crítica, es negar el carácter diferencial de dos literaturas y de dos pueblos. En el *Poema del Cid* hay mucho artificio literario, si no, no sería gran poesía; hay además innovaciones revolucionarias del género épico [...]; pero su sistema seleccionador de la realidad, su artificio, sus ideales épicos, son completamente diversos de los del gran poeta francés" [41].

---

40 *La épica medieval en España y en Francia,* artículo citado, página 79.

41 R. MENÉNDEZ PIDAL, artículos sobre *Cuestiones de método histórico,* en *Castilla, la tradición, el idioma,* obra citada, pág. 92.

CAPÍTULO IX

EL ARTE LITERARIO CLERICAL

EL CLÉRIGO

En el estudio del mester de juglaría hubo ocasión de establecer un contraste diferenciador entre el juglar y el clérigo como creadores de dos maneras diferentes de poesía. Clérigo y juglar hicieron otras muchas cosas además de componer o propagar obras literarias. Se señaló entonces la variada actividad del juglar, y otro tanto hay que hacer aquí con el clérigo. Lo que en el juglar fue animada relación con el existir cotidiano de la comunidad, en el caso del clérigo representa encontrar en estado de vivencia creadora los principios de una poesía, cuyas raíces se afirman en la tradición europea del Medievo. El clérigo siente en forma consciente la adhesión a estos principios, y con ellos crea su obra, en la que el espíritu de la comunidad toma cuerpo en un contorno cultural manifiesto. Pero, por la condición de España, ocurre que algunas obras de la cultura judía y árabe aparecen en tales casos dominadas por el tono clerical del conjunto. La tendencia moralizadora se encuentra también entre los judíos, que coinciden en esto con los cristianos españoles cultivando una inspiración procedente de los libros bíblicos (particularmente de los de intención didáctica); y de esta naturaleza, sólo que con predominio de lo anecdótico, son las obras aljamiadas que se pueden reunir con el arte clerical por participar en las mismas condiciones externas de la expresión y en su carácter.

El clérigo acaba por convertirse en escritor romance. Si bien propiamente la palabra *clérigo* tiene relación con el latín *clerus* (conjunto de sacerdotes) y *clerus* (miembro del clero), adopta también una significación más amplia. Con ella se designa al hombre que recibió una educación que le dio esta conciencia de la función social e individual de la sabiduría, y que permanece en su ejercicio enseñando y aconsejando a los demás. El clérigo se caracteriza por su saber intelectual, a diferencia del caballero guerreador, que ejerce sobre todo la destreza en el uso de las armas. No falta, sin embargo, el clérigo combatiente, como el don Jerónimo de Périgord, representado en el *Poema del Cid:*

> *Bien entendido es de letras — y mucho acordado;*
> *de pie y de caballo — mucho era arreciado.*
>
> (versos 1290-1)

Pero esta representación conviene con la misma del Arzobispo Turpín de la *Chanson de Roland,* y es más bien tópico épico. La común es la idea del clérigo como sabio, en términos generales. Si por un lado en el *Libro de Alexandre* se opuso el mester de los clérigos al de los juglares, por otro su mismo autor empareja en otra estrofa a clérigos y caballeros designando a los consejeros del rey, sabios señeros todos:

> *Bien había y* [*allí*] *diez mil carros, de los sabios señeros,*
> *Que eran por escrito, del Rey los consejeros;*
> *Los unos, clérigos, los otros, caballeros;*
> *Quienquier los conocería que eran compañeros.*
>
> (Est. 853)

El poeta los concebía compañeros en el servicio del Rey de la Antigüedad sobre el que el arte clerical de la Edad Media colocó el ideal de equilibrio entre la fuerza y la sabiduría, de acuerdo con este tópico. Pero cada grupo, clérigos y caballeros, tenía de por sí un cometido aun cuando pudiera producirse entre ellos un fecundo acercamiento. El caballero podía mejorar en valer si se educaba en saber con el clérigo, sobre todo por cuanto que la cortesía, la más alta cima de la condición social, requería una ciencia que se podía recibir en abundancia por esta vía de la enseñanza clerical. Y por su parte, el clérigo se entendía que debía hallarse abierto a la vida secular, y que, sobrepasando el fin religioso de la formación recibida (que era la salvación del alma), había de poner su sabiduría al servicio de los hombres del siglo, ayudándoles en todos los aspectos de la ciencia que le resultaban accesibles por su conocimiento del latín y mostrándoles el camino de la cortesía que era el resultado de una educación espiritual.

El clérigo desarrolla su actividad en el sentido universal propio de la cultura de la Edad Media, común a través de la Europa cristiana en un grado mucho más intenso que en la época moderna. El fundamento de esta cultura es sobre todo erudito, y procede de las artes intelectuales de la Edad Media y de los libros latinos. La comunidad de valores espirituales y religiosos que establecieron los clérigos, tuvo como vertebración el carácter católico, afincado en la unidad que procedía de Roma, y que había reflorecido en los Renacimientos medievales y en las Escuelas y Universidades, entonces en trance de crecimiento. Las cuestiones que se trataron en capítulos anteriores sobre la teoría artística de la literatura medieval y las disciplinas de estudio en Escuelas y Universidades han de aplicarse en toda su eficiencia al clérigo. Se desprende de esto que el latín fue la lengua propia de la clerecía. Ocurrió, sin embargo, que en el curso de los siglos XI y XII las lenguas romances adquirieron una cierta experiencia literaria. Si los juglares trataban de cantares de gesta, leyendas religiosas, disputas de moda, etc., los clérigos estimaron que también podía intentarse una poesía de intención culta, más noble en sus fines y más adecuada para sacar un provecho espiritual que la otra. Este sentido culto de la obra clerical no significó que, de repente, se vertiese al romance la complejísima especulación medieval; estas del arte romance clerical son obras de las que trasciende alguna enseñanza, bien por la naturaleza de los personajes o bien por el carácter moralizador del asunto. No es tampoco obra estrictamente religiosa, puesto que trata temas de otra naturaleza, abriéndose cada vez más hacia una orientación secular, pero en la que no falta cierta resonancia didáctica. El autor se las ingenia para que al cabo la obra venga a parar en un *ejemplo* de la más varia especie o en un propósito devoto o de edificación, adecuado al carácter del público que la recibiría.

La función de las escuelas clericales, de que antes se habló, se extendía cada vez más, y en ellas se encontraba el ambiente propicio para el desarrollo de esta literatura clerical en lengua romance.

EL CLERICAL, UN ARTE DE COMPROMISO

El clérigo como autor de una poesía de intención artística inicia la *literatura* en un sentido etimológico. El poeta de la juglaría creó su obra valiéndose de la palabra que había de ser interpretada en voz alta siguiendo un ritmo; el clérigo comienza en el romance la poesía escrita, mantenida por el prestigio de la *letra* (de donde la etimología de *literatura*). De los muchos ejemplos, resulta contundente este solo verso del *Libro de Alexandre*:

en escrito yaz esto, es cosa verdadera

(Est. 2161)

El criterio del autor clerical tenía sobre sí la tradición culta de la literatura latina, y a su amparo creó, a su imagen y semejanza, las primeras obras de poesía culta en la lengua romance. Sin embargo, el arte de clerecía resultó siempre, en cierto modo, de compromiso: hubo de ser popular o aparentarlo, porque su fin era valerse de la lengua común para tratar de asuntos moralizadores, y si acudía a los temas seculares, estos habían de ser en principio acomodados al sentido de la vida medieval. El anacronismo, como la ausencia del espacio en las pinturas medievales, procede de esta circunstancia, y de la falta de un sentido filológico que no se encuentra en esta escuela. Sin embargo, el arte de clerecía intentó ser culto en cuanto a la intención, autoridad de las fuentes usadas, y a la técnica de la expresión, que enriqueció con la adaptación de una retórica a tono con los asuntos, de forma que quedara lo más cerca posible del latín [1]. Aun cuando sus autores se enorgullecen de que los hechos que cuentan proceden de los libros, las autoridades no suelen especificarse, ni el grado de su relación, que puede ir de la cita incidental a la paráfrasis o versión libre, acomodada siempre a la unidad de concepción de la obra, que es la dominante. A veces las fuentes se cruzan y enredan, y más aún por ser la trasmisión de los códices de las fuentes originales difícil de establecer.

El arte de clerecía muestra resuelta intención de extender la literatura por entre un público más amplio que el que lee en latín. Esto se ve muy claro en Gonzalo de Berceo (primera mitad del siglo XIII), que gusta llamarse juglar y usar fórmulas de juglaría. Al comienzo de la *Vida de Santo Domingo* declara su propósito de valerse del *roman paladino*, "en el cual suele el pueblo hablar con su vecino". Lo que dice en seguida de que no es tan letrado como para escribir en el latín, ha de entenderse en el sentido de que Berceo prefiere mostrarse ante uno de estos nuevos lectores que manifiestan curiosidad por esta literatura, con un ademán humilde; el poeta se refiere con sencillez a la vida cercana, sin importarle perder el empaque del latín. Es bien sabido que para retener la atención del oyente, el orador religioso usa de estos medios, animando el fin de la moralización con este atractivo, y tal ocurre con lo que Cirot llamó "certaine coquetterie" juglaresca, como la petición del vaso de buen vino. La intención de llegar al pueblo es la determinante del tono poético, pero

---

1 El estudio de algunos aspectos de la estructura y procedimientos retóricos se encuentra aplicado a un autor, en el artículo de F. WEBER DE KURLAT, *Notas para la cronología y composición literaria de las vidas de Santos de Berceo*, "Nueva Revista de Filología Hispánica", XV, 1961, págs. 113-130.

hay que entender que el pueblo es el ayuntamiento de las clases diversas, y que entre los que oyen al poeta pueden hallarse ya caballeros y letrados del romance [2]: por eso, el llamarse *obrero de Dios* y *juglar de Dios* responde perfectamente a los fines de su arte; la ingenuidad resulta ser un medio retórico para mostrarse más convincente [3]. Jorge Guillén caracterizó así a este poeta de los comienzos del mester: "A esta luz se ve la continua realidad total a través de un lenguaje continuo y, por eso, llano: el lenguaje de todos dirigido a todos, es decir, a los oyentes que en aquellos lugares de la Rioja se paran a seguir la recitación del clérigo, juglar también. El clérigo creyente cumple con su deber piadoso. El juglar consuma su obra con irreprochable congruencia. En estos albores de la poesía castellana, el idioma se mantiene al nivel más básico: común a la comunidad del público, y fiel a la esencia poética" [4].

FORMAS MÉTRICAS DEL ARTE LITERARIO CLERICAL

Los poemas del arte literario clerical se escribieron en estrofas propias. La expresión externa de los argumentos nobles del mester intentó distinguirse de las otras clases de obras romances por la regularidad en la medida de las sílabas y por el establecimiento de una estrofa fija en orden y número de versos. En el mencionado comienzo del *Libro de Alexandre* [5] el autor expresó su voluntad consciente de es-

---

2 B. Gicovate, *Notas sobre el estilo y la originalidad de Gonzalo de Berceo*, "Bulletin Hispanique", LXII, 1960, págs. 5-15, piensa incluso en una aristocracia espiritual.

3 Una penetración a través del estilo en una obra característica de Berceo se hallará en el libro de C. Gariano, *Análisis estilístico de los "Milagros de nuestra Señora" de Berceo*, Madrid, 1965; el poeta tiene ya una intención artística determinante dentro de su ministerio.

4 J. Guillén, *Lenguaje y poesía*, Madrid, 1962, pág. 37.

5 Para una cuidadosa definición de los términos usados en esta declaración de principios de la escuela, véase R. S. Willis, *Mester de clerecía. A definition of the "Libro de Alexandre"*, "Romance Philology", X, 1956-1957, páginas 212-224.

cribir en un arte superior al de los juglares no sólo por la calidad artística y condición moral de sus versos, sino también por la técnica de esta poesía:

hablar curso rimado por la cuaderna vía
a sílabas contadas, ca [*pues*] *es gran maestría.*

(Est. 2)

De las diferentes clases de versos en que se elaboró el arte de la clerecía[6], el más característico por su aspecto y por ser el más cultivado es el de la *cuaderna vía* a que se refiere el poeta. El verso está formado por hemistiquios de siete sílabas, que dan un conjunto de catorce; esta es su forma más equilibrada. Constituyen la estrofa cuatro de estos versos con rima consonante uniforme. Esta estrofa procede del influjo cultural francés, extendido sobre todo por los cluniacenses; en la poesía francesa de donde vino, fue un episodio métrico[7]. En su arraigo en España se fijó en cuatro el número de versos de la estrofa, por influjo también del tetrástrofo latino, muy empleado en la poesía medieval, asimismo en consonancia con la difusión de la redondilla octosilábica. La cuaderna vía establece una métrica que se sitúa entre el rigor musical del verso cancioneril de provenzales y gallegos por una parte, y la libertad del arte juglaresco, y el aún más libre cauce de la prosa, por otro. Si se tiene en cuenta el carácter didáctico y narrativo de las obras, resulta que este metro es una especie de prosa rimada y medida, como libre versión del *cursus*

---

6 Se encuentra la bibliografía del caso en T. NAVARRO, *Métrica española*, obra citada, págs. 56-88. Hizo atinadas observaciones P. HENRÍQUEZ UREÑA, *La versificación irregular en la poesía castellana*, obra citada, en especial, páginas 16-21; y frente a los trabajos publicados por H. H. ARNOLD, en *La cuaderna vía*, "Revista de Filología Hispánica", VII, 1945, págs. 45-47.

El título de *alejandrino* que recibe también este verso procede de que su obra más caracterizada fue el *Roman d'Aleixandre*, poema francés de la mitad del siglo XIII, fuente del *Libro de Alexandre* español. Véase G. CARY, *The Medieval Alexander*, ed. D. J. A. ROSS, Cambridge, 1956.

7 Una historia de los precedentes de la estrofa en G. CIROT, *Sur le "mester de clerecía"*, "Bulletin Hispanique", XLIV, 1942, págs. 5-16.

latino, forma mixta que posee amplitud suficiente para que el autor pueda desarrollar con holgura relatos extensos y comentarios morales, y que dispone a su vez del ritmo del verso y de la rima consonante y uniforme.

Hállase también el verso de siete sílabas usado como unidad en la estrofa; es verso antiguo de por sí, con uso en la métrica latina y luego en francés, provenzal, italiano y gallegoportugués. Los *Proverbios morales* de Sem Tob fue la obra más extensa en que se usó este verso de siete sílabas. El otro verso que sirvió para el arte de la clerecía fue el octosílabo, que combinado en rimas cruzadas forma la redondilla, existente también en el latín medieval. Su aplicación al arte narrativo de la poesía culta aparece en las cerca de 2500 redondillas del *Poema de Alfonso XI*, y en partes de la *Historia Troyana*, que son muestra de un triunfo que no hubo de acabar como le pasó al verso de la cuaderna vía; en redondillas se reunieron los heptasílabos de los *Proverbios* mencionados de Sem Tob.

Aun cuando el verso del arte clerical pretende la regularidad métrica, no la logra siempre. Y no porque la lengua no resulte aún flexible para alcanzar la medida justa, pues la desigualdad se da hasta el fin de la clerecía. Se trata de que el criterio en la medida, aunque es diferenciador con respecto a los juglares, no se aplica con un rigor matemático. En el caso de la cuaderna vía, una ligera oscilación métrica (8-7; 7-8; 6-8, etc.), acoge como versos los grupos fónicos más comunes en el español. La trasmisión manuscrita de la obra pudo a veces alterar las condiciones del original poético; aun aplicando criterios diversos en el cuento de las sílabas con grupos vocálicos y sinalefas, no se logra una medición perfecta, más conseguida en los primeros autores (Berceo, *Alexandre*) que en los siguientes.

Y ocurre que la oscilación métrica, hallada en el anisosilabismo del mester de juglaría, alcanza también a algunos poemas de diversa índole, pero de evidente base clerical. Así ocurre con el *Libre dels tres Reys d'Orient* (al que Manuel Alvar propone llamar *Libro de la Infancia y Muerte de Jesús)*; esta obra resulta también oscilante en cuanto a la métrica, y en ella la tendencia hacia el octosílabo queda interferida por una imitación del decasílabo bimembre, de claro influjo galorrománico. Igual puede decirse de la *Vida de Santa María Egipciaca,* tan relacionado con el anterior. De una condición semejante participan los Poemas de estructura dramática que reúno en el estudio de los diálogos: *Razón de Amor* y *Elena y María.* El arte clerical acaba por asegurar, sobrepasando la concurrencia del verso fluctuante, la tendencia hacia la regularidad, si bien queda vivo el recuerdo de esta oscilación. Por otro lado, la simplicidad del pareado se arrincona, y este orden de poesía da a la estrofa la condición de entidad poética estable. Y finalmente, junto al uso de estas dos estrofas, la de cuaderna vía y la redondilla, la métrica clerical abrió también un camino de gran porvenir: la polimetría. Encuéntrase manifestada en la *Historia Troyana,* adaptación del *Roman de Troie* de Benoît de Sainte-Maure (hacia 1160), parte de la cual se escribió en verso. Según Menéndez Pidal [8] es el primer autor que se esfuerza por adaptar la forma métrica al asunto, de modo que de esta correspondencia resulta beneficiada artísticamente la expresión. El metro uniforme del original francés se cambia por una mecla de prosa y verso, y el verso usado en una variedad de metros que, alrededor de 1270, anuncia la polimetría de los Siglos de Oro de la literatura española.

DESARROLLO DEL ARTE DE CLERECÍA

Puede establecerse una guía del desarrollo de este arte clerical si se considera la intención de cada obra, puesta de manifiesto en el carácter de su realización. Tres son los períodos que deja patentes la cronología de la escuela [9], que pueden situarse en la misma sucesión

---

[8] *Historia Troyana en prosa y verso, texto de hacia 1270,* publicada por R. MENÉNDEZ PIDAL, con la cooperación de E. VARÓN VALLEJO, Madrid, 1934.

[9] Una visión de conjunto de la escuela en verso de cuaderna vía se halla en el artículo escrito por G. CIROT, *Inventaire estimatif du "mester de clerecía"*, "Bulletin Hispanique", XLVIII, 1946, págs. 193-209. En lo que toca a su relación con la juglaría, R. MENÉNDEZ PIDAL, *Poesía juglaresca,* páginas 272-284.

de los siglos XIII al XV, pero la variedad que manifiesta en cuanto a los asuntos no trajo consigo la evolución hacia otras formas literarias renovadoras. En líneas generales puede decirse que en la primera parte de la escuela de clerecía se encuentra una mayor variedad de asuntos, y dominan los argumentos de gran extensión desarrollados en forma de relato continuado; en la segunda parte, se hace cada vez más uniforme el carácter moralizador de los asuntos, que buscan ser lecciones rimadas sobre la vida humana. Este sentido moralizador se prosiguió también en algunas modalidades de la poesía de Cancionero de los siglos XIV y XV, y se la encuentra mezclada con la intención lírica de carácter amoroso.

El arte de la clerecía viene a ser como una ciudad medieval en la que, rodeada por las filas extensas de estrofas de la cuaderna vía, se alza alguna que otra forma junto a ellas (verso de medida distinta), formando en conjunto una entidad cerrada que el crítico puede estudiar con relativa abundancia de textos y documentos, si lo comparamos con lo que ocurre con el derruido mester de juglaría. De esta suerte se puede verificar una ordenación por asuntos; y así la Antigüedad está representada por una *Historia Troyana* (polimétrica en la parte de verso), que, como era de esperar, no se basa en la *Iliada* homérica, sino en un *Roman de Troie,* crónica seudohistórica con aires de libro de caballerías, de Benoît de Sainte-Maure. El caballero perfecto, en el grado de la realeza imperante, se halla en el *Libro de Alexandre,* el más clerical de todos, de fuentes francesas, aunque también acusa alguna árabe. El espíritu de aventuras, a la manera bizantina, animó el *Libro de Apolonio,* de origen griego y abundantemente representado en la literatura latina. El *Poema de Fernán González* recogió un tema de gesta mezclando leyenda e historia. El *Poema de Alfonso XI* [10] es un intento de renovar este arte con una historia biográfica del rey en una estrofa que no tuvo fortuna para este fin. La sentenciosidad judía se encuentra en los curiosos versos

---

[10] El Poema puede ser hoy leído en una cuidadosa edición de Yo TEN CATE, *El Poema de Alfonso XI,* Madrid, 1956, cuyo estudio preliminar y vocabulario habían aparecido en Amsterdam, 1942.

de Sem Tob, rabino de Carrión, de mediados del siglo XIV. De intención moralizadora es otro de los complejos libros del mester, el *Rimado de Palacio* de Pero López de Ayala (1332-1407), obra para cortesanos, escrita por uno de ellos, clérigo secular en un sentido estrictamente literario. Insistiendo en la misma apreciación negativa de la vida humana, pero con sentido más general, se escribió el *Libro de miseria de omne* (fines del siglo XIV), obra desgarbada. Las obras de sentido religioso abundan en el arte clerical: Gonzalo de Berceo, clérigo secular del Monasterio de San Millán, comenzó en la primera mitad del siglo XIII esta modalidad con un grupo de obras marianas bastante numeroso, y sobre Santos del lugar, de especial edificación popular. La *Vida de San Ildefonso* (hacia 1304) es obra de igual intención, pero mucho menos lograda. El asunto de la vida del casto José inspiró un poema aljamiado árabe, de fuentes coránicas, *Poema de Yúçuf*, y otro en la aljamía hebrea, las *Coplas de Yoçef*, de fuentes bíblicas. Ambas obras, de pobre calidad poética, demuestran, sin embargo, la extensión de esta intención del arte clerical a la literatura aljamiada.

Para el fin de esta relación quedan las obras en las que el sentido clerical sigue vías de expresión confusas, fluctuando entre la oscilación propia de la juglaría en la métrica y la condición de europeas en el argumento. De esta clase se puede considerar el *Libre dels tres Reys d'Orient* (¿1250-1260?) ya mencionado, perteneciente al intento de los Evangelios apócrifos de ilustrar la vida oculta de Jesús, que en este caso enlaza infancia y muerte a través de la huida y la conducta de dos ladrones cuyos hijos acompañan a Jesús en la Cruz; la presencia de la Madre del Señor da a la obrita carácter mariano.

Otro poema narrativo es el ya referido de *La vida de madona Santa María Egipciaqua*[11], cuyo asunto se refiere a la leyenda de María Egipciaca, la pecadora que al cruzarse con Jesús cambia de vida. El relato sigue de cerca los textos franceses sobre el mismo asunto, pero

---

11 Las ediciones de estos poemitas quedaron indicadas en la nota 2 del Capítulo VIII.

es evidente la intención de recrear el asunto para presentarlo con más viveza en un metro irregular, de apariencias juglarescas. La condición clerical de la elaboración viene señalada también por el hecho de que un mismo manuscrito contiene el anterior *Libre dels tres reys d'Orient* la *Vida de Santa María Egipciaca* junto con el *Libro de Apolonio*, clara manifestación de la forma más común del mester. Éstas obrillas están en los límites entre juglaría y clerecía, participando de ambos en el esfuerzo por afirmar la literatura romance; la conciencia del género radica en el argumento, y el estilo de la expresión conserva aún gran libertad.

El arte de este mester literario tiene su culminación en Juan Ruiz, Arcipreste de Hita [12]. Por una parte, en la primera mitad del siglo

---

[12] Juan Ruiz es el autor de más diversas interpretaciones en el juicio de los críticos. Resumido el asunto en MENÉNDEZ PELAYO, *Antología de poetas líricos castellanos*, ed. Obras Completas (I, Cap. V, págs. 257-314), el prólogo de J. CEJADOR a la edición de "Clásicos Castellanos" (Madrid, 1913), difundió una interpretación muy parcial del Arcipreste, que han puesto en su punto, cada uno desde diferentes puntos de vista, los críticos posteriores: E. LECOY, *Recherches sur le "Libro de Buen Amor" de Juan Ruiz, archiprête de Hita*, París, 1938, libro básico que explora la relación de su autor con la literatura europea. Con esta misma orientación, entendiendo el *Libro de Buen Amor* como obra con que reir, O. H. GREEN, en *Spain and the Western Tradition*, obra citada, I, cap. II, págs. 27-72, considera que es una parodia en la que cabe la contradicción necesaria para establecer la tensión creadora, que se resuelve o por la alegoría o por la palinodia. R. MENÉNDEZ PIDAL, en *Poesía Juglaresca*, obra citada, trata sobre las condiciones juglarescas del arte del Arcipreste; M. R. LIDA, *Notas para la interpretación, influencia, fuentes y texto del "Libro de Buen Amor"*, "Revista de Filología Hispánica", II, 1940, páginas 105-150, y *Nuevas notas para la interpretación del Libro de Buen Amor*, "Nueva Revista de Filología Hispánica", XIII, 1959, págs. 17-82, en particular sobre el sentido didáctico del libro; L. SPITZER, *En torno al arte del Arcipreste de Hita*, publicado en *Lingüística e historia literaria*, Madrid, 1955, páginas 103-160, se refiere al sentido artístico de la autobiografía; siguiendo más allá de este artículo, que toma como punto de partida, T. R. HART estudió *La alegoría en el "Libro de Buen Amor"*, Madrid, 1959, queriendo leer el libro de manera parecida a como lo hicieran los lectores del tiempo de Juan Ruiz. Sobre Juan Ruiz, autor mudéjar, véase nota 24 del Capítulo V; C. SÁNCHEZ-ALBORNOZ rechaza las posibles relaciones con obras hebreas frente a la tesis de M. R. LIDA en *Originalidad creadora del Arcipreste frente a la última teoría sobre el "Buen Amor"*, "Cuadernos de Historia de España",

XIV, en que se escribe el *Libro de Buen Amor,* la poesía encauzada por el metro de la cuaderna vía se halla en su entera madurez, y por tanto Juan Ruiz dispone ante sí de esta experiencia literaria; y por otra, otro tanto le ocurre al mester de juglaría. No han de considerarse ajenos ambos mesteres, ni tampoco la existencia de un Cancionero que divulgó en abundancia la poesía de origen provenzal, y más en el caso de un escritor consciente de su obra, cuidadoso de los efectos estilísticos como fue el Arcipreste. Su fuerte personalidad literaria, la más vigorosa de la Edad Media, pudo recrear motivos europeos y árabes manteniendo siempre la unidad del Poema, y utilizarlos no tanto como guías de su obra, sino como alternativas de su inquieta ciencia poética. No es de extrañar que, fuera de su ambiente, haya resultado un autor difícil de entender (y aún más, de gustar), y que su obra quedase sin imprimir hasta que la erudición redescubrió el texto, y después la crítica se esforzó en comprenderlo, al menos en su intención. Puesto hoy en un plano de controversia, el Poema de Juan Ruiz es un asunto muy debatido, y de las diversas opiniones se saca una última conclusión: y es que su autor fue un poeta que sólo pudo pertenecer a España; este juicio no es tan leve como parece. Si bien es evidente que cada poeta es de su tierra y no de otra, hay, en el caso de Juan Ruiz, una serie de realidades que, desde un punto de vista poético, no pudieran haber existido en otra parte. La cohesión con que logró organizar la unidad de su obra, *Libro de Buen Amor,* entre el fundamento de su condición religiosa como Arcipreste de Hita, y los procedimientos y usos que tomó de judíos y árabes, constituye un extraño caso de equilibrio artístico. Valiéndose de la forma autobiográfica, muy extendida en la literatura árabe (en particular de las *maqamas,* tomadas probablemente de ver-

---

XXXI-XXXII, 1960, págs. 275-289. En cuanto a la expresión *buen amor,* que da título al libro, se interpreta a través de los usos dentro de la obra, en G. SOBEJANO, *Escolios al "buen amor" de Juan Ruiz,* "Homenaje a Dámaso Alonso", III, 1963, págs. 431-458; y en cuanto a la problemática cultural que plantea, en F. MÁRQUEZ VILLANUEVA, *El buen amor,* "Revista de Occidente", III, 1965, págs. 269-291. Sobre las ediciones del libro se trató en las páginas referentes a las cuestiones de la impresión de las obras medievales en el Cap. II.

siones judías) concibió una obra en la que declara su pretensión de enseñar a las gentes. No sería esto extraño, puesto que la intención de enseñanza se halla tan presente en la literatura medieval, si los casos contados fuesen doctrina y ejemplos como los conocidos. Hay doctrina y hay ejemplos en el *Libro de Buen Amor,* pero la doctrina está expuesta a través de un relato en primera persona, y los ejemplos son pruebas que acompañan esta experiencia, que ha de entenderse literaria y no personal del autor. Juan Ruiz enseña y divierte en sus frustradas aventuras, sobre todo de carácter amoroso, ríe y llora en diversas situaciones de la inventada trama, y abre las páginas de su *Libro* a toda suerte de poesía, seria y jocosa, religiosa y profana, como si quisiera ser él mismo un extenso Cancionero. Las burlas de Juan Ruiz tienen un claro cauce paródico, pero su atadura a una realidad sorprendida poéticamente lo salva de la caricatura intelectual y lo aleja del sentido goliardesco (que a veces, sin embargo, sigue de cerca), acercándolo al moderno humor, del que es el más importante precedente antes de los Siglos de Oro.

El *Libro de Buen Amor* es la obra más lograda como creación poética en la literatura medieval, por cuanto el escritor logra manifestarse en su plenitud vital, desarrollando las formas retóricas que mejor se acomodan con su personalidad, y esto con una soltura que no tiene igual en el período. La condición clerical de la obra es clara si se estudian las fuentes que maneja, pero también se manifiesta como el poeta más comprometido de la clerecía al valerse de las fórmulas de la juglaría, y además abrir su libro a la lírica cortés y popular.

El término del arte clerical acontece precisamente cuando se alcanza el fin que se propuso: el triunfo del romance como lengua literaria. El arte clerical quedó inútil cuando el Humanismo se enriqueció con la disciplina filológica, y se buscaron fuentes mejores, vertidas más de cerca. La expresión de la personalidad literaria fluyó más libre en la prosa, y el verso de arte mayor heredó muchos de los propósitos del clerical. La fantasía tuvo un cauce sin límites en la prosa de los libros de caballerías y otros. La renovación de la poesía se manifestó en una ampliación de las formas de expresión, y el arte clerical quedó desbordado desde dentro. Su estrofa más característica, la cuaderna vía, se olvidó, mientras que el verso octosílabo proseguía su arraigo en la lengua castellana.

Capítulo X

EL ARTE DE LA CORTESÍA O POESÍA CANCIONERIL

LA POESÍA CORTÉS O NUEVA

La cortesía resultó ser una disciplina espiritual que caracterizaba la acción de los caballeros de linaje en cuanto que daba un tono de nobleza a su vida. Su significación es muy compleja [1]; la cortesía representaba la más elevada condición del alma, tanto desde el punto de vista moral como desde el que procedía de poseer ciencia y conocimientos. En los Castigos (o avisos) del Rey de Menton de *El Caballero Cifar* se dice primero: "... con el saber puede hombre ser cortés en sus dichos y en sus hechos". Pero esto no pareció bastante, y se añadió: "... cortesía es suma de [y otro manuscrito trae: *todas*] las bondades..." [2], explicándose como el ejercicio de la conducta en la que rige el temor de Dios, la vida sin secretos, el saber dominarse, practicar el bien con todos, contentarse con lo que tuviere, usando de buena manera de las riquezas, sin dejarse llevar del despecho. La cortesía resulta así ser ciencia y virtud conjuntas, y esto sobre todo en relación con la vida activa, que se había de desarrollar en la Corte, de la que deriva el término, entendiéndose, pues, que

---

1 J. A. Maravall, *La cortesía como saber en la Edad Media,* "Cuadernos Hispanoamericanos", 186, 1965, págs. 528-538.

2 *El Libro del Cauallero Zifar,* ed. de Ch. P. H. Wagner, Ann Arbor, 1929, pág. 294.

cortesía sería la conducta del que vive en Corte. Lo mismo que ocurrió con clerecía, también en este caso la palabra toma un sentido estrictamente literario, y así se denomina poesía cortés por cuanto que en las Cortes se hallaban los que la "interpretaron" como forma de vida. La gente de la Corte tenía el saber conveniente para entender el arte de esta poesía, extremadamente sutil. Y en las Cortes se hallaba el ambiente propicio para que se diesen las situaciones que requería el juego de amor, o el comentario del moralista sobre los vicios de los estados sociales y del gobierno, o la anécdota desvergonzada. En estas Cortes de Reyes o señores se tuvo en gran estimación la poesía, y se le reconocía una función en la vida social que todos aceptaban como señal de nobleza. A veces se unía al señorío de linaje con la gracia de la poesía, pero si no iban juntos, entonces el noble se valía del poeta, y este ejercía su maestría en la que el aprecio de la obra podía incluso medirse por la cuantía del galardón recibido.

Desde bien pronto esta poesía quiso distinguirse de los otros géneros por la reflexión que estableció sobre su arte; la habilidad literaria de los juglares y las artes de la clerecía dejaron una obra poética mejor o peor conservada, pero pocas observaciones sobre su técnica o intención poéticas. La poesía cortés, desde fines del siglo XIII al siglo XV, fue formulando una teoría de su arte literario, que solía acompañar las obras como prólogo o declaración, y que sirve para entender hoy el sentido que tuvo para su tiempo. Aun cuando se trata de una literatura de carácter culto, propia del ambiente cortés, el arte de esta poesía puso de manifiesto su intención de diferenciarse de la retórica de los *antiguos*, y se asignó a sí misma, según se dijo en el cap. IV, una función en los tiempos nuevos o *modernos*.

EL ARTE DE LA POESÍA CORTESANA EN CASTILLA ANTES DEL "CANCIONERO DE BAENA"

Una poesía de esta naturaleza tardó en componerse en lengua castellana. El de Santillana escribía (hacia 1449, según Amador): "...no ha mucho tiempo cualesquier decidores y trovadores de estas partes, ahora fuesen castellanos, andaluces o de la Extremadura, todas sus obras componían en lengua gallega o portuguesa". Esto es un dato fundamental para enjuiciar el asunto. El Marqués en dicho párrafo otorga al gallego carácter de lengua de "género", y en la mención de los trovadores de España reúne a las diversas partes en una unidad que es importante señalar desde el punto de vista lingüístico. El castellano acabará por hacerse con las maneras expresivas de esta poesía, originariamente manifestadas en la dicha "lengua-género", y a través de una sucesiva aproximación y remozamiento de sus formas gramaticales, logrará al fin abrir por entero y sin disfraces lingüísticos el dialecto de Castilla a este género de creación [3].

La lengua castellana no tuvo hasta época tardía poetas que cultivasen un arte de esta naturaleza, elevado y sutil. Por tanto, cuando esta poesía se escribe en Castilla ya posee un desarrollo maduro que tuvo su comienzo en la poesía provenzal, y en España se continuó en el arraigo que en Galicia logró este arte y lo adaptó a las circunstancias sociales del país. Santillana lo dijo, como primer historiador de nuestra literatura: : "Extendiéronse, creo, de aquellas tierras y comarcas de los lemosines estas Artes a los gálicos y a esta postrimera y occidental parte que es la nuestra España, donde asaz prudente y hermosamente se han usado". Esta extensión se verificó por medio de los intérpretes de esta poesía, y Menéndez Pidal distingue dos períodos: el de la interpretación juglaresca occitánica (1135-1230), y el de la gallega (1230-1330) [4]. La culminación de este influjo se verificó en la Corte de Alfonso X el Sabio, donde se reunieron las diversas modalidades.

---

3 Véase el estudio de R. LAPESA, *La lengua de la poesía lírica desde Macías hasta Villasandino,* "Romance Philology", VII, 1953, págs. 51-59.

4 R. MENÉNDEZ PIDAL, *Poesía juglaresca,* obra citada, Cap. V y VI, páginas 101-198.

EL CANCIONERO COMO COMPLEJA UNIDAD LITERARIA

La poesía lírica cortés escrita en lengua castellana se conserva generalmente en "Cancioneros" o códices que suelen hallarse bellamente caligrafiados, a veces con iluminadas capitales, como es propio de una obra que pertenece a un ambiente cortesano [5]. Este mismo título de Cancionero puede servir para designar no ya la materialidad del códice, sino la obra poética en él contenida. La poesía conservada en estos Cancioneros es de muy diversa procedencia, y casi siempre son varios los autores que se reúnen en cada uno, aunque también puede ser de un solo poeta. Sin embargo, su presencia en unos mismos códices ha servido para que, contando con esta diversidad, se dé la mención de *cancioneril* a la obra en conjunto y al estilo que puede describirse en su consideración. Estos cancioneros son hoy la gran fuente de conocimiento de esta poesía que comienza en el de Baena y puede

[5] El número de poesías líricas de carácter cortés es muy elevado, y están contenidas en cerca de 50 cancioneros, cuya referencia bibliográfica y mención del primer verso de las poesías contenidas, se hallarán en la citada *Bibliografía de la Literatura Hispánica,* de J. SIMON, 2.ª edición, tomo III, vol. primero, págs. 295-487. Puede verse también el mencionado *Manual de Bibliografía de la Literatura Española,* de H. SERÍS, que extiende la mención del estudio bibliográfico de los Cancioneros hasta el siglo XVII. De estos dos Cancioneros de principio y fin, hay edición facsímil del de Baena (antes citada), y se sigue reimprimiendo la anticuada edición de P. J. PIDAL, Madrid, 1851 (Buenos Aires, 1949); ed. F. MICHEL, Leipzig, 1860, 2 tomos; del *Cancionero general* recopilado por Hernando del Castillo existe una edición facsímil, con introducción bibliográfica, índices y apéndices por A. RODRÍGUEZ-MOÑINO, Madrid, 1958, completada por un suplemento de las poesías que no figuran en la primera edición y que fueron añadidas desde 1514 hasta 1517, del mismo erudito, Valencia, 1959. Hasta tal punto este sentido de la palabra Cancionero puede juntar la obra de su estilo, que R. FOULCHÉ-DELBOSC reunió en un enorme corpus la lírica española del siglo XV bajo el título colectivo de *Cancionero castellano del siglo XV,* Madrid, 1912-1915, dos volúmenes. Se ha publicado recientemente: ***El Cancionero de Gallardo,*** ed. crítica de J. M. AZÁCETA, Madrid, 1962.

considerarse terminada, por lo que a la Edad Media se refiere, en el de Hernando del Castillo.

LA MATERIA POÉTICA CANCIONERIL Y SUS CAUCES FORMALES

La poesía cancioneril es de una gran variedad. No obstante, tiene en común una expresión que crea un estilo cerrado, casi una lengua de género que usan los poetas aceptando en común su condición convencional. Se admitían por anticipado sus motivos, los temas, el sistema del conjunto. La poesía se redacta desde el punto de vista del hombre, caballero, trovador; lo común es que trate de su amor por una dama. Este amor resulta ser una palabra en extremo compleja [6] porque está en relación con los Tratados que sobre esta materia se difundieron en la Edad Media; considerado en sus manifestaciones de origen, establece una especie de culto laico a la mujer, y así el léxico de esta poesía con frecuencia se confunde con el religioso [7].

Cortesía, hermosura, gracia, alegría, cordura, noble figura, bondad y otras más de este sentido son las características que la tradición de esta poesía reúne en torno de la señora, objeto de este trato [8]. Esta relación se establece en una ordenación que todos aceptan: el caballero oye hablar de la belleza de su dama, o la ve; hay una contemplación desde lejos, sin osar dirigirle la palabra; el diálogo es el paso siguiente; y en los casos de fortuna ella admite el ofrecimiento del servicio de amor, y la dama entrega al caballero una prenda. Esta es la *canción de amor*, en la que se usa el juego de situaciones que pro-

---

[6] O. H. GREEN explora su complejidad temática en el artículo *El amor cortés en Quevedo*, Zaragoza, 1955, donde aún persisten los motivos que estudia en *Courtly Love in the Spanish Cancioneros*, "P. M. L. A.", LXIV, 1949, págs. 247-301.

[7] Véase el citado libro de WARDROPPER, *Historia de la poesía lírica a lo divino en la Cristiandad occidental*, pág. 39.

[8] Pueden sorprenderse en enumeración de Juan Ruiz en dos estrofas de su obra; véase A. H. SCHUTZ, *La tradición cortesana en dos Coplas de Juan Ruiz*, "Nueva Revista de Filología Hispánica", VIII, 1954, págs. 63-71.

cede de Provenza, donde el vasallaje del poeta cortés es la trama del amor, y el servicio amoroso, su manifestación. La lírica italiana había recreado el concepto del amor dándole un sentido virtuoso en el que el poeta entiende que solo dedicarse a él es ya un beneficio. A veces la dama podía ser la más alta señora de la Corte, y la misma reina Isabel recibió a veces homenajes, como el de Antón de Montoro, que ocasionaron escándalo literario.

Toda esta trama se expresa en esta *canción* [9], poesía destinada al canto como indica su nombre, y en la cual el poeta pretende demostrar su pericia en el manejo de las rimas y de las estrofas, cuya complicación es singular; en su forma más simple, está compuesta de una redondilla inicial, a la que sigue otra, libre, y una tercera que está ligada por la rima con la primera, y así sucesivamente; es, pues, una obra trabada no sólo por el sentido, sino de manera manifiesta por la conformidad de estrofas en un caso, y por la combinación de rimas. El *decir* [10], generalmente poesía para leer, se usó para los otros asuntos como estrofa abierta, propia para asuntos amplios, de carácter moralizador, aunque también podía ser amoroso; usó el octosílabo como la *canción,* pero también otros metros. El metro de arte mayor o dodecasílabo sustituyó al alejandrino en los asuntos literarios de la clerecía, de los que es, en parte, su remozador en esta nueva manera de poesía. La alegoría sirvió para las grandes creaciones del cancionero a la manera de Dante y Petrarca, y también de acuerdo con los modelos franceses, sin olvidar las comunes raíces latinas de este sistema de expresión. La transición desde el sentido de la antigüedad que se manifiesta en el mester de clerecía y los inicios y formación de un Humanismo con aires renovadores en la creación literaria corre a través de esta poesía alegórica en una sucesiva trasformación de sus elementos y técnica poéticos cada vez más ajustados.

---

9 Véase la variedad de la métrica del arte cancioneril en T. NAVARRO, *Métrica española,* capítulo dedicado a la "Gaya Ciencia", obra citada; para la canción, págs. 117-120.

10 *Idem,* págs. 121-123.

Las formas métricas cancioneriles aparecen, pues, cubriendo esta extensa variedad temática de una poesía cortesana. Su terminología, en cuanto a versos y estrofas, fue confusa en los mismos compiladores, y esto ha creado dificultades. Los nombres recogidos por Tomás Navarro y por Le Gentil [11] constituyen el amplio repertorio que puede poner en orden la terminología en el estudio de la Gaya ciencia.

El arte mayor, usado cada vez más en el curso del siglo XIV, alcanza su triunfo más claro en el siglo XV con el *Laberinto de Fortuna* de Juan de Mena. El verso del arte mayor de ritmo básicamente uniforme y de medida variable en torno de la base de doce sílabas (6-6) resultó un verso flexible y adaptable dentro de su estructura melódica de pausas y apoyos muy señalados. La estrofa más común fue la "copla de arte mayor", constituida por lo general por dos cuartetos trabados por las rimas consonantes. Esta modalidad sirvió para la expresión de contenidos doctrinales y narrativos. Su cultivo decayó ya a fines del siglo XV, y el triunfo del endecasílabo, ya ensayado por Imperial y Santillana, lo hundió definitivamente; el isosilabismo de base firme y una condición acentual con un sentido melódico diferente quedó asegurada, y en parte el proceso de las formas del propio verso de arte mayor cercano en medida y en soluciones al endecasílabo, pudo abrir un camino de trasformación en favor del endecasílabo. En 1585, Cervantes aún incluye en *La Galatea* una égloga de contenido pastoril según la moda renacentista, con este metro, alternando con estancias según la moda impuesta por la corriente italianizante [12]. El octosílabo siguió su curso ascendente, más firme aún

[11] Con respecto al *Cancionero de Baena*, es básico el estudio de H. R. LANG, *Las formas estróficas y términos métricos del Cancionero de Baena*, en *Estudios in memoriam de A. Bonilla y San Martín*, Madrid, 1927, I, páginas 485-525. T. NAVARRO ha recogido metódicamente esta variedad en la obra *Métrica española*, y P. LE GENTIL, en *La poésie lyrique espagnole et portugaise à la fin du Moyen Âge*, obra también citada. D. C. CLARKE, *The Copla de Arte Mayor*, "Hispanic Review", VIII, 1940, págs. 202-212. Véase también la nota 4 del Cap. XIII.

[12] Micer Francisco Imperial resulta en esto el poeta clave. Véase la extensa y ponderada información de R. LAPESA, *Notas sobre Micer Francisco Imperial*, "Nueva Revista de Filología Hispánica", VII, 1953, págs. 337-351.

por el triunfo del verso del "romance", apenas representado en los Cancioneros. Las combinaciones estróficas de esta canción penetraron vigorosas en el siglo XVI, y con ella una diversidad métrica que sirvió para mantener las tendencias polimétricas de la literatura española, manifestadas aún con más vigor en los Siglos de Oro.

EL POETA DE ESTE ARTE Y SU CIENCIA

Juan Alfonso de Baena describe al poeta de este arte en el prólogo de su *Cancionero;* allí da un paradigma de perfecciones: "noble, hidalgo y cortés y mesurado y gentil y gracioso y pulido y donoso y que tenga miel y azúcar y sal y donaire en su razonar, y otrosí, que sea amador". Este retrato es una suma de cualidades necesarias para que la poesía tenga su efectividad, y de ellas se desprende que una obra así ha de ser para los entendidos, y no busca como la del juglar o la del clérigo la aprobación y el entendimiento de una mayoría de gentes. El Marqués se cuida de señalarlo dirigiéndose al Condestable don Pedro: "así como la materia busca la forma, y lo imperfecto, la perfección, nunca esta ciencia de poesía y gaya ciencia se hallaron sino en los ánimos gentiles y elevados espíritus". Tal para cual, pues, la relación entre el poeta y la obra revertía en el que la había de gustar. Baena dijo de esta clase de poesía que era "ciencia, avisación y doctrina... alcanzada por gracia infusa del señor Dios". Y Santillana, por su parte añade: "¿Cuál de todas es más presente, más noble o más digna del hombre?". En consecuencia, esta poesía fue siempre un alarde de técnica, una cuidadosa elaboración de metros y estrofas en la que las dificultades eran prueba de virtud creadora, un exasperado juego de la inteligencia sobre una materia de naturaleza romántica, si se trataba de lírica amorosa, por ir referida a una

---

La *Edición crítica del "Dezir a las syete virtudes" de Francisco Imperial* fue publicada en la misma revista, VIII, 1954, págs. 268-294, por A. WOODFORD. La égloga en CERVANTES, *La Galatea,* ed. J. B. AVALLE ARCE, I, Madrid, 1961.

pasión en la que la correspondencia entre la palabra y la acción, entre el poema y su realidad sentimental, resulta siempre un enigma para el lector (y aun, para el crítico) moderno. Y si la obra tenía un fin edificante, moralizador, político o social, nos queda también la duda de cuál fuese el grado de su sinceridad, y sobre todo el sentido de su eficacia. Pero estas dificultades no han de obstar para que reconozcamos que el autor de una obra de esta clase, por breve que ella fuese, era un hombre para el que la cortesía era un estilo de vida, una manera de comportarse ante los demás, en el que empeñaba el logro de un esfuerzo por la creación de la obra poética [13].

LA GLOSA Y EL SENTIDO DE LA POESÍA CANCIONERIL. CORTESÍA Y CORTESANÍA

La glosa ha de considerarse la forma más perfecta de esta estructura en que un estribillo (culto o popular, de autor conocido o ignorado) se relaciona con un desarrollo poético que lo perfila, matiza, extiende y comenta en forma que en sus apariencias lingüísticas (verso, disposición de las rimas, continuidad de las estrofas, uso de las sutilezas léxicas y conceptuales) alcanzan a dar la impresión del rigor de una disposición de índole geométrica [14]. Tal es la intención de la glosa, que en su forma más perfecta liga una redondilla temática con el desarrollo recogiendo en las cuatro estrofas de la glosa un verso de ella como represa.

---

[13] O. H. Green, *Courtly Love in the Spanish Cancioneros,* artículo citado en la nota 6 de este capítulo. Este amor cortés, tanto en el tecnicismo de su expresión como por el peculiar carácter de la relación sentimental que representa, ha podido ser concebido como una especie de culto laico a la mujer o religión secular; véase el citado libro de Wardropper, *Historia de la poesía lírica a lo divino en la Cristiandad Occidental,* pág. 39.

[14] H. Janner, *La glosa española. Estudio histórico de su métrica y de sus temas,* "Revista de Filología Española", XXVII, 1943, págs. 181-232; y *La glosa en el Siglo de Oro,* del mismo autor, Madrid, 1946. Véase también la nota 19 del Capítulo VII.

Soy de la opinión de que el concepto básico de *glosa* es el más propio para esta poesía artística que quiere entrelazar las partes de la obra según un orden en el que la cohesión depende de la apretada significación del conjunto. Este sentido de la glosa es la vía por la que la poesía popular puede integrarse en el Cancionero, bien conservando el estilo propio o bien asimilándolo a la técnica cortesana, y aun fundiéndose ambas con un nuevo aire en el que prosperan modalidades renacentistas. En último término, por ser esta lírica en Castilla tan tardía, puede decirse que toda ella es como una inmensa glosa matizadísima de unos mismos principios poéticos. El "preciosismo" resulta su única vía de renovación, si esta cabe, y en todo caso se busca afinar cada vez más sutilezas de expresión. Esto no significa que no pueda ocurrir el milagro poético. Tal es Jorge Manrique que sobre su dolor y el tópico de los *ubi sunt?* alzó el magno acierto de las *Coplas,* obra maestra del género cancioneril en su modalidad de poesía elevada [15]. El estilo *cancioneril* no acabó al término del Medievo, sino que en los Siglos de Oro convivió con la obra italianizante. El uso repetido del término *cortés* condujo a su trivialización, y al fin de la Edad Media, y como signo del paso hacia el Renacimiento, se asegura el triunfo de otra palabra *cortesanía* (y sus derivados, *cortesano,* etc.) para representar la acción propia del hombre educado en la Corte. La palabra se toma sobre todo del influjo italiano que procede del *Cortesano* de Castiglione. La traducción de Boscán representa el esfuerzo por adaptar a la situación española el ejemplario italiano. De esta manera, *cortés* y *cortesanía,* presentes en la lengua española desde sus orígenes [16], son los núcleos de activa significación que recogen esta sucesión de modas, arraigadas en la vida social y personal, de tanta importancia para la literatura.

---

[15] La obra que mejor permite percibir el difícil caso de conciencia del poeta de este arte cancioneril es el libro de P. SALINAS, *Jorge Manrique o tradición y originalidad,* Buenos Aires, 1947.

[16] Véase M. MORREALE, *Castiglione y Boscán: El ideal cortesano en el Renacimiento español,* dos tomos, Madrid, 1959, en especial I, pág. 119.

CAPÍTULO XI

PROSA MEDIEVAL

PROSA ESCRITA, ORATORIA Y LENGUAJE CONVERSACIONAL

En los orígenes de las literaturas románicas, la prosa tardó más que el verso en entrar por los cauces de la expresión artística. Si consideramos la prosa en un sentido negativo como lo que no es verso, hay que distinguir sus diversas manifestaciones, que se corresponden con géneros literarios diferentes. En la prosa *escrita,* sobre todo si su contenido es de carácter objetivo, predomina una disposición estilística basada en la expresión de orden lógico. En la prosa coloquial o lenguaje de la conversación, el curso dialogal es más complejo, porque cuenta entonces la presencia de los interlocutores; entonación y gesto matizan una comunicación que en el caso de la prosa escrita queda confinada en el texto, sin apoyo extralingüístico [1]. La oratoria, que usa de la palabra para convencer al oyente, es otra modalidad prosística, la de más larga tradición artística. La oratoria de los antiguos, gentiles y cristianos, fue el fundamento de las Artes retóricas, como antes se dijo; por tanto, la oratoria tuvo siempre en uso una técnica de la exposición oral, cuidadosamente establecida. La prosa escrita

[1] Puede encontrarse un planteamiento general de estas cuestiones en: E. ANDERSON-IMBERT, *Qué es la prosa,* Buenos Aires, 1958.

tuvo que abrirse paso poco a poco adentrándose en dominios de la expresión que eran propios del latín, y en otros aspectos, del árabe: doctrina religiosa y moralizadora, historia, relatos de entretenimiento, cuentos y libros de ficción. El diálogo conversacional puede encontrarse esporádicamente en los casos en que un autor imita en forma deliberada el habla cotidiana, y sobre todo, en el teatro, donde, con el tiempo, ha de ser el fundamento de la expresión dramática, que en algunos casos pretende acercarse a la realidad de la lengua hablada, y en otros, recoge el preciosismo expresivo de los Cancioneros, llegando a constituir un habla convencional, con la gran eficacia de crear ella sola por sí misma una realidad que se estima como la propia de la escena.

PROSA RELIGIOSA: SERMONES Y ESTILO ECLESIÁSTICO

La Iglesia, como se dijo en otro lugar, aprovechó pronto el uso de la lengua romance para los fines de adoctrinamiento, y si este era oral y colectivo, la forma usada fue el sermón [2]. La oratoria sagrada [3] pudo pasar, sobre todo en las modalidades más artísticas, a la obra escrita, y mezclarse con la intención moral, conservando el valor fundamental de este estilo eclesiástico, que es la pasión arrebatada, manifestándose sobre todo en el uso del apóstrofe. La obra que mejor aprovecha esta modalidad literaria es la de Alfonso Martínez de Toledo, Arcipreste de Talavera (1398?-1470?). Entre otros libros de carácter religioso, escribió uno que se conoce impropiamente con el título de *Corbacho* (que no tiene que ver con el *Corbaccio* italiano), cuando el suyo es el de *Reprobación del amor mundano*. En esta obra el Arci-

[2] La prueba de que el verso se estimó vehículo también útil para este fin lo prueba que el primer tratado de doctrina cristiana, titulado *Doctrina de la discriçión*, de Pedro Veragüe, sea obra del arte clerical, en verso (ed. R. FOULCHÉ-DELBOSC, "Revue Hispanique", XIV, 1905, págs. 565-597).

[3] J. BENEYTO, *Teoría cuatrocentista de la Oratoria*, artículo citado, páginas 419-434. Sobre la importancia de los sermones, E. GILSON, *Les idées et les lettres*, Paris, 1932, págs. 93-154.

preste reunió dos modalidades de prosa de bien distinto carácter; una fue la que procede de la imitación del estilo eclesiástico de los Padres de la Iglesia, y otra, la que es hechura de la conversación popular. Esta obra demuestra la flexibilidad de la prosa artística medieval que funde el estilo elevado de la retórica eclesiástica (y su contribución a los libros de la época), con el estilo humilde o del pueblo, y al que se recoge con entera conciencia de su sentido artístico [4].

PROSA DOCTRINAL O SENTENCIOSA

La prosa doctrinal puede considerarse en relación con la religiosa, sólo que sus fuentes pueden extenderse en un sentido más amplio a la tradición moralizadora de los antiguos, los árabes y los judíos. Con diversos títulos de Libros, Tratados y Catecismos se escriben en el siglo XIII obras cuyo contenido es el de consejos, sentencias morales y enseñanzas. Cuando la prosa va tomando empuje como obra artística, este género de obras pierde interés en relación con las que pretendían lo mismo, pero utilizaban el recurso de los ejemplos, y entonces la intención de enseñar propia de las obras doctrinales se vierte en los cuentos que encauzan por la vía literaria de la ficción el mismo propósito [5].

Por otra parte, la prosa doctrinal, además de la orientación que procedía de su relación con el estilo oratorio, logró madurar en grado

[4] E. von Richthofen, *Alfonso Martínez de Toledo und sein "Arcipreste de Talavera", ein kastilisches Prosawerk des 15 Jahrhunderts,* "Zeitschrift für Romanische Philologie", LXI, 1941, págs. 417-537. D. Alonso quiso, a su vez, poner de relieve que el Arcipreste utilizaba una técnica de condición realista con el fin moralizador en *El Arcipreste de Talavera, a medio camino entre moralista y novelista,* artículo publicado en *De los siglos oscuros al de Oro,* obra citada, págs. 125-136. Y R. A. del Piero ha restituido a su autor, Alonso Núñez de Toledo, un sermón de hacia fines de 1481, pieza ascética de ajustado desarrollo, en el artículo *El "Vencimiento del mundo": autor, fecha, estructura,* "Nueva Revista de Filología Hispánica", XV, 1961, págs. 377-392.

[5] Véase como información general: J. T. Welter, *L'Exemple dans la littérature religieuse et didactique du Moyen Âge,* Paris-Toulouse, 1927.

suficiente para acoger en la lengua romance los asuntos de orden político y moralizador, propios hasta entonces del latín. Si ya se dijo antes que la literatura medieval tenía un fin moralizador en sus más varios aspectos, se comprende que este paso de los libros latinos hacia la lengua vulgar sea una corriente constante, cuyas fuentes aparecen en confusión. Así ocurre, por ejemplo, con las *Flores de los "Morales de Job"*, de Pedro López de Ayala [6], a modo de un "liber sententiarum" de doble procedencia. El camino, por tanto, está en que la obra gane entidad en un libro intencionado o se disuelva en sentencias o proverbios, de los que hablaré en seguida. Estas obras aparecen sobre todo en el siglo XV, y su carácter se examina más adelante, como uno de los indicios de la terminación del período medieval [7].

PROVERBIOS, REFRANES Y FRASES PROVERBIALES

El proverbio y el refrán son la breve expresión de una experiencia o consejo, encerrados en una fórmula de pocas palabras que todos conocen y que se cita cuando resulta oportuno. Puede, pues, considerarse como la obra literaria más reducida que cabe hallar, a mitad de camino entre el lenguaje coloquial y la obra artística, y usado tanto en uno como en la otra, así en prosa como en verso. En efecto, hay una libre comunicación entre el refrán (texto) y la canción, y la canción lírica y el refrán, y aun el proverbio. La fuerza poética de estas breves piezas halla así su expansión a veces ayudada de la música, y en la raíz misma de la poesía se confunden la lírica y la didáctica [8].

---

[6] P. LÓPEZ DE AYALA, *Las Flores de los "Morales de Job"*, introducción, texto crítico y notas de F. BRANCIFORTE, Florencia, 1963.

[7] Véase el Cap. XV, párrafo relativo a la prosa política, moralizadora y religiosa.

[8] M. FRENK ALATORRE, *Refranes cantados y cantares proverbializados*, "Nueva Revista de Filología Hispánica", XV, 1961, págs. 155-168.

Como es un patrimonio colectivo, no hay cuestiones de autoría en estas "obrillas", y su difusión es la propia de la obra tradicional. Se encuentran en la literatura medieval española, y en la parte castellana se muestra más señalada la tradición griega y oriental [9]. Estas piezas de la literatura nómica pueden clasificarse en proverbios y refranes. Eleanor S. O'Kane [10] los distingue así: "La máxima erudita evoca el tono grave de la meditación libresca; el dicho popular capta la nota de frescura inherente en la observación espontánea del pueblo. El propio español de la Edad Media sentía hondamente esta diferencia..." Y acabó por dejar "el término romance *proverbio* [...] para la sabiduría sentenciosa, y se decide por *refrán* para designar el dicho popular. El refrán puede describirse como un proverbio de origen desconocido, generalmente popular y frecuentemente de forma pintoresca, estructuralmente completo en sí mismo e independiente de su contexto. Emparentada con él está la *frase proverbial*, que sólo difiere del refrán en que, siendo gramaticalmente incompleta, depende para alcanzar plena significación de su contexto" [11]. Son pocas las Colecciones que existen de proverbios y refranes en la literatura medieval, pero su uso es frecuente en las obras de la época; si bien en algunas se concentra un gran número de ellos (*Cifar, Libro de Buen Amor* y *Reprobación del amor mundano*), a partir del siglo XIV fueron usados por otros muchos autores, y puede decirse que quedaron así ya incorporados en forma tal a la literatura española, que una de sus características (dependiente de la misma lengua) es el gran número de los mismos y la frecuencia de su uso [12].

Durante el siglo XV el llamado *Catón* tuvo una gran fortuna. Los dísticos latinos que se colocaban bajo su nombre se tradujeron y

---

[9] W. METTMANN, *Spruchweisheit und Spruchdichtung in der spanischen und katalanischen Literatur des Mittelalters*, "Zeitschrift für Romanische Philologie", LXXVI, 1960, págs. 94-117.

[10] E. S. O'KANE, *Refranes y frases proverbiales españolas de la Edad Media*, Madrid, 1959.

[11] *Obra citada*, págs. 14-15.

[12] G. M. BERTINI, *Aspetti culturali del "refrán"*, "Homenaje a Dámaso Alonso", I, 1960, págs. 247-262.

glosaron en varias ocasiones; gracias a la diligencia de Antonio Pérez Gómez conocemos estas obras, cuyo triunfo siguió después en el siglo XVI hasta el punto de popularizar el nombre del autor latino, ligado para siempre a esta intención propia de la Edad Media, de enseñar en breves fórmulas [13]. A su sombra, pues, se prodigaron los proverbios, dentro de este género sentencioso tan propicio para la glosa. La imprenta del siglo XV acogió con predilección estas obras, y el leve aparato crítico que las acompañaba fue el camino hacia las grandes obras comentadas [14].

La publicación de los *Adagia* de Erasmo (1500) ennobleció por Europa los proverbios y refranes que en España venían siendo usados como formando parte de la expresión literaria desde hacía más de un siglo, y que habían sido objeto de difusión por el arte de la imprenta [15].

LA PROSA HISTÓRICA Y LEGISLATIVA

No es materia de un estudio sobre literatura tratar de la Historia, género de relato que, como la ciencia medieval, tiene un campo propio para su consideración. Sin embargo, hay que señalar que el más fuerte impulso que recibe la prosa castellana para lograr categoría de expresión artística, procede de la historia, y en particular de la obra puesta bajo el nombre del rey Alfonso X (reinó de 1252 a 1284) [16]. Son libros de gran extensión y diversidad, y ya se dijo que el rey

---

13 A. PÉREZ GÓMEZ, *Versiones castellanas del Pseudo Catón*, complemento de la edición facsimilar de *El Catón en Latín y en romance*, de Gonzalo GARCÍA DE SANTA MARÍA, [1493/4], Valencia, 1964; otra edición facsimilar del mismo: M. GARCÍA, *Traslación del doctor Chatón* [1490], Valencia, 1954.

14 Véase como ejemplo otro incunable, cuya publicación facsimilar es debida también a A. PÉREZ GÓMEZ: Marqués de Santillana, *Los Proverbios con su glosa* [de Pedro Díaz de Toledo], [1494], Valencia, 1965.

15 Sobre refranes y aforismos en las literaturas europeas, véase C. VOSSLER, *Formas híbridas de prosa y poesía*, publicado en *Formas poéticas de los pueblos románicos*, Buenos Aires, 1960, págs. 53-60 especialmente.

16 En lo que se refiere a su función literaria, las noticias están recogidas en el libro de E. S. PROCTER, *Alfonso X of Castile. Patron of Literature and Learning*, Oxford, 1951.

contó con una colaboración organizada, una de las instituciones más claramente determinantes para el triunfo de la lengua común, puesta en el trance de tener que decir por escrito estos contenidos de orden cultural, más allá de la comunicación cotidiana. Las *Partidas* dieron dignidad jurídica a la lengua romance, y la Historia sirvió para asegurar en el pensamiento de los lectores la conciencia del pasado, presente y futuro del reino. La obra impulsada por Alfonso X recogió este extenso contenido: Historia, Ley y Ciencias concebidas en su relación con el valor moral del hombre castellano. No fue un afán enciclopédico, sino un propósito de ilustración universal para mostrar al hombre del siglo, en su propia lengua romance, la significación de su conducta, y por tanto la trascendencia del inmediato quehacer. La labor de Alfonso X fue, pues, la de un gran protector, el más alto mecenas que pudo hallarse en su tiempo [17], preocupado por la educación de sus súbditos y al mismo tiempo, un rey que muestra sus propósitos de ser *autor* de las obras cuya compleja redacción él ampara y dirige [18]. Resulta muy difícil reconocer los límites de esta intervención en los diferentes géneros de prosa de estos escritos, pero la confrontación de datos históricos y la comparación de los textos (cuando hay un precedente conocido), permiten asentar conclusiones que muestran una voluntad de hacer y de estilo, ya manifestadas en forma perceptible.

---

17 Es de interés su comparación con Federico II de Sicilia. Véase E. MONTES, *Federico II de Sicilia y Alfonso X*, "Revista de Estudios Políticos", X, 1943, págs. 3-31.

18 Sobre la intervención personal de Alfonso X en la redacción de las obras que se colocan bajo su nombre, véase: A. G. SOLALINDE, *Intervención de Alfonso X en la redacción de sus obras*, "Revista de Filología Española", II, 1915, págs. 283-288. Sobre los Seminarios reales: G. MENÉNDEZ-PIDAL, *Cómo trabajaron las escuelas alfonsíes*, "Nueva Revista de Filología Hispánica", V, 1951, págs. 363-380; D. CATALÁN, *El taller historiográfico alfonsí...*, "Romania", LXXXIV, 1963, págs. 354-375. Sobre los procedimientos estilísticos de la traducción: A. M. BADIA MARGARIT, *La frase en la "Primera Crónica General" en relación con sus fuentes latinas*, "Revista de Filología Española", XLII, 1958-9, págs. 179-210; y F. LÁZARO CARRETER, *Sobre el "modus interpretandi" alfonsí*, "Iberida", VI, 1961, págs. 97-114.

La *Crónica General*[19] con los capítulos que tratan de la España romana es un indicio de que se abre paso la idea de la perdida unidad del Imperio y de sus consecuencias culturales, una vía del Humanismo. Por otra parte, las Crónicas de los tiempos medios se juntaron con informaciones que procedían de poemas y leyendas juglarescas, de manera que de este conjunto: romanidad, historia culta y poesía popular, emergió una conciencia literaria de la patria, raíz de la nación. La incompleta *General Historia*[20] quiso contar la historia de la humanidad desde el punto de vista que para un hombre de la Edad Media era universal, con su principal fundamento en la Biblia. Ambas obras, por sus propósitos, logros y extensión, sirvieron para que la lengua romance entrase decididamente en la vía literaria a través de este camino del cultivo de la historia, el derecho y las ciencias. Sólo faltaba que los otros géneros de índole ya poética se fuesen abriendo camino detrás del ejemplo de Alfonso X. Con Alfonso XI las cuestiones se presentan de manera también compleja, y las perspectivas de estudio se están abriendo a nuevas consideraciones[21].

Por otra parte, Juan Fernández de Heredia (hacia 1310 a 1315-1396), Gran Maestre de la Orden de Rodas, escribió en un dialecto

---

19 Sobre la significación de la Crónica, R. MENÉNDEZ PIDAL, *La Crónica general de España*, 1916, reimpreso en *Estudios Literarios*, Buenos Aires, 1938, páginas 137-196. El texto, precedido de estudio, en: *Primera Crónica General de España que mandó componer Alfonso el Sabio y se continuaba bajo Sancho IV en 1289*, ed. R. MENÉNDEZ PIDAL, Madrid, 1955, 2 tomos. Véase también D. CATALÁN, *De Alfonso X al Conde de Barcelos...*, Madrid, 1962; son cuatro estudios sobre el nacimiento de la historiografía romance, y el primero se refiere a la "versión regia" de la *Crónica general*, y el segundo a la "versión alfonsí" de la *Estoria de España*.

20 *General Estoria*, tomo I, Madrid, 1930, ed. de A. G. SOLALINDE. Segunda parte, I, ed. de SOLALINDE (†), LL. A. KASTEN y V. R. B. OELSCHLÄGER, Madrid, 1957; II, 1961. Sobre las fuentes, del mismo autor, *Fuentes de la "General Estoria" de Alfonso el Sabio*, "Revista de Filología Española". XXI, 1934, págs. 1-28; XXIII, 1936, págs. 113-142. Y el artículo de M. R. LIDA DE MALKIEL, *La "General Estoria": notas literarias y filológicas*, "Romance Philology", XII, 1958-59, págs. 111-142; XIII, 1959, 30 págs.

21 Véase D. CATALÁN, *La historiografía en verso y en prosa de Alfonso XI a la luz de nuevos textos*, "Boletín de la Real Academia de la Historia", CLIV, 1964, págs. 79-127; CLVI, 1965, págs. 56-87.

de rasgos aragoneses *La grant Crónica de Espanya*[22] y otras obras de carácter histórico, en gran parte traducciones, que señalan un arraigo de esta otra orientación de la prosa histórica.

PROSA ARTÍSTICA DE FICCIÓN

a) *Los cuentos y el origen de la novela*

La palabra "cuento" tuvo un sentido general de 'lo que se cuenta', equivalente a narración. Podía emplearse con lo que había ocurrido o con lo que un autor imaginaba. De lo que realmente había ocurrido se ocupaba la Historia; en una significación amplia *prosa de ficción*[23] reúne aquellos relatos en los que se narra un argumento o sucedido imaginado por un autor, o perteneciente a una tradición. Los personajes del argumento pueden ser humanos, hombres y mujeres de invención, a veces históricos a los que se les atribuyen unos hechos, o bien animales, a los que se dan cualidades humanas de acuerdo con su condición. Esta diversa prosa de ficción medieval persiste y se expande con éxito hasta reunirse con el género más moderno de la *novela*.

El nacimiento del género moderno de la *novela* es una larga aventura creadora propia de la literatura europea; nace el género por entre los relatos de ficción (y aun esto sólo relativamente, pues pudo haber un elemento histórico o legendario en su origen), y aparece en un principio dominado por un fin moralizador, y también siguiendo

---

22 Ha comenzado el estudio de esta gran obra: JUAN FERNÁNDEZ HEREDIA, *La Grant Crónica de Espanya, libros I-II*, edición crítica y estudio de R. af GEIJERSTAM, Uppsala, 1964, con información bibliográfica y planteamiento de las cuestiones históricas y lingüísticas.

23 Para una visión de conjunto de la prosa de ficción medieval es básico el estudio de M. MENÉNDEZ PELAYO, *Orígenes de la novela*, ed. Obras Completas (I y II de esta obra). Puede verse también como información general la *Antología de cuentos de la literatura universal* (estudio preliminar de R. MENÉNDEZ PIDAL), Barcelona, 1953.

los fundamentos sociales de una clase caballeresca, que vive en la ficción de acción y de amor. No obstante, gracias a la libertad retórica que asistió a la novela desde sus comienzos, el mundo de sus personajes, sobre todo de la italiana, crece y se hace más variado con los burgueses, habitantes de las ciudades, con los campesinos agudos, con los frailes y hombres de Iglesia que conviven reunidos en este abigarrado conjunto, que llega a ser (siempre en versión literaria) un reflejo de la realidad social. Los empeños de amor admiten la astucia, y los personajes se valen para esto de enredos de toda índole en los que sobresalen los tramados por las mujeres. Y a través de este enriquecimiento de la anécdota y de los personajes, la novela va perfilando el que ha de ser su fin sustancial: "La intención de entretener constituye aún hoy la misión del novelista" [24], señala Vossler. Y el proceso de la novela moderna será desde la Edad Media un progresivo asegurar este fin, y con él descubrir dominios de la narración más allá de las versiones idealizadoras de carácter caballeresco, sucesivos aspectos de la experiencia humana que puedan atraer la curiosidad (y con ella, la suspensión) de los lectores. La *novela* medieval representa sólo el comienzo de este proceso, y aún cabe decir que la palabra *novela* apenas se encuentra en español hasta avanzado el siglo XV, y sólo se difunde después, en los Siglos de Oro, en un sentido muy limitado, y luego, con los comienzos de la crítica histórica, se extiende en la forma actual.

La *novela* al estilo de las de Boccaccio penetró en la literatura española en el período renacentista, fuera de los límites de este estudio [25]. La prosa de ficción medieval tuvo en España sus propias manifestaciones que recogen diversas influencias: los libros de cuentos, árabes y antiguas; los libros de caballerías, francesas y bretonas; los libros sentimentales, italianas; los libros epistolares, italianas y humanísticas.

---

[24] K. VOSSLER, *La novela y la épica,* publicado en el libro *Formas poéticas de los pueblos románicos,* obra citada, pág. 313.

[25] Véase C. B. BOURLAND, *Boccaccio and the "Decameron" in Castilian and Catalan Literature,* artículo citado en la nota 32 del Capítulo V.

Los llamados libros de cuentos (en sentido estricto, de *ejemplos)* fueron las primeras formas de esta prosa de ficción, en relación muy directa con sus fuentes. Los *cuentos* son relatos breves en que, por medio de un argumento sencillo, sin apenas uso del diálogo, se muestra alguna enseñanza, consejo moral o, más simplemente, utilitario. Estos cuentos corrieron reunidos en colecciones, mezclados los orientales con otros de origen occidental. Las fuentes eran en general en el siglo XIII de procedencia árabe, y luego fueron aumentando con argumentos de otras partes [26]. El *cuento* por naturaleza culmina en una moraleja con la consecuencia ejemplar (de ahí el nombre de *ejemplos),* de manera que existe un doble sentido: el literal y el moralizador. Al principio del *Calila e Dimna* se dice: "Si el entendido alguna cosa leyere de este libro, es menester que lo afirme bien, y que entienda lo que leyere, y que sepa que hay otro seso encubierto". La estructura medieval de los cuentos tiene su mejor logro en la obra del caballero-letrado Juan Manuel (1282-1349). Los tres grandes libros de este escritor, el del *Caballero y del Escudero,* el de los *Estados* y el de *Patronio* o *Conde Lucanor* reúnen las dos condiciones: un argumento o exposición del caso, seguido de las *razones;* en el primero predomina la exposición doctrinal a la manera de los libros de prosa didáctica sobre la leve trama, de raíces lulianas, del novel caballero al que aconseja un anciano. El segundo, versión española de la leyenda de Barlaam y Josafat, tiene un núcleo argumental más señalado; y el tercero es el libro clásico del género por su equilibrada exposición que reúne en un argumento vertebrado, el diálogo aún inmaturo, entre el conde

[26] Una relación general de los argumentos de los ejemplos españoles se encuentra en J. E. KELLER, *Motif-Index of Mediaeval Spanish Exempla,* Knoxville, 1949. Si bien en un principio fue importante la aportación de los cuentos de procedencia oriental, no dejan de aparecer de otras fuentes; *El libro de los Gatos* (ed. de J. E. KELLER, Madrid, 1958), está basado en las *Fabulae* del Maestro inglés Odo de Cheriton (primera mitad del siglo XIII); sobre las fuentes del *Libro de los Exenplos por a. b. c.* de Clemente Sánchez (ed. de J. E. KELLER, Madrid, 1961), escribió A. H. KRAPPE, *Les sources du "Libro de los Exenplos"*, "Bulletin Hispanique", XXXIX, 1937, págs. 5-34. Un estudio del arte de la traducción de estos textos árabes se halla en A. HOTTINGER, *Kalila und Dimna,* Berna, 1958.

Lucanor, afanoso de consejo, y Patronio, el hombre experimentado, y la multiplicidad de las anécdotas que acaban en una enseñanza versificada [27].

b) *Los libros de caballerías*

La clasificación de un extenso grupo de obras que en Europa formaron los libros de caballerías de la Edad Media en tres "materias": de Francia, de Bretaña y de Roma, tiene largo ascendiente [28]. La "materia" argumental de Roma también adoptó la forma de relato de ficción en prosa; ya nos referimos al *Libro de Apolonio* como obra del mester de clerecía, y muy recientemente se ha descubierto, como se dijo, la *Vida e historia del rey Apolonio*, obrita en prosa, traducción de un episodio de las *Gesta Romanorum* [29]. La materia de Bretaña quedó como literatura de la clase cortesana, que en el dominio

27 Una información general sobre las fuentes en que basa don Juan Manuel su obra literaria se halla expuesta en el artículo de M. RUFFINI, *Les sources de don Juan Manuel*, "Les Lettres Romanes", VII, 1953, págs. 27-49. Su personalidad, definida por un historiador, en A. GIMÉNEZ SOLER, *Don Juan Manuel*. Biografía y estudio crítico. Zaragoza, 1932. Han comenzado a publicarse las *Obras de don Juan Manuel* (ed. de J. M. CASTRO y M. DE RIQUER), de las que ha aparecido sólo el tomo I *(Libro del Caballero y del Escudero, Libro de las Armas, Libro Enfinido)*, Barcelona, 1955.

28 Una acertada información que resume la compleja materia se encuentra en el estudio de P. BOHIGAS BALAGUER, *Orígenes de los libros de caballerías*, un capítulo de la *Historia General de las Literaturas Hispánicas*, I, Barcelona, 1949, págs. 519-541. El básico estudio de H. THOMAS (Cambridge, 1920), ha sido traducido al español: *Las novelas de caballerías españolas y portuguesas*, Madrid, 1952, con adiciones, sobre todo en los últimos capítulos. Los libros de caballerías conocidos por la imprenta y difundidos en el siglo XVI están recogidos en *Libros de Caballerías*, tomo XL de la B. A. E. y tomos VI y XI de la N. B. A. E. Véase también J. RUIZ DE CONDE, *El amor y el matrimonio secreto en los libros de caballerías*, Madrid, 1948, con noticias sobre el matrimonio antes del Concilio de Trento. En algún caso puede ser de utilidad: L. SPENCE, *A Dictionary of Medieval Romance and romance Writers*, Londres, 1913; y también la *Table des noms propres* de las novelas provenzales y francesas, establecida por L.-F. FLUTRE, Poitiers, 1962.

29 El texto con un estudio bibliográfico y crítico se encuentra publicado en H. SERÍS, *Nuevo Ensayo de una Biblioteca Española de Libros Raros y Curiosos*, I (A-B), New York, 1964, págs. 80-113, seguido de unas observa-

de la imaginación representaba lo que el "deporte" de las justas con respecto a la guerra. Antes de 1500, en los últimos cinco años del siglo anterior lo menos seis libros de caballerías alcanzaron la imprenta. La participación española a este género fue pequeña; el *Libro del caballero Cifar*[30] puede considerarse como su manifestación más antigua, y con un fondo hagiográfico (la leyenda de San Eustaquio) la obra tiene características de relato bizantino con gran cantidad de partes moralizadoras, de tal manera que puede también considerarse como obra de este género y de fin educativo, en la que asoman algunos rasgos picarescos[31].

La *Crónica sarracina*, escrita hacia 1443 por Pedro del Corral formando parte de una *Genealogía de los godos con la destrucción de España* e impresa también con el título de *Crónica del rey don Rodrigo*[32], trata a la manera de los libros de caballerías el tema de la destrucción de España por la derrota de don Rodrigo. Pero el más apasionante problema de los libros de caballerías en la Edad Media española radica en el *Amadís*. La cuestión del *Amadís* es una de las más batallonas[33]. En 1350 se menciona este libro en una traducción

ciones lingüísticas de T. Navarro; págs. 113-115. Se anuncia también en edición facsímil, por A. PÉREZ GÓMEZ, con prólogo del mismo H. SERÍS, en Cieza, 1966.

30 Ed. CH. PH. WAGNER, I, Texto, Ann Arbor, 1929; ed. M. DE RIQUER, Barcelona, 1951, 2 tomos. Sobre las fuentes, el mismo WAGNER, *The sources of "El cavallero Cifar"*, "Revue Hispanique", X, 1903, págs. 5-104.

31 Sobre el aspecto moralizador de la obra véase J. PICCUS, *Consejos y consejeros en el "Libro del Cauallero Zifar"*, "Nueva Revista de Filología Hispánica", XVI, 1962, págs. 16-30.

32 Véase B. SÁNCHEZ ALONSO, *Historia de la historiografía española*, I, obra citada, págs. 313-315; su estudio en la *Floresta de leyendas heroicas españolas*, compilada por R. MENÉNDEZ PIDAL, Rodrigo, el último godo, I, Madrid, 1927, págs. 107-121, que la considera como la "primera novela histórica" (pág. 107); breve información bibliográfica en págs. 178-183; y antología de textos en págs. 184-287.

33 G. S. WILLIAMS, *The Amadis Question*, "Revue Hispanique", XXI, 1909, págs. 1-167; E. B. Place, *idem*, "Speculum", XXXV, 1950, págs. 357-366. Sobre el origen hagiográfico del *Amadís* ha escrito W. PABST, *Die Selbstbestrafung auf dem Stein...*, "Festgabe für H. Petriconi", Hamburgo, 1955, págs. 33-49, que cree se halla en la leyenda de San Gregorio.

que hizo Fray Juan García de Castrogeriz del tan difundido tratado *De regimine principum* de Egidio de Colonna. Aparece también citado en otros muchos autores de los siglos XIV y XV hasta que en 1508 Jorge Coci imprime un *Amadís* en Zaragoza, según un texto en el que el regidor de Medina del Campo, Garci Rodríguez de Montalvo, hizo una labor de refundición. Según su declaración corrigió los tres libros primeros, trasladó y enmendó el cuarto y añadió el quinto. La pregunta que se ha planteado ha sido esta: ¿Cómo era el *Amadís* medieval? La discusión de si fue libro castellano, portugués o francés en su origen ha sido ardua, pero ninguna de las noticias sobre un texto anterior al de Montalvo podía darse por segura. En 1956 ha aparecido por vez primera un resto del *Amadís* medieval [34]. Por desgracia, son sólo fragmentos de unas páginas del Libro III de la obra, pero resultan lo suficientemente explícitos para asegurar que hubo un *Amadís* en la Edad Media, escrito en castellano, y que el texto era más extenso (parece que como una tercera parte más) que el impreso por Montalvo. Lo más importante ha resultado ser que, contra lo que la crítica en general creía de que Montalvo amplió la obra, su arreglo muestra (al menos en los trozos conservados) que redujo la extensión; la lengua del manuscrito es del primer cuarto del siglo XV, y hay indicios de que procede de una tradición anterior de textos.

---

34 A. RODRÍGUEZ-MOÑINO, *El primer manuscrito del "Amadís de Gaula" (Noticia bibliográfica)*, "Boletín de la Real Academia Española", XXXVI, 1956, páginas 199-216. Seguido del estudio paleográfico por A. MILLARES CARLO (páginas 217-218 del mismo número); y del lingüístico por R. LAPESA (páginas 219-225). Una visión de conjunto del libro en: S. GILI GAYA, *Amadís de Gaula*, Barcelona, 1956; él mismo en colaboración con E. B. PLACE, trabajó en los preparativos de la edición de la obra, que ha comenzado a publicarse, cuidada sólo por PLACE en varios tomos de los que apareció: *Amadís de Gaula*, Madrid, 1959, tomo I; II, 1962; III, 1965; sobre una edición de Lovaina, 1551, se ha publicado sin cuidado crítico en *Libros de caballerías españoles*, Madrid, 1954, págs. 245-1049. Completo, en deficiente edición, en la B. A. E., tomo XI; y una edición refundida y modernizada por A. ROSENBLAT apareció en Buenos Aires, 1940. En el tomo I de la ed. de PLACE, hay una bibliografía de las ediciones, traducciones y arreglos (págs. XIII-XLVII).

c) *Los libros sentimentales y epistolares*

Si los libros de caballerías muestran la prosificación de las gestas carolingias, en la prosa de los libros sentimentales se rehizo y amparó ese gran ejercicio espiritual que fue la lírica de estilo trovadoresco. Los libros de caballerías, en especial los de origen bretón, basaron sus argumentos en la acción aventurera de los héroes, uno de cuyos motivos era el amor. Rompiendo el equilibrio, y dejando sólo el amor como razón sustancial del relato, damos en los libros sentimentales, que si bien son libros de caballeros, los hechos no importan tanto por la acción en sí misma, como por lo que representan en relación con los lazos amorosos de la dama y el caballero. El signo de la nobleza radica en el sufrimiento, y son por tanto libros de desgracias y muertes. *La Cárcel de Amor* (publicada en 1492) del bachiller Diego de San Pedro es la obra más lograda de este género de ficción de los últimos tiempos de la Edad Media [35]. Combínase en su estructura el uso de las epístolas, que se ofrece equilibrando el argumento alegórico en la descripción del proceso de amores. La forma epistolar [36] fue

---

35 Ed. de S. GILI GAYA, "Clásicos Castellanos", Madrid, 1950. Véase: W. WARDROPPER, *El mundo sentimental de la Cárcel de Amor,* "Revista de Filología Española", XXXVII, 1953, págs. 158-193. Es de interés también el estudio del otro gran autor de esta clase de relatos sentimentales, de M. R. LIDA DE MALKIEL, *Juan Rodríguez del Padrón. Vida, obras, influencia,* "Nueva Revista de Filología Hispánica", VI, 1952, págs. 313-351; y VIII, 1954, páginas 1-38. Por los numerosos datos que contiene sobre esta literatura sentimental de fines del siglo XV es de interés el estudio de literatura comparada de B. MATULKA, *The Novels of Juan de Flores and Their European Diffusion,* New York, 1931. M. DE RIQUER ha dado noticia de un libro sentimental apenas conocido: *"Triste deleytaçion" novela castellana del siglo XV,* "Revista de Filología Española", XL, 1956, págs. 33-35. Un último eco de este género literario, aparecido en Italia alrededor de 1530-40, ha sido estudiado por J. SCUDIERI RUGGIERI, *Un romanzo sentimentale: il "Tratado notable de Amor" di Juan de Cardona,* "Revista de Filología Española", XLVI, 1963, págs. 49-79.

36 Véase CH. E. KANY, *The Beginnings of the Epistolary Novel in France, Italy, and Spain,* Berkeley, 1937. Para la función literaria del Epistolario medieval, así como el estudio de sus cauces retóricos puede verse mi *Antología de Epístolas,* Barcelona, 1960, págs. 57-64, y una selección en págs. 215-254.

usada en el intento de analizar la pasión amorosa, y llegó a constituir por sí misma la expresión de un *Proceso de cartas de amores*, obra impresa en 1548[37] a nombre de un Juan de Segura.

[37] Ed. crítica con traducción inglesa de E. B. PLACE, Evanston, 1950.

Capítulo XII

EL ROMANCERO MEDIEVAL

EL ROMANCERO MEDIEVAL. SU MADURACIÓN COMO GÉNERO HISTÓRICO

Con este título quiere indicarse que en este libro el estudio del Romancero se considera de una manera parcial, con referencia sólo a los años que en la cronología histórica corresponden a la Edad Media [1]. En efecto, el Romancero es un género literario que desde el Medievo fluye hacia los siglos siguientes en forma abierta y creadora. Por esto resulta una de las más anchas e intensas vías de comunicación por la que temas medievales de todo orden siguen teniendo vida poética en los siglos siguientes hasta alcanzar nuestros días. El Romancero desde un principio logró ser el intérprete de las apetencias poéticas del pueblo español, sobre todo en los relatos que tenían un desarrollo argumental dentro del orden de expresión poética que estableció el género a través de los siglos.

El "Romancero", palabra para designar una colección de romances, aparece en el siglo XVI, y se asegura con la publicación del gran

---

[1] El estudio básico sobre la materia es el de R. Menéndez Pidal, *Romancero Hispánico* (Hispano-portugués, americano y sefardí). Teoría e historia. 2 tomos. Madrid, 1953. Un resumen informativo de carácter general, con bibliografía seleccionada, en M. García Blanco, "El Romancero", *Historia General de las Literaturas Hispánicas,* Barcelona, 1951, II, págs. 1-51.

Romancero General de 1600[2]. La primera colección de romances se había llamado *Cancionero de Romances*[3]. En la primera mitad del siglo XVI los romances, mezclados con obras líricas diversas, algunas de origen tradicional también, alcanzaron una gran difusión en los pliegos sueltos; de antes de 1500 se conservan pocos. El Romancero en la segunda mitad del siglo XV alcanzó la popularidad que ya lo afirma como el género del pueblo español, pues unió el sistema oral de trasmisión, que le era propio en sus orígenes, con el escrito, y por tanto mereció considerarse como obra que podía entrar en los Cancioneros, tal como pasa en los de los últimos años del siglo XV. En tiempos del reinado (1454-1474) de Enrique IV el romance se canta en la Corte como pieza musical, y hay después noticias de que la Reina Católica se enternecía oyéndolos entonar. Por tanto, esta maduración del romance, extendido desde el pueblo que lo cantó primero hasta la Corte, y luego la generalidad de la nación (con el hecho de que con toda esta actividad poética se formase un *estilo romanceril)*, resulta una de las características que anuncian la transición del género poético hacia los Siglos de Oro. La opinión que merecieron al Marqués de Santillana (que en 1449 escribió sobre "aquellos que sin ningún orden, regla ni cuento hacen estos romances y cantares de que las gentes de baja y servil condición se alegran") resulta el mejor contraste para verificar esta progresión.

Si en esta penetración hacia la Edad Media en busca de noticias sobre los romances, tratamos de considerar la palabra que le da nombre, resulta que en el siglo XV vino a determinarse la acepción de *romance* para este género literario e histórico, frente a la variedad de significaciones que tuvo en siglos precedentes. La palabra se había aplicado de una manera vaga a obras de los mesteres de juglaría y de clerecía, coexistiendo con la acepción general, de base etimológica,

---

2 La colección completa de las fuentes de este Romancero de 1600 fue publicada por A. RODRÍGUEZ-MOÑINO, *Las fuentes del Romancero General*, con notas e índices, Madrid, 1957, en doce volúmenes.

3 MENÉNDEZ PIDAL publicó, con un prólogo, una edición facsímil de esta importante colección (Madrid, 1945).

que significa "lengua románica, no latín". Probablemente el sentido general cubría los otros aspectos, por cuanto que se quería significar que eran obras en lenguas del pueblo, no latinas. La limitación del significado de *romance* en relación con la obra literaria representa el triunfo de este género de poesía, y se verifica en el período en que el romance entra en la Corte castellana (1460-1515). Aquello que dijo Juan de Valdés (hacia 1535) de que en los romances le contentaba "aquel su hilo de decir que va continuado y llano, tanto que pienso que los llaman romances porque son muy castos en su romance" [4], es la mejor formulación de la fortuna del género. Esta identidad entre romance (género poético) y romance (lengua) demuestra que esta poesía arraigó su expresión en el más puro sentido lingüístico del pueblo español.

CONOCIMIENTO Y EVOLUCIÓN DEL ROMANCERO

En el capítulo del mester de juglaría hubo ocasión de manifestar el sentido tradicional de la épica española, y se expuso esta teoría. En el estudio del romance, sobre todo en el de sus primeras manifestaciones, hay que tenerla en cuenta, y también en particular la teoría de la tradición, que en este caso se encuentra aún más patente, porque en la trasmisión no interviene un oficio, el del juglar, sino el gusto y la memoria de la colectividad. En efecto, tenemos en primer lugar que el romance no necesita para su perduración de un profesional de la literatura, como era el juglar (aunque hayan existido romances juglarescos, como se dirá); el mismo pueblo lo ha conservado hasta nuestros días, sirviéndose del apoyo recibido por la trasmisión poética que han sido los pliegos sueltos; los cuadernillos vendidos por los ciegos sobre todo, y por las ferias y mercados, representaron un factor activo de conservación muy importante en el género. Junto con el

4 *Diálogo de la lengua*, ed. de J. F. MONTESINOS, Madrid, 1928, página 163. Mena aún mantiene el sentido general de la palabra en su *Laberinto* (copla 46).

cuento, el romance es la más clara manifestación de una poesía popular, y de ahí que las técnicas del estudio folklórico hallen aplicación en su estudio [5]. Los testimonios que se conservan del Romancero en el período medieval son pocos. Con todo, Menéndez Pidal estima que el romance, que nace en la Edad Media, es la manifestación más cumplida del estilo que él considera como tradicional, y esto tanto en el proceso de su constitución como *unidad* poética, como en su perduración. De la enorme variedad de los romances se extrae un sentido de unidad si se trazan las directrices generales de su evolución hacia unas formas en las que se ha de considerar que la obra alcanzó su más clara manifestación tradicional. Pero en este proceso no existe una determinación temporal común. Si se recuerda la condición de *estado latente* que se aplicó al estudio del mester de juglaría, ocurre que actualmente los testimonios que se conservan de las interpretaciones de un romance, no son muchas, y resultan naturalmente ocasionales y azarosas; las hay orales, recogidas de la tradición viva hoy, y escritas, de la tradición de otros tiempos [6]. Una obra

---

5 Sobre la importancia de los pliegos sueltos, véase el referido artículo de A. Rodríguez-Moñino, *Construcción crítica y realidad histórica en la poesía española de los siglos XVI y XVII*, en especial pág. 50-51. La conexión entre el folklore y el romancero parte de un estudio de 1920 de Menéndez Pidal, que se ha publicado, junto con otro de D. Catalán y A. Galmés, en el tomo *Cómo vive un romance.* Dos ensayos sobre Tradicionalidad, Madrid, 1954, cuyos respectivos títulos son: "Sobre Geografía Folklórica. Ensayo de un método" y "La vida de un romance en el espacio y el tiempo" referente a los de "Gerineldo" y "La boda estorbada". Por su parte, D. Devoto en *Sobre el estudio folklórico del romancero español. Proposiciones para un método de estudio de la trasmisión tradicional*, "Bulletin Hispanique", LVII, 1953, págs. 233-291, ha querido poner de relieve los factores individuales, de carácter sicológico, que intervienen en el proceso. D. Catalán, en el artículo *El "motivo" y la "variación" en la transmisión tradicional del Romancero*, "Bulletin Hispanique", LXI, 1959, págs. 149-182, defiende el empleo del método geográfico, aun contando con las invenciones individuales en el curso de la trasmisión.

6 Es conveniente recordar que un estudio estrictamente literario de los romances nos da sólo un aspecto de los mismos, el de su contenido poético, pero la letra estuvo siempre unida a una música, como aparece en la fundamental colección de K. Schindler, *Folk Music and Poetry of Spain and*

que nos dé a conocer el Romancero ha de ser de grandes vuelos, y tal es uno de los legados más preciosos de la vida de Ramón Menéndez Pidal[7]. Más de 58 años representa esta Colección en cuyo preámbulo se halla este hermoso resumen de la vida del romance: "Queremos hacer ver que la poesía del Romancero tradicional o de la balada no es poesía conclusa y fijada por la inventiva de un poeta único, porque el pueblo, la colectividad, la ha hecho suya, esto es, los diversos cantores la toman como patrimonio común y, al deleitarse en ella, se sienten dueños de retocarla o ajustarla a su gusto. Sean estos retoques profundos o de detalle, felices o desafortunados, son un acto emotivo, un acto de poesía; la poesía vive, rebrota en cada nuevo acto de recitación, está en perpetuo devenir, siempre diversa, aunque siempre pretendiendo ser fiel al modelo fijado por el común consenso del recuerdo tradicional. Por eso es preciso poner ante los ojos tal número de versiones que dejen percibir en cada frase, en cada verso, reflejos rielantes y hagan ver el texto del poemita como la corriente de un río rizada de cambiantes centelleos"[8]. En este largo proceso que va desde los orígenes hasta hoy cada romance

---

Portugal. Música y poesía popular en España y Portugal, New York, 1941. Comentando este libro, trató de este tema D. DEVOTO, *Sobre la música tradicional española,* "Revista de Filología Hispánica", V, 1943, págs. 344-366. En el mencionado estudio de Menéndez Pidal sobre el Romancero, hay un capítulo escrito por G. MENÉNDEZ PIDAL sobre *Ilustraciones musicales* (I, 367-402).

[7] Esta gran obra ha comenzado a publicarse: *Romancero tradicional de las lenguas hispánicas (español, portugués, catalán, sefardí).* Colección de textos y notas de M. GOYRI y R. MENÉNDEZ PIDAL. El tomo I comprende los "Romanceros del Rey don Rodrigo y de Bernardo del Carpio", edición y estudio a cargo de R. LAPESA, D. CATALÁN, A. GALMÉS y J. CASO, Madrid, 1957; el II, los "Romanceros de los Condes de Castilla y de los Infantes de Lara", edición y estudio a cargo de D. CATALÁN con la colaboración de A. GALMÉS, J. CASO y M. J. CANELLADA, Madrid, 1963. Entretanto no se completa esta colección, puede acudirse a la *Primavera y Flor de Romances* de F. J. WOLF y C. HOFMANN (Berlín, 1856), incluida con adiciones por M. MENÉNDEZ PELAYO en su *Antología de poetas líricos castellanos.* Los tomos X y XVI de la "Biblioteca de Autores Españoles" contienen el gran *Romancero General* de A. DURÁN, Madrid, 1849-1851.

[8] *Obra citada,* I, págs. V-VI.

como *unidad* literaria representa un caso diverso. Sin embargo, para los romances enlazados con leyendas heroicas, los de más larga ascendencia y fundamentales en la literatura de la Edad Media, se establece en este Romancero general la siguiente clasificación: "I. Romances *primitivos,* cuya vida tradicional adentra sus raíces en la Edad Media. II. Romances *viejos,* de estilo puramente juglaresco o con reciente tradicionalidad en la primera mitad del siglo XVI. III. Romances eruditos, de los rimadores de Crónicas (Romancero medio). IV. Romances artificiosos, de los poetas del Romancero nuevo" [9].

En los romances en que se manifiestan los efectos de la tradicionalidad, Menéndez Pidal establece una importante división en dos períodos generales: *a)* período *aédico,* o aquel en el que domina el poder creador de esta poesía, que no sólo aumenta el caudal de los romances, sino que los modifica mejorándolos dentro de las directrices de estilo y disposición que configuran la obra tradicional característica; *b)* período *rapsódico,* en el que lo común es la repetición del romance sin una tensión creadora, y por tanto el romance se disgrega y pierde cohesión, y degenera.

ORÍGENES DEL ROMANCERO. LA PROGRESIVA EXTENSIÓN DE SU VARIEDAD TEMÁTICA

Los orígenes del Romancero son, pues, difíciles de precisar. Otro tanto ocurre con los cantos que en otras partes de Europa resultan de condición semejante [10]. Cuanto se dijo sobre la tradición de los cantares de gesta y de su *estado latente* puede aplicarse también en esta ocasión, entendiendo que el Romancero fue un género de poesía que desde su origen hasta nuestros días mantiene la trasmisión dentro del sentido de la tradicionalidad, asegurado en muchas ocasiones por

9 *Obra citada,* I, pág. VII.

10 Un estudio general de las baladas en Europa, y entre ellas de los romances de esta clase se encuentra en W. J. ENTWISTLE, *European Balladry,* Oxford, 1939.

las versiones escritas y publicadas en muy diversas ocasiones. Con objeto de hacer alguna luz sobre las condiciones de sus orígenes, Menéndez Pidal enlaza los romances que pudieran haber sido de carácter épico-medieval, con los cantares correspondientes del mester de juglaría. Considerando este Romancero, se piensa que, de los cantares de gesta, en una época en que la poesía juglaresca decaía, pudieron haberse desgajado unas partes de los mismos, y constituir romances. La recitación de los cantares es indudable que caló en la curiosidad y en la memoria de los oyentes; el público que rodeaba al juglar, lo hacía en forma pasiva, como los espectadores de la obra dramática. No es difícil imaginarse que pudo también intervenir activamente apropiándose y reteniendo aquellos trozos de cantar que más le habían impresionado, y con ellos formar manifestaciones poéticas del género de los romances.

Este paso resulta de muy difícil observación porque faltan los textos de los cantares y de los romances, y cuando se conservan algunos, resulta que las formas que pudieran formar ilación faltan, y por muchas que sean las que queden, siempre las perdidas, en un género de trasmisión en el que interviene el pueblo entero, han de ser más. Por otra parte, Menéndez Pidal no puede asegurar que estos romances épico-heroicos hayan precedido a los otros, cuyos temas son los asuntos novelescos de las baladas, aún de más difícil exploración [11]. Sin embargo, los romances de esta naturaleza (aun cuando fueron poco afortunados pues la moda cortesana no favoreció su trasmisión) pudieron tener influjo en dos aspectos decisivos: resulta indudable que el Romancero se orientó desde un principio hacia una forma métrica uniforme, frente a la variedad de las baladas extranjeras, y

---

11 D. DEVOTO ha podido estudiar el proceso de tradicionalización de uno de los más antiguos, el de "La hija del rey de Francia" (hacia 1440), en la forma atribuida a Juan Rodríguez del Padrón, y los resultados sobre la estructura del mismo y su estilo han sido los mismos que para los épicos, aun cuando en ese caso era de procedencia claramente extranjera: *Un ejemplo de la labor tradicional del Romancero viejo,* "Nueva Revista de Filología Hispánica", VII, 1953, págs. 383-394.

algunos aspectos del estilo pueden relacionarse con otros de los cantares de gesta.

Sin embargo, los críticos, en particular los de tendencia idealista, ponen de relieve que el romance es una modalidad nueva, cuyos efectos poéticos son diferentes: "Es cierto que la forma de los romances está emparentada con la del *Cantar* por nexos históricos, pero se alza frente a ella como algo nuevo y original, así como el niño es algo nuevo, no un fragmento de sus padres, no un producto de su desmigajamiento" [12].

El aspecto más difícil en el estudio es la relación entre cantar de gesta y romance, y el establecimiento de su cronología, en particular si pudo haber una coexistencia en que ambas modalidades se considerasen como diferentes, aunque en comunicación creadora. También el juglar pudo tener en este asunto su parte creadora. Por de pronto, pensemos que los juglares habrían de recitar por partes los largos cantares de gesta; resulta fácil creer que redondearan los trozos mejor escuchados por el público; y la necesidad de renovar el repertorio y con el tiempo también el estilo de las obras les acercó más y más al sentido poético de los romances. En efecto, existió una modalidad peculiar de romances *juglarescos*, que trataron de asuntos carolingios, bretones y de la historia romana; y así el juglar pudo dar variedad a su repertorio poético mezclando el cantar de gesta con piezas clericales y con la obra de los cantores cortesanos. Todos ellos, juglares de las postrimerías de su mester y cantores de la corte (a veces ya siendo los mismos) se valieron del romance como de un medio para difundir las novedades que tenían el carácter de noticias, sobre todo en lo referente a los hechos de la política de banderías (como en el caso de la fama poética de don Pedro el Cruel), y luego en la guerra de Granada. En la consideración del moro en estos romances se halla el germen del desarrollo del moro literario del siglo XVI, de tal ma-

---

12 C. VOSSLER, *Otras formas de la poética romance*, "Romance y cantar", publicado en *Formas poéticas de los pueblos románicos*, obra citada, página 237.

nera que la poesía de frontera es característica de la transición entre Edad Media y Siglos de Oro [13].

Por otra parte, junto a los temas españoles el Romancero representa en España el cauce de la canción novelesca europea. La fuerza absorbente del romance también alcanzó a atraer hacia sus formas canciones de puro carácter lírico [14].

EL ESTILO Y EL METRO ROMANCERILES

En último término, pues, la unidad sustancial del Romancero se halla en la peculiaridad de su estilo, fácilmente reconocible en una andadura poética con la que se identifica tanto el que lo canta como el que crea uno nuevo; y esto ocurre aun en el caso del cultivo artístico del mismo. La permeabilidad del género permitió que en el Romancero nuevo las diversas modalidades pastoril, morisca, picaresca, etc., y los autores de más acusada personalidad se desenvolvieran con soltura. Sin embargo, en esta ocasión hay que señalar tan sólo aquellas direcciones de orden general que condujeron a las formas más cercanas a este estilo romanceril ideal. En efecto, estos romances más "perfectos" son la más intensa representación del estilo que Menéndez Pidal entiende como el tradicional. En este caso, él concibe la tradición como una fuerza poética activa, que no sólo conserva la obra, sino que mejora su valor cuando actúan aquellas direcciones que guían el estilo en un sentido de selección. No se puede enunciar de una manera rigurosa una fórmula del estilo tradicional. Esta conversión continua, que en el período aédico iban verificando los cantores del pueblo con instinto artístico, es forzoso que hoy aparezca ante la consideración del crítico como algo discontinuo y múl-

---

[13] Véase mi libro sobre *El Abencerraje y la hermosa Jarifa,* obra citada, págs. 91-120; M. S. CARRASCO, *El moro de Granada en la literatura,* obra citada, capts. I y II, págs. 19-92.

[14] Puede verse un estudio ilustrador de estos casos en E. ASENSIO, *Fonte Frida o encuentro del romance con la canción de mayo,* "Nueva Revista de Filología Hispánica", VIII, 1954, págs. 365-388.

tiple, difícilmente ordenable, pues los textos (escasísima representación de la diversidad aun en el caso de los pliegos de ciego recientes) se han conservado de manera azarosa, y hasta hace poco no se han considerado piezas de biblioteca. Esta poesía en el proceso de conversión tradicional puede alcanzar diversos grados de penetración en las directrices teóricas del estilo, y lo mismo ocurre cuando la obra de un autor entra en estos cauces, por su voluntad o sin ella: "La elaboración tradicional —escribe Menéndez Pidal— no logra de un golpe su plenitud en la simplificación y total asimilación al gusto más selecto de la colectividad. Perfeccionándose el estilo tradicional en el curso de una evolución, puede suceder que esta no llegue a ser completa, y que deje subsistir algunos restos del estilo individual propios del primer redactor o de los sucesivos refundidores. Hay así romances sólo tradicionales a medias, con dificultad distinguibles de los meramente populares. También se da continuamente el caso de que habiendo alcanzado un romance un alto grado de perfección tradicional, decae después, al perdurar en su evolución oral, degenerando en variantes de vulgaridad inculta o de vulgaridad literaria" [15].

Vossler lo resume, a su vez, con estas palabras: "...el estilo de los romances se nos presenta más condensado, más penetrante, más agitado, más nervioso, hasta rayar a veces en lo agudo, lo chillón, lo impresionista (...). Lo nuevo aquí es el estilo de la evocación en lugar de la narración, de la renovada vivencia concreta en lugar del recuerdo, de la inmediatez en lugar de la mediatez" [16].

Si se considera la suma de estas direcciones ordenándolas por entre la selva de romances, puede formarse el siguiente cuadro indicador del sentido de la tradicionalidad, que es el que se corresponde con lo que sería desde sus orígenes el romance medieval:

a) El romance resulta poesía esencializadora. En el curso de su evolución, cuando ésta es poéticamente positiva, pierde las partes

[15] *Romancero Hispánico,* obra citada, I, págs. 62-63.

[16] C. VOSSLER, *Otras formas de la poética romance,* "Romance y cantar", publicado en *Formas poéticas de los pueblos románicos,* obra citada, página 237.

menos intensas. A su estructura ideal convienen las formas quintaesenciadas, las cuales se traban con un sentido dinámico.

b) Así domina lo intuitivo sobre lo lógico. Lo que se llama un sentido épico o de acción se entrecorta, y la narración intercala cada vez más notas líricas. La obra crece en emoción, y ésta busca expresarse con reiteraciones, gritos exclamativos y enumeraciones. La naturalidad dominante desprende las partes amaneradas asegurando las formas sencillas, de valor humano, con escasa intervención de elementos maravillosos. Esta sencillez no resulta siempre espontánea, pues por otra parte creó fórmulas de expresión que se hallan en distintos romances, y aun en uno mismo [17].

c) La estructura del romance se inclina más al sentido dramático que al descriptivo; así resulta favorecido el desarrollo en diálogos, que a veces puede ser monólogo. Esta dramatización armoniza mejor con el carácter lírico que con el épico.

d) La estructura del romance prefiere los asuntos que cada vez resultan menos completos en relación con lo que en la técnica literaria se puede llamar un argumento íntegro, con su planteamiento, nudo y desenlace. La hazaña heroica tiende a hacerse aventura; la aventura es a veces sólo un fragmento de una situación que cobra un valor estrictamente poético, y no noticiero; y aun toda trama puede deshacerse en una confesión o exclamación personal. La obra acaba inesperadamente, y este *fragmentismo* se manifiesta por el comienzo directo, inesperado, sin preliminares, y por un final repentino, que deja el romance lógicamente truncado, pero con un gran poder de evocación poética. Quédase entonces la imaginación en el aire, según escribe Menéndez Pidal: "El romance no hace esperar nada; conduce la imaginación hacia un punto culminante del argumento y, abandonándola ante un tajo de abismo impenetrable, la deja lanzar su vuelo a una lejanía ignota, donde se entrevé mucho más de lo que pudiera hallarse en cualquier realidad desplegada ante los ojos" [18].

---

17 Véase un recuento de estas fórmulas en R. H. WEBBER, *Formulistic Diction in the Spanish Ballads*, Berkeley y Los Angeles, 1951.

18 *Romancero Hispánico*, obra citada, I, pág. 75.

El romance se conservó y escribió en versos de base octosílaba; reunidos en parejas (de tal modo que Nebrija llamó pie de romance al conjunto del verso largo); con rima asonante al fin de los versos pares si la impresión se hace colocando un octosílabo en cada línea, o al fin de los dos octosílabos, si se reúnen en la misma línea. Cuando la rima asonante acaba en *-e* siguiendo a la vocal tónica de fin de verso rimado, admite el uso de la llamada *-e paragógica,* unas veces de procedencia etimológica, otras resultado de una ultracorrección; en esto el romance enlaza con el uso análogo que existe en los cantares de gesta. Por lo general la rima es única en cada romance, aun cuando en los antiguos se hallen a veces dos o más, indicio de su pertenencia a un cantar del que se desprendieron para formar el romance.

Capítulo XIII

EL TEATRO EN LA EDAD MEDIA

LAS CONTIENDAS VERBALES Y OTROS ASPECTOS DE LA CALIDAD DRAMÁTICA DE LA POESÍA MEDIEVAL

El diálogo como forma de exposición literaria obtuvo diversas manifestaciones en la Edad Media. Si bien la obra teatral se basa en el diálogo, no hay que entender que ambos se identifican. En algunos casos el diálogo es el solo contenido de la obra, sin que exista una *representación* ni siquiera imaginada; en ese caso no existe propiamente poesía dramática. De este modo hay que entender el género medieval de los *debates, disputas* y *recuestas* (palabras que se documentan tardíamente en el español), formas de contiendas verbales. "La disputa como armazón para desarrollar un argumento literario pertenece a la literatura universal", escribe con razón Menéndez Pidal[1]. Este diálogo es forma sustancial de algunas manifestaciones de la lírica cortés[2]; las *preguntas* y *respuestas* son una modalidad de los

[1] R. Menéndez Pidal, cita de *Tres poetas primitivos,* Buenos Aires, 1948, pág. 13; y R. Benítez Claros enfoca un repaso general de los escritos de la Edad Media de una manera aún más radical: "Creo que toda la poesía medieval ha sido construida sobre una base de diálogo". *El diálogo en la poesía medieval,* "Cuadernos de Literatura", V, 1949, pág. 173.

[2] P. Le Gentil, *La poésie lyrique espagnole et portugaise à la fin du Moyen Âge,* obra citada, Parte IX, "Les genres dialogués", págs. 458-519.

debates, a los que pueden añadirse los debates *ficticios*, que son en muchos casos piezas alegóricas; los *narrativos*, entre los cuales puede clasificarse la *Comedieta*[3] *de Ponza* del Marqués de Santillana como pieza maestra, y los *decires*, que en algún caso pueden servir de precedentes al teatro[4]. El *Diálogo entre el amor y un viejo* del converso Rodrigo de Cota es una de las piezas más caracterizadas de esta manifestación dramática que se alinea junto a la lírica cortés en el *Cancionero General* de Hernando del Castillo (1511). Elisa Aragone comenta el valor dramático de la obrita en estos términos: "A nuestro parecer, el *Diálogo* fue escrito no sólo con destino a la lectura, sino también para la representación, y parece muy probable que se haya representado, bien en el restringido ámbito de una sala de corte o en una capilla *palaciana*, o bien acaso con recursos escénicos más felices de cuanto podamos hoy imaginar"[5].

---

[3] Bien entendido que el título *Comedieta* es análogo al sentido de *Comedia*, que el autor describe en el prólogo: "Comedia es dicha aquella cuyos comienzos son trabajosos y después el medio y fin alegre, gozoso y bienaventurado..." (*Obras...*, ed. de J. Amador de los Ríos, Madrid, 1852, pág. 94); en efecto, el argumento de la obra es la derrota de la armada de Alfonso V de Aragón en Ponza, sólo que en el fin de la obra el rey entra vencedor en Nápoles (1443), y esto justifica los versos finales, en que el caso tan desastrado fue "después convertido en tanta alegría". La condición dramática se refiere aquí por cuanto que la mayor parte del Poema está puesto en boca de los personajes.

[4] Como es el caso que examina D. C. CLARKE, *Francisco Imperial, nascent Spanish Secular Drama, and the ideal Prince*, "Philological Quarterly", XLII, 1963, págs. 1-13; y también el de D. S. VIVIAN, "*La Passión trobada*", *de Diego de San Pedro, y sus relaciones con el drama medieval de la Pasión*, "Anuario de Estudios Medievales", I, 1964, págs. 451-470. Sobre las modalidades de las preguntas y respuestas en las Cortes de Castilla, particularmente la de Juan II, véase J. G. CUMMINS, *Method and Conventions in the 15th Century poetic Debate*, "Hispanic Review", XXXI, 1963, págs. 307-323.

[5] Para COTA, la edición de E. ARAGONE, *Diálogo entre el amor y un viejo*, Firenze, 1961; la cita corresponde a la pág. 42. Una determinada forma métrica de los últimos tiempos de la Edad Media, la copla de arte mayor, sirve como vehículo de expresión de algunas de estas obras de aspecto dramático, y de diversos dramas religiosos; véase E. J. WEBBER, "*Arte mayor*" *in the Early Spanish Drama*, "Romance Philology", V, 1951, págs. 49-60.

También puede referirse aquí el carácter dramático de las *Danzas de la muerte*, en las que la Muerte habla y también las criaturas que van entrando en el fúnebre baile [6]. Las primeras manifestaciones de estos diálogos o controversias verbales en castellano están en relación con los géneros análogos de la literatura provenzal y francesa. Así ocurre con la *Razón feita d'amor con los denuestos del agua y del vino* (o *Siesta de abril)* que "escribió" un Lope de Moros; la unidad de esta *Razón* y los *denuestos* ha sido objeto de diversas interpretaciones [7]. La *Disputa de Elena y María* plantea el conocido tema polémico de quién tiene mejores condiciones para el amor, si el clérigo o el caballero; el tema, aunque clerical por naturaleza, aparece tratado a la manera juglaresca, en metro irregular [8]. La disputa del alma y el

---

[6] Un cuadro general del género europeo se expone en L. P. KURTZ, *The Dance of Death and the Macabre Spirit in European Literature,* New York (1934), cuyo capítulo IX estudia la danza de la muerte de España. Más reciente es el estudio sobre los inicios, desarrollo y significación de estas danzas, de H. ROSENFELD, *Der mittelalterliche Totentanz,* Münster-Köln, 1954. Añádase: E. SEGURA COVARSÍ, *Sentido dramático y contenido litúrgico de las "Danzas de la Muerte"*, "Cuadernos de Literatura", V, 1949, págs. 251-271; y últimamente M. MORREALE, *Para una antología de literatura castellana medieval: la "Danza de la Muerte"*; Bari, 1963, con bibliografía y edición establecida con fines escolares.

[7] El proceso de la interpretación de esta obrita es ejemplar para poner de manifiesto cómo se profundiza en el estudio de un mismo poema: A. MOREL-FATIO (en la edición del poema "Romania", XVI, 1887, págs. 369-373), G. PETRAGLIONE ("Studi di Filologia Romanza", VIII, 1901, págs. 485-502); C. M. DE VASCONCELLOS ("Revista Lusitana", VII 1902, págs. 1-32) creyeron que se trataba de dos obras diferentes; R. MENÉNDEZ PIDAL ("Revue Hispanique", XIII, 1905, págs. 602-618), y entre los textos que reunió con el *Poema del Cid* (Madrid, 1919), E. MONACI (que lo editó entre otros textos en Roma, 1891), y últimamente L. SPITZER (en uno de sus más agudos estudios, "Romania", LXXI, 1950, págs. 145-165), opinan que es una sola. A. JACOB en *The "Razón de amor" as christian symbolism,* "Hispanic Review", XX, 1952, interpreta la obra simbólicamente. Resumen general en G. DÍAZ-PLAJA, *Poesía y diálogo, "Razón de amor"*, "Estudios Escénicos", 5, 1960, págs. 7-43.

[8] Reproducción facsímil del manuscrito incompleto y muy destrozado, y edición crítica en la "Revista de Filología Española", I, 1914, págs. 52-96; el estudio aparece recogido en el volumen antes citado, *Tres poetas primitivos,* págs. 13-46. Resumen general en G. DÍAZ-PLAJA, *Poesía y diálogo: "Elena*

cuerpo es uno de los debates más difundidos en la literatura europea; los textos españoles [9] se relacionan en último término con una *Visio Philiberti*, con mezcla en algún caso de un poema moralizador latino "Ecce moritus sepultus".

Otro texto incompleto, muy corto, se halla en un códice escurialense, la *Disputa entre un judío y un cristiano*, y es una violenta polémica antijudía, tal vez obra de un converso [10].

En el estudio de la poesía juglaresca se puso de relieve el carácter dramático que los intérpretes de este arte literario daban a sus obras por la razón misma de su naturaleza poética. Desde su origen el juglar representa su habilidad (circense o literaria) ante un público, y en esto participa de la condición dramática del espectáculo teatral. Sin embargo, aunque esto pudo influir en las características del estilo literario, no llega a identificarse con el mismo. Fernando Lázaro, en el libro que se mencionará inmediatamente, cree que el auge juglaresco en la España castellana fue un obstáculo para el arraigo y triunfo del arte dramático medieval.

EL TEATRO MEDIEVAL

El teatro medieval en Castilla tiene escaso desarrollo si se lo compara con el que alcanzó en Cataluña, Aragón y en la Europa occi-

---

y María", "Estudios escénicos", 6, 1960, págs. 65-82. Sobre el tema de esta y la anterior obrita, M. D. PINTO, *Due contrasti d'amore nella Spagna medievale* (*"Razón de amor" e "Elena y María"*), Pisa, 1959.

[9] *Dos versiones castellanas de la "Disputa del alma y el cuerpo" del siglo XIV*. Edición y estudio de E. V. KRAMER, en "Mémoires de la Société Néophilologique", XVIII, Helsinki, 1956. Los textos, si bien son castellanos, están escritos con rasgos aragoneses: M. ALVAR, *Rasgos dialectales de la "Disputa del alma y el cuerpo" (siglo XIV)*, *Strenae*, Estudios dedicados a M. García Blanco, Salamanca, 1962, págs. 37-41.

[10] Publicada por A. CASTRO en la "Revista de Filología Española", I, 1914, páginas 173-181.

dental[11]. Hay gran pobreza de datos y obras sobre el mismo, que si bien pudo ser azarosa, no deja de tener su significación. Apenas ha podido reunirse material para un estudio específico de este teatro medieval castellano, y es necesario adentrarse en el siglo XVI para hacerse una idea de lo que pudo haber habido. No hay un límite entre el período medieval y el siglo XVI, y las manifestaciones del final de la Edad Media y las renacentistas se agrupan en el período llamado *prelopista,* situando en Lope de Vega el hito señalador con el teatro nuevo[12]. El estudio del teatro medieval se convierte en una difícil interpretación de noticias indirectas que acompañan a muy pocas obras.

La Iglesia promovió las representaciones ante el pueblo, y las acogió en sus templos o en las inmediaciones. La liturgia católica con su periódico ceremonial solemne posee una espectacularidad en la que pudo iniciarse una incipiente dramatización. Las grandes ceremonias pudieron así verse animadas con un espectáculo piadoso que nacía del mismo texto litúrgico. Los oficios de las fiestas de Navidad y de la Pasión fueron propicios para esto.

Por otra parte, si bien se cortó la continuidad entre el teatro artístico antiguo y el de la Edad Media, parece que algunas fiestas del

---

11 La bibliografía general sobre el tema (centrada sobre todo en el teatro inglés) se encuentra en C. J. STRATMAN, *Bibliography of Medieval Drama,* Berkeley and Los Angeles, 1954. Con relación a España, especialmente a la parte de Cataluña y Aragón: R. B. DONOVAN, *The Liturgical Drama in Medieval Spain,* Toronto, 1958. Véase también J. ROMEU FIGUERAS, *Teatro hispánico del período románico (una experiencia de rehabilitación),* "Estudios Escénicos", 9, 1963, págs. 7-70 (incompleto). Un resumen del drama medieval en Europa se encuentra en el artículo de C. VOSSLER, *El drama,* publicado en *Formas poéticas de los pueblos románicos,* obra citada, págs. 248-308, en el curso del cual se ocupa del teatro español de esta época. Un ponderado estudio del drama medieval en Castilla se halla en el prólogo "El teatro español en la Edad Media" de F. LÁZARO que precede la colección de textos hábilmente modernizados en el libro *Teatro Medieval,* 2.ª ed., Valencia, 1965, págs. 9-94.

12 Así puede verse en el manual de J. P. W. CRAWFORD, *Spanish Drama before Lope de Vega,* 2.ª edición, Philadelphia, 1937, que dedica poco espacio a la parte medieval.

mundo pagano, enraizadas en viejos mitos seculares, subsistieron en extraña mezcla con costumbres religiosas; en esta dramatización de las ceremonias religiosas, en las que el pueblo jugaba cada vez un papel más importante, encontraron ocasión de reaparecer.

Hacia el siglo XII este *teatro* obtuvo expresión en lengua vulgar, y gozó de un gran favor; un texto de las *Partidas* nos informa de estos dos aspectos: el piadoso, que se recomienda a clérigos y fieles, y el otro, que se rechaza y prohibe insistentemente. Sólo un fragmento de una representación de los Reyes Magos llegó, entre las hojas de un códice bíblico, hasta nuestros días [13]. Puede añadírsele un *Auto de la huida a Egipto*, de letra de fines del siglo XV o comienzos del XVI que J. García Morales [14] estima que debe situarse en las proximidades de la *Representación* de G. Manrique. Con respecto a las letras de las actividades teatrales vedadas a los clérigos no quedan textos.

La austeridad de la vida pública de Castilla contrasta con las referencias que se conservan de fiestas solemnes en cortes y ciudades de otros reinos de España, en las que se celebraron espectáculos que podemos llamar teatrales por el uso de un "escenario", pero de poca o ninguna sustancia dramática. Muy a fines de la Edad Media comienzan a encontrarse estas noticias referidas a Castilla [15], y se caracterizan por la intensidad del sentido dramático de las representaciones; así ocurre con dos textos de Gómez Manrique, uno de los cuales, la *Representación del nacimiento de nuestro Señor,* es la obra más importante de esta clase.

---

[13] Edición de R. MENÉNDEZ PIDAL en la "Revista de Archivos, Bibliotecas y Museos", IV, 1900, págs. 453-463. Los estudios más recientes son los de R. LAPESA, *Sobre el "Auto de los Reyes Magos", sus rimas anómalas y el posible origen de su autor,* "Homenaje a F. Krüger", 1954, II, págs. 591-599, y B. W. WARDROPPER, *The Dramatic Texture of the "Auto de los Reyes Magos"*, "Modern Language Notes", 1955, págs. 46-50; G. DÍAZ-PLAJA, "Estudios Escénicos", 4, 1959, págs. 99-126.

[14] *Auto de la huida a Egipto,* Introducción de J. GARCÍA MORALES, Madrid, 1958, transcripción modernizada y facsímil.

[15] G. CIROT, *Pour combler les lacunes de l'histoire du drame religieux en Espagne avant Gómez Manrique,* "Bulletin Hispanique", XLV, 1943, páginas 55-62.

Pobre de textos, los investigadores han estudiado la parte espectacular y escénica [16] de este teatro en sus últimos tiempos y en el siglo XVI, y los tipos que en él aparecieron [17].

El gran teatro religioso español apareció después, en los siglos de Oro, otro fruto tardío de nuestra literatura.

LA "CELESTINA", ENCRUCIJADA DE GÉNEROS, PERÍODOS Y PROBLEMAS

La *Celestina* aparece en una edición sin fecha (atribuible a 1499, último año del siglo XV), que tenemos por primera, y la obra se imprime varias veces en los comienzos del siglo XVI y así asegura un éxito que está vivo aún en nuestros días [18]. Menéndez Pelayo, aún se-

[16] Información general en el ya clásico libro de E. K. CHAMBERS, *The Mediaeval Stage,* Oxford, 1903, 2 vols. Para España, W. H. SHOEMAKER, *The multiple Stage in Spain during the Fifteenth and Sixteenth Centuries,* Princeton, 1935 (se refiere a la parte medieval en las págs. 1-39, con amplia bibliografía). Traducido en "Estudios Escénicos", 2, 1957 (la parte medieval, páginas 11-55).

[17] Aunque se refiere al teatro desde Juan del Encina a Juan de la Cueva, puede citarse el estudio de W. S. HENDRIX, *Some Native Comic Types in the Early Spanish Drama,* Columbus, Ohio, 1925, un desfile de tipos cómicos que pueden relacionarse con el teatro medieval. Con mayor referencia a textos posteriores a la Edad Media, tiene también su interés para esta época, el artículo de E. JULIÁ MARTÍNEZ, *La Asunción de la Virgen y el teatro primitivo español,* "Boletín de la Real Academia Española", XLI, 1961, págs. 179-334. Sobre la consideración de los autores cómicos antiguos en la Edad Media: E. J. WEBBER, *The literary reputation of Terence and Plautus in Medieval and Renaissance Spain,* "Hispanic Review", XXIV, 1956, págs. 191-206.

[18] Referencia de las ediciones en C. L. PENNEY, *The Book called Celestina in the Library of the Hispanic Society of America,* New York, 1954. Ediciones del texto: *Comedia de Calisto e Melibea,* ed. F. HOLLE, Strasburgo, [1911], sobre el texto 1499 (?) y variantes de otras varias en reproducción rigurosa; edición crítica *Tragicomedia de Calixto y Melibea...,* ed. M. CRIADO DE VAL y G. D. TROTTER, Madrid, 1958; en edición facsímil han aparecido la de Toledo, 1500 (por D. POYÁN DÍAZ, Ginebra, 1961), y la de Sevilla, 1502 (por A. PÉREZ GÓMEZ, Valencia, 1958). Véase la ordenación establecida por J. HORRENT, *Cavilaciones bibliográficas sobre las primeras ediciones de la*

ñalando su condición dramática, no tiene reparo en situar su estudio en su obra *Orígenes de la novela* por considerar que fue para los novelistas "el primer ejemplo de observación directa de la vida" [19]. Pero la cuestión, resuelta con demasiada facilidad desde este criterio de exaltación de un realismo entendido en forma anacrónica, ha sido replanteada muchas veces, y la *Celestina* sigue siendo una de las obras más controvertidas de la literatura española [20]. En lo que afecta a este tratado, la *Celestina* importa por la colección de los elementos literarios que reunió, dándoles validez poética que algunos críticos estiman de condición extraordinaria: "Su unicidad —escribe S. Gilman, después de examinar cuidadosamente las características artísticas de la obra [21]—, su peculiar originalidad como artista [se refiere a Rojas] le ha conducido hasta un cierto umbral de género, a una especie de descubrimiento personal de la significación interior de la novela y del drama". Pero la materia medieval integra la obra extraordinaria, y sus fuentes han sido establecidas con rigor [22] y se ha formado el cuadro retórico que mantiene el desarrollo de la obra [23]. La *Celestina*, aun contando con el asombroso aprovechamiento que logra con los elementos de que se compone, pertenece al género de la comedia hu-

---

"*Celestina*", "Annali dell'Istituto Universitario Orientale", Sezione Romanza, V, 1963, págs. 301-309. J. HOMER HERRIOT, *Towards a Critical Edition of the Celestina*, Madison, 1964.

19 M. MENÉNDEZ PELAYO, *Orígenes de la novela*, edición citada, III, capítulo X, págs. 219-458, seguido de otro capítulo sobre las continuaciones.

20 Esta controversia está contada en el artículo de D. W. Mc. PHEETERS, *The Present Status of Celestina Studies*, "Symposium", XII, 1958, páginas 196-205.

21 S. GILMAN, *The Art of the Celestina*, Madison, 1956, pág. 206, original en inglés.

22 F. CASTRO GUISASOLA, *Observaciones sobre las fuentes literarias de la "Celestina"*, Madrid, 1924, fuentes desde Alfonso X al siglo XV (págs. 150-185); A. D. DEYERMOND, *The Petrarchean sources of La Celestina*, Oxford, 1961.

23 C. SAMONÀ, *Aspetti del retoricismo nella "Celestina"*, Roma, 1953, en cuya parte primera verifica el análisis de los recursos retóricos, y en la segunda la técnica del diálogo en relación con los mismos.

manística, escrita no para la representación sino para la lectura [24]. Su intención fundamental, al menos para los lectores del tiempo de su autor, fue de orden moralizador [25]. El extraordinario acierto poético que es la *Celestina* ha servido para una penetración en el sentido de la crisis social del siglo XV en ella representada, el comienzo del despertar de las energías del individualismo moderno [26]. Por otra parte, A. Castro explica esta condición única por la condición de *converso* de su autor, que escribió una obra cautelosa, ni medieval ni renacentista, sin desengaño ejemplar o ascético, reflejo de una visión alterada de los valores y jerarquías; su resultado fue, según Castro, iniciar la técnica del perspectivismo literario, derribando las estructuras literarias anteriores [27]. En el curso de estos últimos años la crítica de la *Celestina* ha cobrado inusitada animación. En todos los aspectos se ha aumentado la bibliografía existente: replanteamientos de su teoría, nuevas ediciones, interpretaciones de su significación literaria, social y humana, etc., de tal manera que su estudio es un campo en el que

---

24 El profundo y extenso estudio de M. R. LIDA DE MALKIEL, *La originalidad artística de la "Celestina"*, Buenos Aires, 1962, revisa a fondo los precedentes de la obra, y los valora en su integridad. El libro de E. R. BERNDT, *Amor, muerte y fortuna en "La Celestina"*, Madrid, 1963, apareció casi al mismo tiempo, y constituye una exploración de estos temas en relación con su tradición de los siglos XIV y XV.

25 M. BATAILLON, en su libro *La Célestine selon Fernando de Rojas*, París, 1961, escribe una "explicación del texto" que es una radical interpretación de la obra desde dentro de la intención del autor en el contorno de la época.

26 J. A. MARAVALL, *El mundo social de "La Celestina"*, Madrid, 1964.

27 A. CASTRO, *"La Celestina" como contienda literaria*, Madrid, 1965. M. Bataillon había contradicho esta opinión con ocasión de haberla formulado en la segunda edición de *La realidad histórica de España*: "Esta interpretación no sólo no se apoya en ninguna indicación explícita o unívoca de la obra, sino que contradice varias; no ha sido nunca apuntada ni siquiera insinuada por ningún español del siglo XVI o del XVII, época en que España estaba obsesionada por una imposible pureza de sangre. Hay que ver en esto el último fruto del ahinco de nuestros contemporáneos en descubrir a toda costa en la *Celestina* algún misterioso reflejo de la posición personal de Rojas, al que un documento inquisitorial permite clasificar como converso". M. BATAILLON, *La Célestine selon Fernando de Rojas*, obra citada, pág. 173.

el concepto de Edad Media y de Renacimiento, su cohesión, la afirmación o negación de uno y otro o de ambos es objeto de riguroso examen, y de la discusión consiguiente en torno de la posición defendida.

CAPÍTULO XIV

EL FIN DEL MEDIEVO

DATOS CULTURALES PARA SEÑALAR EL FIN DE LA EDAD MEDIA

En los últimos años del siglo XV los varios Reinos medievales de la Península (excepto Portugal) quedaron reunidos en uno solo, que constituyó la nación española. Con los Reyes Católicos la política siguió otros cauces que con los anteriores, y las banderías de los nobles señores quedaron sometidas hábilmente al poder de los Reyes, mientras se iba creando el instrumento de un gobierno nacional. Al reunir en sus manos la herencia de las diversas situaciones de los antiguos reinos, sobre todo de Aragón y de Castilla, Fernando e Isabel establecen también una intensa intervención en los asuntos de Europa.

El reinado de los Reyes Católicos conoció acontecimientos decisivos. La toma de Granada acaba con una guerra de siglos contra los árabes de España; desde las primeras obras en romance, los moros habían sido considerados como los contrarios de los cristianos, sobre todo en la literatura de raíces cultas, pues la popular había manifestado en alguna ocasión, como se vio, una cierta inclinación por ellos. Tres meses después de la caída de Granada, el 31 de marzo de 1492, los Reyes firmaron el decreto de expulsión de los judíos que no se convirtieran a la ley cristiana. El descubrimiento de América creó una nueva aplicación para el esfuerzo de esta comunidad de españoles que acababa de terminar en el interior de la nación con la presencia de los árabes hispanos, organizados en Reino.

Existe, pues, una clara determinación en los límites entre la Edad Media y una nueva época si se atiende a estos decisivos hechos de carácter político. Pero en la consideración de la literatura, como ocurre con aquellas manifestaciones de la cultura que implican una compleja actividad espiritual, la distinción entre las dos épocas no resulta siempre tan patente. Por otra parte, los historiadores modernos no suelen ser partidarios de establecer la división entre dos épocas en una fecha determinada, según el límite que le dio Cellarius. Así Halecki señala que los cambios que trasformaron la vida histórica de esta transición estaban comenzados en 1453 y no habían concluido en 1519 [1]. Además, por otra parte, la obra literaria es el complejo resultado de una voluntad de creación en la que tradición y afán renovador se coordinan de manera diferente en cada caso. Y en esta ocasión histórica no hubo una renovación en la creación poética tan radical como fue el cambio de la política. Y aun mejor que una renovación se encuentra en la Literatura una situación de paso desde un período ya periclitante, la Edad Media, a otro, naciente [2]. Esto mismo aconteció en varias ocasiones a las otras literaturas europeas, y en cada una esta transición presentó un aspecto diferente; el término común que se aplicó, *Renacimiento*, no significa que hubiese un exacto paralelismo en todos los casos. La Historiografía explica esta situación, y ayudándose de la teoría de las generaciones, ha convenido en llamar *época crítica* a la propia de este período [3]. Las tres o cuatro generaciones que conviven en un mismo tiempo histórico desarrollan una gran actividad, y prueban suerte por otros caminos del

---

1 O. HALECKI, *Límites y divisiones de la Historia europea*, Madrid, 1958; capítulo VIII, "Las divisiones cronológicas", págs. 219-247.

2 Véase el sugeridor libro de J. NORDSTRÖM, *Moyen Âge et Renaissance*, París, 1933.

3 Véase el libro de J. L. ROMERO, *Sobre la Biografía y la Historia*, Buenos Aires, 1945.

arte que los acostumbrados. El pasado sufre un examen en cuanto al repertorio de ideas, técnicas, juicios y fórmulas que se venían trasmitiendo de unas generaciones a otras, y se arrinconan algunas que se estima que han perdido su fuerza creadora, quedando como formas arcaicas que pueden persistir donde el influjo de la moda no se muestre intensamente, o los gustos sean muy conservadores. Como las novedades no suelen ser siempre, al menos al principio, aciertos, esto produce desorientación, y el historiador nota desajustes en el cuadro general de las ideas culturales del período precedente; y en la historia del arte se han de abrir nuevos capítulos para estudiar estas manifestaciones, que aunque pueden proceder de influencias de otras partes, acaban por echar raíces y dar nuevos bríos a la creación.

La obra de Hauser sobre los períodos estéticos, basada en los fundamentos sociológicos de la literatura y el arte, ha divulgado una serie de conceptos, ordenados históricamente, dentro de los cuales se hallan los que corresponden a este período crítico. La partición que verifica del proceso de la Edad Media indica una preocupación por adaptarse a la realidad histórica, tal como lo enuncia en su libro: "La unidad de la Edad Media como período histórico es artificial. En realidad la Edad Media se divide en tres períodos culturales completamente independientes: el del feudalismo, de economía natural, de la Alta Edad Media; el de la caballería cortesana, de la Plena Edad Media, y el de la burguesía ciudadana, de la Baja Edad Media" [4]. Esta visión radical del proceso no es compatible con el desarrollo de la literatura española; la caracterización del dualismo del arte gótico (naturalismo y espiritualidad), con la formación de un arte "burgués" en el período del gótico tardío son las notas de esta formulación, que no se logran enteramente, como confiesa su autor, en la literatura [5].

---

[4] A. Hauser, *Historia social de la literatura y el arte*, obra citada, página 137.

[5] Escribe Hauser: "La movilidad espiritual del período gótico puede en general estudiarse mejor en las obras de las artes plásticas que en las creaciones de la poesía", ídem, pág. 243.

A manera de resumen de esta general situación crítica he escrito en una ocasión: La universal armonía que mostraba la obra del Rey Sabio en la ordenada relación, de raíces teológicas y humanísticas, establecida entre Dios, la creación de Dios manifestada en la Naturaleza, y el hombre que participaba de los beneficios de ella como criatura predilecta, se desconcertó cuando este último fue puesto por delante; al pasar el hombre y los valores de la acción humana a un primer término, las otras partes de la unidad armónica, aunque válidas, quedaban al fondo en la consideración de los asuntos de la vida. En una situación crítica de esta clase (sobre todo si se tienen en cuenta las circunstancias políticas de unos años difíciles y el carácter de una comunidad, reconocida ya por los romanos como indómita, y en la que no echó duraderas raíces la disciplina del trato social del feudalismo) sus manifestaciones fueron la abundancia de odios menudos, esquivar los trabajos en común y el desarrollo de unas pasiones que impidieron reconocer la función del que quería guiar el Reino con un sentido reflexivo. Estos rasgos se encuentran ya en el siglo XIV, y en el siguiente caracterizaron el ambiente de la época. La Iglesia quiso luchar con las armas espirituales para contener el desorden moral, y hubo de aplicarse también a su reforma interior; muchos hombres de la Iglesia de estos tiempos fueron gente *nueva,* procedente de una situación peculiar de España: los conversos. El Humanismo, en parte fruto de la peculiar presencia de los antiguos en la Edad Media, y más aún en relación con el cultivo del conocimiento de la Biblia, ha de ir depurando cada vez más sus fines dentro de una disciplina filológica que acabó por divulgar la apreciación de los valores literarios por sí mismos, sin una trascendencia moral. Y ambos, Iglesia y Humanismo, las más de las veces confundidos en las personas que los representaron, se esforzaron en conducir la expansiva vitalidad de la nación en ciernes hacia cauces en los que se procuraba que los fines morales y los afanes políticos se reunieran y dispusiesen para una acción común. A veces esto llevó a la confusión y mezcla de los fines de la religión y la Iglesia con los de la nación. Esto ocurrió en el reinado de los Reyes Católicos, alba de la nación. La obra literaria que corresponde a este designio de transición fue, como su tiempo, variada, y aún a veces, contradictoria [6].

DIVERSAS DENOMINACIONES DE LA CRÍTICA PARA EL PERÍODO DE TRANSICIÓN

Una manera de estudiar esta época crítica se llevó a cabo buscando qué características de la Edad Media se intensificaran al llegar a su época de madurez; este sentido de sazón cultural que se halla al fin de la misma recibió el nombre de *Otoño de la Edad Media,* y su nombre procede de un libro que se llama así, del historiador J. Huizinga [7].

De la aplicación a la exposición de la ciencia literaria, de los principios generales de la Estética (particularmente de las ideas de Wölfflin), resultó que se dieron varias denominaciones de carácter artístico a esta época última de la Edad Media. Así Guillermo Díaz-Plaja [8] menciona un *Barroco* de la Edad Media, particularmente del cuatrocientos, que caracteriza tanto en las modalidades de expresión como en la actitud espiritual como poseedor de las características de lo que después fue el Barroco del siglo XVII. Ángel Valbuena Prat, dentro de un criterio de unidad estética que junta las características de las

---

[6] F. LÓPEZ ESTRADA, *La Retórica en las "Generaciones y Semblanzas", de Fernán Pérez de Guzmán* (artículo citado en la nota 6, Capítulo IV). Como información de la situación de Europa a fines de la Edad Media, véase *Europa in the Late Middle Ages,* Oxford, 1965, y sobre España, J. R. L. HIGHFIELD, *The Catholic Kings and the titled Nobility of Castile,* págs. 358-385 de esta obra.

[7] J. HUIZINGA, *El Otoño de la Edad Media,* edición antes citada. Reconociendo la gran importancia de este libro para caracterizar una época de la vida europea, hay que señalar, sin embargo, que falta en él la consideración de la situación española, si bien su mismo autor, en el subtítulo del mismo, limitó su alcance: "Estudios sobre las formas de vida y del espíritu durante los siglos XIV y XV en Francia y en los Países Bajos".

[8] G. DÍAZ-PLAJA, *El espíritu del barroco. Tres interpretaciones,* Barcelona, 1940.

diversas artes, y tomándolo sobre todo de la Arquitectura, llama a la de la época de Juan II *literatura del gótico florido* refiriéndose a que "coincide la nueva generación con la época del gótico llamado *flamígero,* en la que los adornos engalanan y transforman el espíritu severo del estilo de los siglos XIII y XIV" [9]; luego llama *estilo plateresco* al de la poesía de los Reyes Católicos, porque "del mismo modo que en el estilo plateresco de la época convive la abundante ornamentación del gótico florido con las líneas cerradas, limitadoras, del grecorromano, la cultura literaria une los abundantes motivos del Cancionero del siglo XV con las influencias clásicas y el nuevo sentido de la vida de la época del humanismo" [10].

Limitándose más a un dominio literario, Manuel Durán estima que, faltándole ya al arte el apoyo de un sistema elaborado de símbolos, "todo en el arte gótico florido, tienda a la estilización, al decorativismo o a la alegoría" [11]. Los caminos de la renovación están implícitos en los elementos ya existentes, y el sentido de cohesión poética puede marcar el camino de formas muy diferentes. Así ocurre que según este crítico "cuando más renacentista se muestra Santillana no es al tratar de aclimatar en España el soneto o al hacer traducir la *Iliada,* sino al acercarse a los temas populares con una mentalidad nueva, que los transforma en obra de arte con la que el autor convive..." [12]. Conviene indicar también que la reciente aparición del concepto estético de "manierismo artístico" habrá de tener su repercusión en la literatura medieval. Si bien el gran esfuerzo de Arnold Hauser [13] intenta establecer el manierismo en una época histó-

---

[9] A. Valbuena Prat, *Historia de la Literatura Española,* obra citada, tomo I, pág. 234. "El renacer del gótico florido" es el título de un capítulo del libro ya mencionado del mismo autor, *Estudios de literatura religiosa española.*

[10] *Idem,* pág. 336.

[11] M. Durán, *Santillana y Prerrenacimiento,* "Nueva Revista de Filología Hispánica", XV, 1961, pág. 363.

[12] *Idem,* pág. 345.

[13] A. Hauser, *El manierismo,* Madrid, 1965, pág. 267; lo cual no le obsta para reconocer que el manierismo "apela a reminiscencias medievales" (página 274).

rica determinada en la que se da en forma coherente, sin embargo las características de tal estilo pueden hallarse también en la obra de autores de fines de la Edad Media; el anticlasicismo, virtuosismo, la tendencia a las extremosidades y el cultivo de la paradoja pueden testimoniarse en grado suficiente como para pensar en si pueden confluir los conceptos de barroco y manierismo en esta época. Tal confluencia entre Edad Media y manierismo ha sido resuelta por el autor en forma negativa; tratando de la participación de la tradición gótica en los comienzos del manierismo francés y en la pintura holandesa, escribe Hauser: "como consecuencia, es casi imposible decir lo que es aquí *todavía* medieval y lo que es *ya* manierista, ya que lo mismo que en Francia, y en general en todo Occidente, fuera de Italia, también en los Países Bajos se 'salta' el Renacimiento". "La excesiva importancia que se concede, a veces, a los paralelos medievales con el manierismo es, por eso, injustificada, por muy impresionante que sea en ocasiones este paralelismo."

LOS MOROS EN LA ÉPOCA CRÍTICA

La crisis del paso desde la Edad Media a una nueva época acabó por resolver una situación que había ido haciéndose cada vez más apurada en las relaciones entre los súbditos católicos de los Reyes españoles y las minorías árabe y judía que existían en el suelo de la Península.

A medida que el dominio de los Reyes granadinos iba reduciéndose, el moro ganaba en su apreciación como personaje literario. Esto se ha dicho ya antes al tratar del influjo árabe, y aquí toca sólo referirse al último episodio del mismo [14]. El Romancero, la lírica

[14] Véase nota 19, Cap. V, con la bibliografía del caso: en mi libro *El Abencerraje y la hermosa Jarifa,* obra citada, en especial los capítulos II y III. Véase también, desde el punto de vista social, el informativo libro de J. CARO BAROJA, *Los moriscos del reino de Granada,* Madrid, 1957, en particular lo que señala de que la oposición de los cristianos contra los moriscos,

y las Crónicas muestran testimonios del proceso, que en parte es también el de la progresiva castellanización del reducido reino árabe. Cuando termina la guerra de Granada, acaba el trato que los españoles cristianos habían tenido con el moro de igual a igual con las armas en la mano, y se abre paso a una situación diferente en la que el moro ha quedado sojuzgado, y se ha convertido en el morisco. Esto pertenece ya a una época nueva, pero hay que indicar que durante más de un siglo la presencia de los moriscos en España fue un recuerdo de la condición medieval de la convivencia de las diversas leyes, y también un fermento, sin apenas relieve y memoria cultural, del mismo.

LOS JUDÍOS EN LA ÉPOCA CRÍTICA

El proceso de las relaciones entre las minorías de las comunidades judías y la población de los Reinos cristianos de la Península fue muy distinto al del trato con los moros, y además se presenta planteado de diversas maneras según las clases sociales que tenían relación con esta minoría de acusada diferenciación, sobre todo por sus costumbres favorecedoras de una vida independiente. Las medidas políticas, salpicadas de tumultos violentos, que terminaron por las disposiciones reales conducentes a la expulsión de los judíos del reino español, fueron tardías en relación con lo que sucedió en otros países europeos, y acontecieron cuando los reinos medievales se reorganizaban en unidad nacional, y con esto se abría una época política nueva. El siglo XV trajo graves crisis en las relaciones entre judíos y cristianos, y en él ocurrió además una grave escisión en las comunidades judías. Propiamente el comienzo de la diáspora sefardí que tiene su fin en la expulsión de 1492, comenzó en 1391 con el asalto de las juderías y la matanza de judíos en Sevilla y otros actos de crueldad en diversas

---

aunque general, no fue total, y que hay que separar lo que pudiera ser una actitud de principio, de la realidad de una vida de convivencia (pág. 18). Para conocer las relaciones que hubo entre judíos y musulmanes, véase el libro de IS D. ABBOU, *Musulmans andalous et judéo-espagnols*, Casablanca, 1953.

partes de España. En estos sucesos estalló con furia el odio fomentado en el pueblo (sobre todo en el de pobre condición, siempre agobiado de tributos) por atribuir a los judíos un afán de enriquecimiento, en parte debido a la confianza que en ellos ponían los reyes y los nobles señores, encargándoles de los menesteres de una hacienda consistente sobre todo en el cobro de tributos, y también de los cargos de la administración en las cortes. Los reyes y los nobles procuraron evitar estas violencias, y sostener a los judíos, de los que se seguían valiendo en sus oficios hasta los últimos días de la expulsión. Sin embargo, la situación iba siendo cada vez más difícil, y algunos judíos abandonaron el país, de manera que en el curso del siglo XV las juderías quedaron maltrechas y sin las riquezas de otros tiempos [15].

Además de esta crítica situación, en el siglo XV se planteó dentro de estas comunidades judías una división que, si bien en principio pudo presentarse en cualquier otro período, en esta ocasión resultó de unos efectos, cuya importancia discuten los historiadores, y que, ya en sus repercusiones, ha sido objeto de vivas polémicas en rela-

---

15 En español es clásica la obra de J. AMADOR DE LOS RÍOS, *Historia social, política y religiosa de los judíos en España y Portugal*, Madrid, 1875, 3 vols., reproducida recientemente en Madrid, 1960. Con la aportación de numerosos testimonios de la época: F. BAER, *Die Juden im christlichen Spanien*, I, Berlín, 1929; II, 1936. (Véase J. M. MILLÁS VALLICROSA, *Historia de los judíos españoles*, "Sefarad", 1946, VI, págs. 163-188. BAER publicó en Tel Aviv en hebreo una monumental Historia de los judíos en España.) Una visión de conjunto, con amplia bibliografía general en M. J. BENARDETE, *Hispanic Culture and Character of the Sephardic Jews*, New York, 1953. También A. A. NEUMAN, *The Jews in Spain: Their Social, Political and Cultural Life during the Middle Ages*, Philadelphia, 1942, 2 vols. Resultan de poca enjundia los trabajos dedicados a la literatura, aunque con datos orientadores: A. PORTNOY, *Los judíos en la literatura española medieval*, Buenos Aires, 1942; y su consideración literaria: S. RESNICK, *The Jew as portrayed in Early Spanish Literature*, "Hispania", XXXIV, 1951, págs. 54-58. Una revisión general de los estudios sobre los conversos españoles se encuentra en A. DOMÍNGUEZ ORTIZ, *Historical Research on Spanish Conversos in the last 15 years*, en *Collected Studies in honour of Américo Castro's Eightieth Year*, obra citada, páginas 63-82; en la misma obra F. MÁRQUEZ VILLANUEVA hace un inventario de las cuestiones planteadas en torno de este tema en su artículo *The Converso Problem: An Assessment*, págs. 317-333.

ción con su función en la historia de la literatura española de los Siglos de Oro. La comunidad judía que vivía en la Península se partió en dos grupos. Uno de ellos permaneció fiel a la ley mosaica; parte de este grupo se fue trasladando a otras comunidades judías del Mediterráneo, mientras que los demás permanecieron en España sin ocultar su condición hasta que en 1492, como se dijo, los Reyes Católicos les conminaron a salir de su reino. El otro grupo quiso integrarse en la población cristiana, y se convirtió al catolicismo. Se ha especulado sobre las condiciones de esta conversión y su sinceridad, en el sentido de que los judíos llamados entonces *conversos,* al pasar a la religión cristiana, fueron un fermento espiritual de difícil asimilación, y que siempre levantaron suspicacias en los cristianos *viejos.* En este, como en otros puntos, el juicio de Castro difiere mucho del que formula Sánchez-Albornoz. Para Castro este grupo de conversos fue importante, y su actividad dio carácter a la vida espiritual del siglo XV, y aun sobrepasó la Edad Media [16]. Este fermento de inquietud no pudo, según Sánchez-Albornoz, calar tan hondamente, pues el cristiano viejo siempre anduvo prevenido con el modo de ser de los judíos. Por otra parte, Sánchez-Albornoz estima que se ha exagerado en cuanto a la sospecha de que algunos escritores sean conversos [17]. Esta actitud, propia de un historiador que pide pruebas documentales, resulta en este caso extremosa, pues es de suponer que los papeles relativos a estos asuntos hayan desaparecido a la primera ocasión. Las presun-

16 A. CASTRO, *La realidad histórica de España,* obra citada, en particular los capítulos XIII y XIV de la ed. de 1954; y el cap. II de la ed. de 1962, explicativo de la realidad de "casta" en relación con la vida española de la Edad Media. Véase su consideración como clase: A. DOMÍNGUEZ ORTIZ, *Los "cristianos nuevos". Notas para el estudio de una clase social,* "Boletín de la Universidad de Granada", XXI, 1949, págs. 249-297; y *La clase social de los conversos en Castilla en la Edad Moderna,* en los "Estudios de Historia Social de España" [Madrid, 1956].

17 C. SÁNCHEZ-ALBORNOZ, *España, un enigma histórico,* obra citada, en particular, tomo II, cap. XIV. Escribe: "Me inclino a dudar de la estirpe judaica de todos los que en el mundo literario, eclesiástico o político fueron acusados de judíos en sus días, si un testimonio seguro no acredita su hebraísmo" (II, pág. 267).

ciones razonadas, en estos casos, si no son una prueba, resultan un dato muy digno de tenerse en cuenta, y más si encajan dentro de un cuadro de sensibilidad de época. Para Sánchez-Albornoz estos conversos fueron "un elemento híbrido, enquistado dentro de la sociedad cristiana española y por largo tiempo, no asimilado a ella" [18]. No cree que mudasen ni de vida ni de credo, y esto suscitó el recelo de los cristianos viejos y los graves desórdenes. Y en esto damos en una herencia que había de pasar de este siglo a los tiempos nuevos: según Castro, los conversos del siglo XV intervinieron activamente en la condición peculiar que tomó en España la actividad de la Inquisición; Sánchez-Albornoz lo admite así, enraizando en la Edad Media esta modalidad de la vida pública de España [19]. En cuanto a sus efectos literarios, hay que insistir en que la apreciación de lo que pudo representar para la vida española de la época la obra del converso, ha de establecerse cuidadosamente caso por caso. Con razón declara así Márquez Villanueva esta situación: "Ser cristiano nuevo suponía en el siglo XV para la mayor parte de ellos el estar encuadrados en un panorama de vivísimas urgencias vitales, ante las que era forzoso adoptar unas actitudes intelectuales y, lo que era mucho más grave, una norma de conducta. El conocimiento de esas reacciones es lo que, a su vez, puede ayudarnos mucho para perfilar el contorno de una personalidad en el sentido de una obra creadora. Por eso el descender de judíos convertidos no es un hecho absoluto que tenga en el siglo XV la misma importancia que en el XVIII..." [20]. Precisamente en el curso del siglo XV va perfilándose el concepto de "limpieza de sangre" como uno de los fundamentos esenciales de una nobleza que ha de manifestarse ostentosamente como signo de clase social, la sola que se estimaba merecedora del favor de las instituciones que dependían del Rey en tanto suponían una voluntad de gobierno; y esta prueba de la hidalguía llega a constituir en los Siglos de Oro no sólo un proce-

---

18 *Obra citada,* II, pág. 241.

19 *Obra citada,* págs. 510-518; *Obra citada,* II, pág. 559, respectivamente.

20 F. MÁRQUEZ VILLANUEVA, *Investigaciones sobre Juan Álvarez Gato,* obra citada, pág. 44.

dimiento jurídico para alcanzar los títulos de las órdenes y las mercedes, sino que entra a formar parte del sentimiento del honor: "La preocupación de la limpieza de sangre estaba tan íntimamente mezclada con la existencia de los españoles que no podemos saber exactamente los límites alcanzados por esta obsesión", escribe Albert. A. Sicroff en un documentado estudio de carácter histórico-social [21].

Desde un punto de vista literario la situación trajo el que los judíos ya no pudieron seguir siendo, como en siglos anteriores, los mediadores entre el pensamiento árabe, por otra parte ya en decadencia, y el cristiano. Los escritores que procedían de familia judía, ya conversos, habían asimilado los usos literarios procedentes de la tradición cristiana, con la que, por otra parte, tenían en común los libros bíblicos del Antiguo Testamento y cuanto había formado el espíritu de la ilustración medieval, promovida por Alfonso X, y sus consecuencias literarias. Por otra parte, la condición de las actividades sociales de las familias judías, inclinada a los ejercicios intelectuales, favoreció la dedicación de los conversos al menester literario. Así los hallamos como poetas, desde el *Cancionero de Baena;* con una obra propia, de fuerte acento personal, como en Rodrigo de Cota y Antón de Montoro; y orientando de manera definitiva las versiones a lo divino en el caso de Álvarez Gato. Se ha observado que las expresiones antijudías se encuentran a veces en autores que son conversos. La exacerbación en el uso de los recursos literarios se les ha atribuido en otros casos. María Rosa Lida de Malkiel, comentando la presencia de la hipérbole sagrada en la poesía castellana de dicha época, hizo los siguientes comentarios sobre la función de los conversos en relación con el sentido crítico del siglo XV: "Por su número y su importancia debieron de contribuir de modo específico al desorden íntimo y a la confusión de jerarquías, de suyo existente en la tardía Edad Media" [22].

---

21 A. A. SICROFF, *Les controverses des statuts de "pureté de sang" en Espagne du XVe siècle au XVIII siècle,* Paris, 1960, pág. 297.

22 M. R. LIDA DE MALKIEL, *La hipérbole sagrada en la poesía castellana del siglo XV,* "Nueva Revista de Filología Hispánica", VIII, 1946, páginas 121-130.

Los conversos, según Castro, para encauzar sus vocaciones religiosas en el Catolicismo buscaron las formas de espiritualidad que mejor compaginaban con el estado de sus almas. Así no falta el caso asombroso de la familia de los Santa María, uno de los cuales fue Obispo de Burgos [23]. Otros entraron en la orden de los Jerónimos, donde impulsaron el ejercicio de la religiosidad interior [24]. Uno de ellos, Fray Hernando de Talavera, es figura representativa de la Iglesia española en tiempos de los Reyes Católicos, sobre todo en lo referente a la reconciliación de judíos y moriscos con los cristianos dentro de la nación [25]. Resulta indudable la función de los conversos en la religiosidad de los años inmediatamente anteriores a Erasmo, pues quisieron divulgar un concepto de la perfección espiritual de modo que escribieron y hablaron en la lengua vulgar sobre cuestiones de moral y ascética; esto se hizo sobre todo con los ideales de la "devotio moderna". Teresa de Cartagena, que nació entre 1420 y 1435, fue una monja agustina o franciscana, descendiente de los Santa María conversos, que escribió dos curiosos escritos, la *Arboleda de los enfermos* y la *Admiración de las obras de Dios*, obras en las que luce un sentido moderno de la introspección sicológica que hace sentirnos en el camino de Santa Teresa. También, pues, en este dominio de la literatura religiosa, la expresión en lengua vulgar se afirma en prosa y en verso, y de su cultivo en círculos cada vez más extensos va formándose un público numeroso que participa en los procesos de perfección espiritual, favorables a la creación literaria, más allá de la devoción piadosa, a la que bastan las oraciones sencillas.

---

23 L. Serrano, *Los conversos D. Pablo de Santa María y don Alonso de Cartagena*, Madrid, 1942; y F. Cantera Burgos, *Alvar García de Santa María y su familia de conversos. Historia de la judería de Burgos y de sus conversos más egregios*, Madrid, 1952.

24 Véase el libro citado de A. Castro, *Aspectos del vivir hispánico*, en el capítulo "Conversos y jerónimos".

25 Véase en especial el indicado libro de F. Márquez Villanueva, *Investigaciones sobre Juan Álvarez Gato*, sobre todo el Cap. IV, págs. 105-154; y el prólogo que antecede a la *Católica Impugnación*, de Fray H. de Talavera, Barcelona, 1961.

Finalmente, señalaremos que Castro proyecta este sentido de la vida más allá de los tiempos medios en una continuidad que ha suscitado grandes polémicas: "La tradición cristiana de Castilla no era lúgubre ni desesperada en los siglos XII, XIII, XIV y XV. El *Poema del Cid,* la poesía de Berceo, Juan Ruiz, el marqués de Santillana y Jorge Manrique suscitan impresiones de grata y apacible serenidad. Mirando más tarde hacia fuera de España, ninguna literatura católica del siglo XVI posee nada equiparable a la ascética y picarescas españolas, las cuales enlazan, sin embargo, con la tradición sombría de Santob, Juan de Mena, Rodrigo de Cota y Fernando de Rojas, continuada y expandida más tarde por legiones de conversos desesperados, sin cómodo asiento en este mundo" [26]. Esta opinión ha suscitado algunas reservas, sobre todo si se generalizaba dando así un tono de uniformidad en la interpretación del libre fenómeno poético; y en el caso concreto de la obra de Rojas, Marcel Bataillon, por su parte, estima, como ya se dijo, que la *Celestina* de Rojas no puede interpretarse de este modo.

LA IGLESIA: DOCTRINA DE LA EJEMPLARIDAD DE CRISTO

La literatura religiosa siguió a fines del siglo XV por los cauces de la espiritualidad llamada "moderna pietas" y "devotio moderna" [27].

---

[26] *La realidad histórica de España,* obra citada, ed. 1954, página 534.

[27] En general, sobre la cuestión de la "devotio moderna", véase A. HYMA, *The Christian Renaissance. A history of the "Devotio Moderna"*, s. l., 1924. Para España, véase P. GROULT, *Les mystiques des Pays-Bas et la littérature espagnole du seizième siècle.* Louvain, 1927. Las obras del período de transición entre la Edad Media y el Renacimiento se estudian en las páginas 83-91. Los problemas espirituales de los conversos que favorecieron esta corriente de espiritualidad, y su expresión literaria están apuntados en la obra de F. MÁRQUEZ VILLANUEVA, *Investigaciones sobre Juan Álvarez Gato,* ya citada; y en el prólogo de la mencionada *Católica impugnación...* de TALAVERA. Por las noticias que ofrece de la situación ideológica de este período crítico que precede al erasmismo, puede consultarse el artículo de E. ASENSIO, *El erasmismo y las corrientes espirituales afines,* "Revista de Filología Española", XXXVI, 1952,

Estas formas procedían de diversas tendencias de la religiosidad europea que difundieron por España algunas órdenes religiosas, y también los caballeros que querían ejercitarse en la espiritualidad religiosa. Su influjo en la literatura consiste en la aparición de libros en los que las tendencias ascéticas se hacen más patentes [28]. Su manifestación más visible resultó ser el desarrollo de la doctrina de la ejemplaridad de la vida de Cristo, expuesta en términos literarios, y en relación también con una difusión muy extensa de las obras de carácter religioso, y en particular de las que trataban del Nuevo Testamento. La imprenta del siglo XV inició una corriente de religiosidad popular divulgando obritas menudas, en pliegos de pocas páginas, con asuntos sencillos, que después fueron tomando una vía literaria más definida en forma de Flores, Ejemplarios, Espejos, Ejercitatorios, Confesionarios, etc., que en la primera mitad del siglo XVI prepararon el gran y definido desarrollo de la mística española.

La más importante y temprana expresión de la ejemplaridad de Cristo obtiene forma literaria en el siglo XV en diversos autores, secu-

---

páginas 31-99. Comentarios a la significación en la vida espiritual de la época de paso al Renacimiento en el estudio de M. BATAILLON, *Erasmo y España*, [1937], trad. esp. México, 1950, tomo I, págs. 52-60, y también en el estudio de A. CASTRO sobre *Lo hispánico y el erasmismo*, "Revista de Filología Hispánica", II, 1940, en especial págs. 19-34 (nueva versión en *Aspectos del vivir hispánico. Espiritualidad, mesianismo y actitud personal en los siglos XIV y XV*, Santiago de Chile, 1949).

28 Así se encuentran algunas de estas piezas en las *Florestas de incunables*, recogidas por A. PÉREZ GÓMEZ: glosas de oraciones, como *El credo, el pater noster, la salve regina, y el ave maría y el ave maristella*, declarados por Luis de Salazar (II, Valencia, 1957); las *Coplas contra los siete pecados mortales*, de Juan de Mena [1500] (I, 1957). Sirva como ejemplo el claro sentido ascético que anima la *Confesión Rimada* de Fernán Pérez de Guzmán, publicada en edición crítica con comentarios por A. SORIA, "Boletín de la Real Academia Española", XL, 1960, págs. 191-263. Esta obra, escrita casi toda en coplas de arte mayor, comenta los mandamientos, pecados mortales y obras de misericordia; y ha de situarse junto a las obras en prosa que igual que ellas son como el primer escalón de la vía ascética perfeccionable. El tratado *Las sietecientas*, de este autor (que contiene también la mencionada *Confesión*) [impreso en 1492] es pieza característica, y ha sido reeditado en forma facsímil, de la edición 1506, por A. PÉREZ GÓMEZ, Cieza, 1965.

lares unos, y religiosos otros. Son ejemplares: Diego de San Pedro, que escribe *La Pasión trobada* de tan cabal título para este sentido poético, el primer poema largo sobre el asunto, y el Comendador Román con las *Coplas de la Pasión con la Resurrección* [29]. Por otra parte, los autores religiosos tratan el asunto con vigor y constancia, hasta convertirlo en un argumento que ha de confluir con las cuestiones más importantes de la espiritualidad de la época.

Fray Iñigo de Mendoza escribe una *Vita Christi fecha por Coplas...* (1482), extenso poema versificado; fray Ambrosio Montesino traduce en buena prosa la *Vita Christi* del Monje Landulfo de Sajonia, obra fundamental para la espiritualidad de la época (traducción, 1502-1503; composiciones líricas inspiradas en Mendoza, 1508); y Juan de Padilla, usando aún la exposición alegórica, escribe poemas de arte mayor con el tema del *Retablo de la Vida de Cristo* (ed. 1485) y los *Doce Triunfos de los Doce Apóstoles* (ed. 1521) [30]

El reinado de los Reyes Católicos representa una culminación en esta corriente, y como nota con acierto M. Darbord [31], esta poesía sufre luego una especie de eclipse creador hasta la época de Fray Luis de León y San Juan de la Cruz. Parece como si esta creación de lírica

---

29 *La Pasión trobada* de Diego de San Pedro está en la mencionada *Floresta de incunables* [1494-1495] (III, Valencia, 1958); sobre la *Pasión trobada* y otro poema del mismo autor, *Las siete Angustias de Nuestra Señora,* véase K. WHINNOM, *The Religious poems of Diego de San Pedro: Their Relationship and their Dating,* "Hispanic Review", XXXVIII, 1960, págs. 1-15; las *Coplas de la Pasión con la Resurrección,* de Román, ha sido reproducida por el mismo A. PÉREZ GÓMEZ [1490], Valencia, 1955.

30 Los textos de la *Vita Christi,* de FRAY IÑIGO DE MENDOZA, y las obras en verso de JUAN DE PADILLA, pueden leerse en el *Cancionero Castellano del siglo;* sobre los textos de Fray Iñigo: K. WHINNOM, *The printed editions and the text of the works of fray Iñigo de Mendoza,* "Bulletin of Spanish Studies", XXXIX, 1962, págs. 137-152. Sobre este género de obras, en Montesino, M. BATAILLON, *Chanson pieuse et poésie de dévotion: Fr. Ambrosio Montesino,* "Bulletin Hispanique", XXVII, 1925, págs. 228-238. Acerca de Juan de Padilla y la consideración que tuvo su obra hasta hoy, J. GIMENO, *Sobre el cartujano y sus críticos,* "Hispanic Review", XXIX, 1961, págs. 1-14.

31 M. DARBORD, *La poésie religieuse espagnole des Rois Catholiques à Philippe II,* Paris, 1965.

religiosa hubiese bastado para cubrir las necesidades de la expresión religiosa del pueblo español en gran parte del siglo XVI, al menos hasta que triunfaron las modalidades italianizantes, que lo hacen hacia 1575, con retraso con respecto de las profanas. Sólo entonces se inicia la gran época de la poesía religiosa de los Siglos de Oro.

CAPÍTULO XV

HUMANISMO Y PRERRENACIMIENTO

EL HUMANISMO IMPULSA LA CRÓNICA HACIA LA BIOGRAFÍA

El sentido de cohesión unidora que antes se señaló como propio de las primeras obras históricas en lengua romance, en particular las guiadas por Alfonso X, fue desarticulándose cada vez más hasta llegar a este crítico siglo XV. Después de las obras históricas de Alfonso X, monumentales para su tiempo y por la intención que las movió, las Crónicas del siglo XIV, en particular las del Canciller Ayala, redujeron su objeto a la narración de la vida de los Reyes, y en el siglo XV se fue limitando más el campo del relato; junto a las Crónicas reales se escribieron en mayor número las referentes a grandes figuras de la época, y en ellas se afina cada vez más en el propósito de contar no sólo los grandes hechos del biografiado, sino también la relación de los ambientes de su vida y su carácter, llegando hasta la mención de su aspecto físico y de sus peculiaridades más personales. Tal intención se halla presente en las ordenaciones retóricas, que van realzando cada vez más la función de la *descripción* artística de la personalidad. La historia busca cauces moralizadores, y la entereza del hombre es un intento por acercarse a una perfección, bandeándose entre virtudes y vicios. Fernán Pérez de Guzmán (nació hacia 1377-

1379 y murió hacia fines de 1460) es el autor más logrado de esta orientación. Contando con las ordenaciones de vicios y virtudes como guía de moral, y sirviéndose con agudeza y concisión de la técnica retórica mencionada, escribe las *Generaciones, semblanzas y obras* de Reyes, prelados y caballeros, en cuyo título ya se ve que reúne el linaje, el aspecto y la acción en unidad que constituyen la personalidad del hombre [1]. La obra de Pérez de Guzmán tiene un sentido humanístico que procede de diversas razones entrecruzadas: así la presencia de los efectos de la lectura de autores antiguos (en esta y en sus otras obras); el cuidado de su documentación buscando el valor humano, a veces a través de su experiencia cortesana. El camino está abierto, y hay que seguir adelante. Estos historiadores del siglo XV perciben de manera cada vez más penetrante en la vida del hombre, las relaciones entre la acción y el carácter, más allá de su valor propiamente informativo, de suerte que, esforzándose por comunicar este complejo contenido, se entran por los dominios de la expresión literaria de orden artístico, valiéndose de la técnica retórica cada vez mejor acondicionada para su fin. La obra más notable de este conjunto es la admirable *Crónica de don Pero Niño* (o *Victorial*) [2]; en ella Gutierre Díez de Games cuenta la vida de su señor, el conde de Buelna, con el mismo primor literario que si fuera el héroe de un libro de caballerías. La vida del conde resulta así como la medida de la de otros nobles señores de España: en la patria lucha contra el moro, ya casi vencido en el rincón de Granada, y también pasea su gallardía de aventurero por las cortes de Francia e Inglaterra. La pericia narrativa del autor, en el que el rigor escolástico de la exposición se reúne con una tajante observación de los hechos, y la ejemplaridad del Conde, en el que linaje y acción se juntan en virtuosa armonía, for-

---

1 Véase la edición crítica de *Generaciones, semblanzas* y *obras* hecha por B. TATE, Londres, 1965, con un prólogo en que se refiere y estudia la vida y obra de Fernán Pérez de Guzmán, y bibliografía, así como fragmentos del *Mar de Historias* y de las *Coblas de vicios y virtudes.*

2 Véase la ed. de J. DE M. CARRIAZO, Madrid, 1940.

man en conjunto el libro donde se concentra en una vida toda la riquísima madurez del otoño medieval español.

El estudio de Benito Sánchez Alonso sobre la historiografía española [3] sirve de información para seguir el creciente aumento de estas obras históricas. Una nueva pieza de gran valor se ha añadido últimamente: las *Memorias del reinado de los Reyes Católicos,* de Andrés Bernáldez [4]. No es Historia ni Crónica, sino las memorias de un cura de los Palacios, hombre del pueblo, que las escribe para aviso y moralidad, queriendo servir un afán nacional sentido con pasión. Este libro sirve como límite de época, iniciándose, en su nerviosa y aun hostigante apreciación de los hechos, una España de organización diferente de la medieval.

De esta dirección se ha de aprovechar sobre todo la creación del Renacimiento; la curiosidad por el hombre cuyas aventuras se relatan como experiencia de una vida se junta en la literatura con el relato de las fantasías de los caballeros de los libros de ficción. Si en la *Crónica de Pero Niño* puede mantenerse este paralelismo de manera que la ficción es sólo una sombra de la realidad, y los hechos valen por sí mismos pues la sociedad aún admite la vida caballeresca como manifestación social, en cuanto que esto dejó de ser así, y sólo quedó la obra de imaginación literaria, la caballería se convirtió en ficción de moda cortesana, festejo de torneos, o a lo más, por un difícil camino de espiritualidad, en utopía. De esta manera en los hechos del *Victorial* se halla un atisbo del *Quijote.*

PROSA DE LA VIDA REAL

a) *Cartas y epístolas*

Cartas y epístolas son resultado de las relaciones entre los hombres que, distantes unos de otros, quieren mantener vivos los lazos fami-

[3] B. SÁNCHEZ ALONSO, *Historia de la Historiografía Española,* obra citada.

[4] *Memorias del reinado de los Reyes Católicos* que escribía el bachiller Andrés Bernáldez. Edición y estudio por M. GÓMEZ-MORENO y J. DE M. CARRIAZO, Madrid, 1962.

liares, de amistad, políticos, de negocios o de cualquier clase. Resultan propiamente documentos biográficos, pero desde la Antigüedad ha existido una retórica aplicada al género epistolar, que se considera el menos artístico. En determinadas ocasiones, Cartas y Epístolas han intensificado sus condiciones literarias, y esto pasó en el siglo XV, al mismo tiempo que se desarrollaba la Crónica biográfica. Fernán Pérez de Guzmán tradujo algunas *Epístolas* de Séneca, maestro del género en su aplicación moral; y Fernando del Pulgar escribió sus *Letras*, acabada muestra del epistolario ya con un sentido artístico, en el que se reúne la intención didáctica con un rumoroso planteamiento de problemas humanos. Otros muchos autores de este período escribieron cartas, que a veces hay que espigar con fruto de entre sus obras [5].

b) *Los libros de viajes*

Un pueblo como el español, destinado a desparramarse por el mundo al término de la Edad Media, tiene también en este período su propia literatura de viajes. Los libros de geografía forman parte de este grupo, y hacia 1223 se escribió una descripción del mundo sobre la base de las *Etimologías* isidorianas y una *Imago Mundi* [6]. En el siglo siguiente se redactó una especie de itinerario de viaje que un franciscano dijo haber hecho por el mundo entonces conocido [7]. Pero el gran siglo de los viajes fue el XV; una embajada de Enrique III al gran Tamorlán de Persia llega hasta Samarcanda y regresa (1403-6) llevando puntual cuenta del camino y los lugares visitados [8]. Pero Tafur hizo también un largo recorrido por los países del cer-

---

[5] Así ocurre con Diego de Valera: véase C. Real de la Riva, *Un mentor del siglo XV: Diego de Valera y sus epístolas*, "Revista de Literatura", XX, 1961, págs. 279-305.

[6] *Semejança del mundo. A Medieval Description of the World*, ed. de W. E. Bull y H. F. Williams, Berkeley-Los Angeles, 1959.

[7] *Libro del conosçimiento de todos los reynos e tierras e señoríos que son por el mundo...*, escrito por un franciscano español a mediados del siglo XIV. Notas de M. Jiménez de la Espada, Madrid, 1877.

[8] Ruy González de Clavijo, *Embajada a Tamorlán*, ed. F. López Estrada, Madrid, 1943.

cano Oriente (1436-9)[9]. Los dos libros representan en la literatura española lo que los viajes de Marco Polo en la de Italia; traducidos, también corrieron por España estos viajes del veneciano[10]. Estos libros muestran el temple curioso de los viajeros castellanos de la Edad Media, y su participación en la empresa europea de extender el conocimiento que se tenía del mundo, que caracteriza el comienzo de la conciencia histórica de los tiempos modernos[11]; y el hecho fundamental fue el descubrimiento de América. Para concluir este párrafo hay que señalar el influjo de la literatura medieval sobre las nuevas tierras; los primeros relatos de Indias siguen la pauta de los libros medievales de viajes, y la literatura caballeresca, con raíces en el Medievo, estuvo presente en la aventura americana, e incluso llegó a dar nombre a los lugares del Nuevo Mundo[12].

PROSA POLÍTICA, MORALIZADORA Y RELIGIOSA

De manera paralela a lo que ocurre con la materia histórica, también la prosa política (como se puede llamar a lo que antes fue obra didáctica, de consejos para el buen gobierno) trató con un aparato de doctrina las cuestiones más candentes del tiempo. Esto lo hizo sobre todo ocupándose de la institución y la función de las clases sociales

---

9 *Andanças e viajes de* PERO TAFUR *por diversas partes del mundo avidos*, ed. M. JIMÉNEZ DE LA ESPADA, Madrid, 1874. Con el título del libro, véase el estudio de J. VIVES, "Analecta Sacra Tarraconensia", XIX, 1946, páginas 123-216.

10 *Libro de las cosas maravillosas de* MARCO POLO, [1518], ed. de R. BENÍTEZ CLAROS, Madrid, 1947.

11 Véase F. MEREGALLI, *Cronisti e viaggiatori castigliani del Quatrocento (1400-1474)*, Milán, 1957. Véase también el pormenorizado estudio de F. M. ROGERS sobre *The Travels of the Infante Dom Pedro of Portugal*, Cambridge. Mass., 1961.

12 Véase A. SÁNCHEZ, *Los libros de Caballerías en la conquista de América*, "Anales Cervantinos", VII, 1958, págs. 237-259, y J. HERNÁNDEZ, *La influencia de los libros de Caballerías sobre el conquistador*, "Estudios Americanos", XIX, 1960, págs. 235-256.

en el gobierno. Alonso de Cartagena, Rodrigo de Arévalo, Alfonso de Palencia y Mosén Diego de Valera escribieron, entre otros libros, diversos tratados con estas cuestiones políticas, planteadas de una manera orgánica; y junto con la presencia de estas nuevas preocupaciones (señala Mario Penna [13], editor de sus obras, refiriéndose sobre todo al último de los citados), es notable el esfuerzo por mantener una "tenaz supervivencia del espíritu caballeresco en las formas que los tiempos podían admitir". Por otra parte, esta prosa puede derivar desde el sentido político hacia obras de carácter moralizador, y, ya en la vía de la amonestación, religioso. Libros sobre la fortuna y la predestinación alternan con los consejos del buen gobierno y sobre la vida de las nobles doncellas, y en autores más definidos en la orientación religiosa, alcanzan los tratados ascéticos, como el *Espejo del alma* de Fray Lope Fernández de Minaya, que son señales anticipadas del gran desarrollo de la prosa mística de los Siglos de Oro, apuntado también, como se dijo, por Fray Hernando de Talavera y Teresa de Cartagena [14].

EL PRERRENACIMIENTO Y LA TRANSICIÓN HACIA EL HUMANISMO RENACENTISTA

Otra modalidad literaria se logra estableciendo la relación entre la obra medieval y las corrientes de gusto y técnica que conducen hacia el Renacimiento; esto obtiene en Juan de Mena la más lograda expresión [15]. Emparejando el sentido didáctico que predomina en la literatura medieval, con una intensificación consciente (y por tanto una

---

13 M. PENNA, *Prosistas castellanos del siglo XV*, Madrid, 1959. Prólogo, página 10.

14 Véase el tomo II de los *Prosistas castellanos del siglo XV*, edición y estudio preliminar del P. F. RUBIO, Madrid, 1964, que reúne la obra de los frailes agustinos Martín de Córdoba, Juan de Alarcón y Lope Fernández de Minaya.

15 Sobre todo en el libro básico de M. R. LIDA DE MALKIEL, *Juan de Mena, poeta del Prerrenacimiento español*, México, 1950.

voluntad artística más apurada) del uso de la materia antigua, se pasa a estas obras que se encuentran encaradas hacia una nueva época.

En las últimas décadas de la Edad Media apunta una nueva manera de considerar la obra de los antiguos. No es, pues, la irrupción de estos en la vida literaria del siglo XVI lo que dio carácter a la nueva época, sino la progresión de un punto de vista diferente en su percepción e influjo. Un ejemplo del Humanismo medieval se encuentra en *Los doce trabajos de Hércules* de Enrique de Villena. El autor usó las conocidas fuentes de Ovidio, Virgilio, Lucano, Boecio, etc. El fin que se propuso está claramente determinado: Villena escribe para que su obra "haga fruto y de que tomen ejemplo, acrecimiento de virtudes y purgamiento de vicios; [a]sí será espejo actual a los gloriosos caballeros en armada caballería, moviendo el corazón de aquellos en no dudar los ásperos hechos de las armas y a prender grandes y honrados partidos, enderezándose a sostener el bien común, por cuya razón caballería fue hallada. Y no menos a la caballería moral dará lumbre y presentará señales de buenas costumbres, deshaciendo la tejedura de los vicios y domando la ferocidad de los monstruosos actos..." [16]. Cada capítulo se destina a un estado del hombre en la sociedad: príncipe, prelado, caballero, religioso, ciudadano, mercader, labrador, menestral, maestro, discípulo, solitario y mujer. La ordenación interna de la materia muestra un rigor de perfección: comienza con la "historia"; sigue la "declaración"; después va la "verdad"; y acaba con la "aplicación". No existe, pues, intención de percibir el valor poético del mito, sino de aprovechar su disposición para la enseñanza. En el lenguaje del autor se encuentra el latinismo léxico y sintáctico, pero en el fondo estamos ante la interpretación medieval del mito al servicio de la moralización.

Pero el camino fue abriéndose en el curso del mismo siglo XV, y un hito más avanzado lo representa, por citar otro ejemplo, una obra de Juan de Mena, el autor que sirve como ejemplo de la ma-

---

16 E. DE VILLENA, *Los doze trabajos de Hércules*, ed. citada de M. MORREALE, pág. 7.

durez de la Edad Media, entreverada ya de indicios renacentistas. Es cierto que sigue con la confusión entre los "filósofos" y los poetas, pues en el prólogo de su *Homero romanceado* menciona a Virgilio y Ovidio como "filósofos y cientes"[17]. Si por una parte usa en su versión de la *Iliada* una tardía y floja abreviación de los libros homéricos, no deja de señalar que la "seráfica y casi divinal obra de Homero" apenas logró pasar del griego al latín, y aún más pobre resulta la traducción en lengua romance. El poeta reconoce que el valor de la creación se halla en la obra original, y no en estas versiones de la latinidad tardía, como tampoco se encuentra en las obras del latín medieval o en las francesas. Los loores de Homero que escribe Mena "por causar a los lectores nuevo amor y devoción con las altas obras de este autor" señalan un nuevo punto de vista. La "defensa" de la poesía homérica se establece desde una apreciación literaria, y no se atiende a su significación histórica o a su carácter moralizador. El camino, sin embargo, era aún largo, y en cierto modo se había de establecer más bien en la sensibilidad apreciativa de los escritores que en obras declaradas[18].

Hasta Antonio de Nebrija (1444-1522) no aparece el gran filólogo de este período de transición de la lengua castellana, camino de convertirse ya con firmeza en la lengua de la nación española. Su labor en la cátedra representó la expresión del triunfo de la novedad que defendía: "Así yo por desarraigar la barbarie de los hombres de nuestra nación, no comencé por otra parte, sino por el estudio de Salamanca...". Dice que sus obras de gramática fueron recibidas "por un maravilloso consentimiento de toda España". Sus *Diccionarios* (la-

---

17 Véase M. R. LIDA DE MALKIEL, *Juan de Mena*, edición citada, páginas 138-143; y 531-532. Mena cita a los antiguos con un cuidado que testimonia el fruto de una consideración filológica en la que se junta el rigor de la erudición y la apreciación de la poesía; véase F. STREET, *La paternidad del "Tratado del Amor"*, "Bulletin Hispanique". LIV, 1952, págs. 19-20.

18 Una revisión general del valor de las fábulas de la antigüedad se encuentra en la obra de J. M. DE COSSÍO, *Fábulas mitológicas en España*, Madrid, 1952, cuyo primer capítulo está dedicado a los "Antecedentes medievales" (págs. 11-37).

tino-español, y español-latino) fueron los instrumentos necesarios para compaginar los léxicos de ambas lenguas, puestas en condiciones de corresponderse una a la otra en su función expresiva. El más importante para nuestro propósito es el español-latino, ordenación consciente del léxico de su época; como un signo de la condición crítica de este libro, ya registra la primera palabra americana que entra en el español: "canoa, nave de un madero; monoxjlum-i". Las *Introducciones* a la Gramática latina van unidas al *Arte de la lengua castellana* (1492), obra capital para servir de hito entre dos períodos [19].

EL ESTILO LATINIZANTE

La conciencia cada vez más apurada de la lengua romance obligó a encontrar fórmulas de expresión que fuesen signo de este progresivo ennoblecimiento de la literatura vernácula, que acompañaba así en relación inmediata a este progreso del humanismo, sobre todo a través de la retórica. La manera más sencilla siguió la vía de la imitación, y de esta manera se intensifica la relación entre las lenguas antiguas, sobre todo el latín, y la nueva lengua literaria. El léxico recibe un gran número de palabras, atentos los introductores más al brillo del prestigio etimológico que a la condición del signo lingüístico, sin importarles si eran entendidas del común, pues sabían que lo serían de los que conocían el latín o el griego; el orden de las palabras se establece calcando el propio de la sintaxis latina. La diversa condición de los géneros literarios abrió más o menos las compuertas de la presión latinizante, siempre dentro del carácter del estilo que resulta más acomodado en cada caso. Los comentarios y glosas ofre-

---

[19] El Vocabulario español-latino, por Elio Antonio de Nebrija (Salamanca, 1495?), ha sido reproducido en facsímil por la Real Academia Española, Madrid, 1951; y los fragmentos citados están en el prólogo a D. Juan de Estúñiga y en el lugar correspondiente del léxico. Puede añadirse: J. M. HILL, *"Universal Vocabulario" de Alfonso de Palencia*, Madrid, 1957, donde se recogen las palabras romances del vocabulario de Palencia (1490).

cieron un cauce didáctico por el que los latinismos podían explicarse para los que no conocían la lengua de origen [20]. Podía darse incluso la coexistencia del latín y del castellano, sobre todo en textos de carácter religioso, y esto favorecía aún más esta tendencia [21]. Sobre la obra de este autor, manteniéndose una sistemática continuidad, recayó un gran aparato de comentarios, semejante a los que él había escrito, y de esta manera fue a la vez innovador, comentador y autor ejemplar en esta época de transición, si se la considera desde una perspectiva historiográfica. Paralelo al desarrollo del latín, también creció el influjo del italiano [22] y del francés, y dentro del dominio del género más propicio y según las condiciones de los autores, el estilo elevado fue un cauce retórico abierto para la comunicación literaria del castellano con las otras lenguas.

AUTORES CARACTERÍSTICOS DEL FIN DE LA EDAD MEDIA

De lo dicho en párrafos anteriores se deduce que la obra literaria de fines de la Edad Media resulta cada vez más compleja. La perfección técnica que alcanza el cultivo artístico de las distintas modalidades, crea una situación de la que el escritor difícilmente puede salir para situarse en una primera fila. La nómina de escritores del

20 Ya se indicó la importancia que en esto tuvo la naciente imprenta, y en la página 43 se ha reproducido el folio LIV de la *Coronación* de Juan de Mena, donde se puede observar la función estilística del comentario poético; sobre la intención del poema: I. Macdonald, *The "Coronación": Poem and commentary*, "Hispanic Review", VII, 1939, págs. 125-144.

21 En el prólogo del *Triunfo* de María de M. Martínez de Ampiés, ya mencionado, pide "a los que más plugiere ver el romance muy claro que latín ordenado" que no se enojen si ven trozos de latín pues el autor cree "muy vulgarizado latín destruye la tecida [tejida] composición de su habla y sentencia"; y por esta razón pone entre unas señales o paréntesis el texto latino, que traduce inmediatamente; edición citada, fol. a ij vuelto y aiij.

22 Véase J. H. TERLINGEN, *Los italianismos en español desde la formación del idioma hasta principios del siglo XVII*, Amsterdam, 1943.

siglo XV es muy extensa, pero su calificación es monótona. Apartaré, sin embargo, tres para que sirvan como representación del conjunto en sus posibles orientaciones: la quintaesencia del medievalismo, el equilibrio en el filo del tiempo nuevo, y el hervor de la nueva época que apunta, y añadiré unas palabras sobre las *Coplas* que suelen citarse como más características del turbulento reinado de Enrique IV.

En Jorge Manrique (1440?-1478) hallamos un poeta de Cancionero[23]. Fue un noble engreído de los tiempos de Juan II y Enrique IV que participa, como los de su clase, en un común ideal poético de carácter cortesano, y lo manifiesta en la depurada técnica de que da muestras su estilo. Sin embargo, en una poesía logró el acierto genial: las *Coplas a la muerte de su padre* representan una obra culminante en el género, expresión del más alto nivel de la poesía medieval española. Y el acierto no radica en el motivo (la pena del hijo por la muerte del padre), ni en su interpretación (suma de tópicos sobre la poquedad humana), sino en el logro de una tensión poética de orden universal en la expresión de un dolor común; la aflicción de la experiencia personal queda templada por una lección de conformidad, asegurada en la condición humana. Los lugares comunes vuelven a su hondura poética original, las expresiones reviven con un brío que había quedado inerte en el virtuosismo. La estrofa de pie quebrado resulta perfecta para contener de manera elástica el entrecortado discurrir de la elegía personal, a la que da fuerza un noble dolor de hijo, noble por lo que tiene de sentimiento universal, y noble como corresponde al linaje de la familia.

---

23 Véase el fundamental planteamiento de P. SALINAS, *Jorge Manrique o tradición y originalidad*, obra citada; complétese con los estudios de A. KRAUSE, *Jorge Manrique and the Cult of Death in the Cuatrocientos*, Berkeley, 1937 (Publicaciones de la Universidad, I, núm. 3, págs. 79-176); A. CASTRO, *Cristianismo, Islam, Poesía en Jorge Manrique*, publicado en *Los españoles: cómo llegaron a serlo*, Madrid, 1965, págs. 179-196; S. GILMAN, *Tres retratos de la Muerte en las Coplas de Jorge Manrique*, "Nueva Revista de Filología Hispánica", XIII, 1959, págs. 305-324; T. NAVARRO, *Métrica de las Coplas de Jorge Manrique*, idem, XV, 1961, págs. 169-179.

Entre los Manrique y Mena, Iñigo López de Mendoza, Marqués de Santillana (1398-1458), resulta ser una acabada figura de esta época difícil. Considerado como uno de los claros varones de Castilla, Fernando del Pulgar dijo de él: "Tuvo en su vida dos notables ejercicios: uno, en la disciplina militar, otro, en el estudio de la ciencia". Con *ciencia* quiso decir su condición de hombre de letras, no ya poeta sólo, sino también crítico, y como tal se ha mencionado varias veces en esta obra por causa de su Carta al Condestable de Portugal. De una parte, su ciencia se hallaba en el conocimiento del arte poético y de su técnica; también fue impulsor del humanismo filológico, como se dijo; sus lecturas están probadas en el catálogo de su biblioteca. Por otra parte, su condición de poeta fue varia; si la ciencia lo inclinaba desde el estilo cancioneril a abrirse al influjo italianizante, su buen gusto lo acercó al cantar tradicional. Si la reflexión cortesana le hizo escribir obras didácticas de envergadura, no desdeñó anotar el refrán. "Hombre completo y armónico" le llama Rafael Lapesa [24], y lo es en un tiempo en que las incitaciones son muchas, y al asegurar así el equilibrio en su obra no se entrega a una sola voluntad de acción o a una teoría, sino que elige con un criterio amplio, demostración de una condición humanística que no depende ya sólo de la educación en las letras antiguas y su cultivo, sino que es efecto de su curiosidad y buen sentido artístico.

Juan de Mena (1411-1456), el humanista bifronte, representa la otra diversa especie de escritor [25]. Con una formación humanística que se aseguró en Salamanca y se coronó en Roma, ocupó en la Corte de Juan II el cargo de secretario de cartas latinas, y fue caballero veinticuatro de su ciudad natal, la Córdoba de Lucano y Séneca. En él se parte la armonía de letras y armas para quedarse sólo con las primeras. Menéndez Pelayo lo consideró el primer hombre puro de letras en la literatura española; en este período crítico su función fue un

[24] R. LAPESA, *La obra literaria del Marqués de Santillana*, Madrid, 1957, página 313; este libro es básico como orientación general.

[25] Estudio básico el ya mencionado de M. R. LIDA, *Juan de Mena, poeta del Prerrenacimiento español*.

intento de renovar la literatura avanzando en temas y en técnica y en expresión por la vía culta de la imitación vivificadora del latín. Sus obras aún tienen una estructura medieval: tanto su poesía breve como los grandes poemas son todavía obras del arte cancioneril, pero en sus escritos hay una voluntad de estilo que le hace pulir y ajustar las piezas de la expresión con un sentido nuevo: la "regla de Juan de Mena" como dijeron otros poetas es un esfuerzo inteligente por arrimarse al artificio que había de triunfar en el Renacimiento. Es claro su intento por penetrar en la obra de los antiguos y pasarla a la lengua romance. Esto lo hizo, por ejemplo, en su *Iliada en romance* u *Homero romanceado,* que tomó de una obra *Ilias latina* (atribuida a un Píndaro Tebano y a Silio Itálico y por un manuscrito del siglo XV a un desconocido Baebius Italicus), y en los comentarios procedentes de la materia ovidiana que se hallan esparcidos en las glosas exegéticas de la *Coronación del Marqués de Santillana,* ya citada antes al referirme al estilo latinizante de la época. Es significativo este hecho de que el poeta escriba su propio comentario, y que del elogio al otro poeta amigo salga un tan abundante muestrario de alusiones y leyendas, expresadas ya con un decidido sentido artístico [26]; y que todo esto fuese a parar a la imprenta de los incunables. De él escribió María Rosa Lida en su analítico estudio: "hombre de dos edades, no se contenta con un ideal fecundo en el pasado y tiende a otro, al ideal de la prosa latina clásica que plantea al romance un delicado problema de adaptación y trae aparejada una alteración total en la concepción del estilo elevado" [27]. Mena pretende situar su creación en

---

[26] Allí se halla la mejor versión de Ovidio del siglo XV: la fábula de Sálmacis y Hermafrodito (*Met.* IV, 297), que puede leerse en el libro antes mencionado, págs. 134-136.

[27] *Obra citada,* pág. 147. Las *CCC* (o *Laberinto*) aparecen en una hermosa edición de Sevilla, 1496 (reproducida en facsímil por A. Pérez Gómez, Valencia, 1955), y fue obra que obtuvo un buen éxito. FERNÁN NÚÑEZ DE TOLEDO fue autor de unas *Glosas* de este *Laberinto* (Sevilla, 1499, y repetidas veces impresas), un centón de datos sobre la Antigüedad, ordenados para el mejor entendimiento de un autor al que se considera merecedor de un detenido comentario, como si se tratase de un escritor latino ya célebre, tal como puede verse en la ilustración de la pág. 44. Sobre el trabajo

el nivel superior. El estilo de Mena, de clara tendencia latinizante, es la nota más comúnmente señalada como indicio de sus esfuerzos por innovar en la expresión literaria del romance. Pero hay que señalar que esto lo hizo con un tino cuyo acierto hay que ver no en comparación con los logros de la lengua moderna, sino en relación con el propósito de alcanzar esta conciencia del estilo elevado. Por otra parte, el hecho de que las obras de Mena se divulgasen por la imprenta, señala que es autor que pasó al nuevo tiempo con la consideración de un escritor que se colocaba en la línea de los "maestros", esto es, de los consagrados por la fama literaria. En efecto, en una Máscara celebrada en Madrid, "Triunfo de la Verdad a San Isidro" (1622?), van los grandes poetas detrás del Dios Apolo; Virgilio y Horacio, Homero y Menandro, Petrarca y Dante, van acompañados de los españoles Juan de Mena y Garcilaso.

Para cerrar esta caracterización de la poesía de esta época crítica, hay que mencionar la virulencia que la sátira cortesana tuvo en los tiempos de Enrique IV. No hay que pensar, sin embargo, que este género fuera el decisivo de la época; con razón Menéndez Pelayo avisa de que la obra regeneradora de la reina Isabel no fue un patente milagro como parecería si lo atribuyésemos todo a su acción personal[28]. El propósito moralizador, que estaba en la raíz misma de la obra literaria de la época, dio a veces sus frutos en forma violenta y más o menos declarada, lo mismo que había creado una obra política o doctrinal. Las *Coplas del Revulgo* se difundieron con una glosa de Fernando del Pulgar[29]; el glosador declara que esta es una

---

que hizo Hernán Núñez con la obra de Mena, véase F. STREET, *Hernán Núñez and the earliest printed editions of Mena's "El Laberinto de Fortuna"*, "The Modern Language Review", LXI, 1966, págs. 51-63.

28 Véase en particular el cap. XV de la *Antología de Poetas líricos castellanos*, obra citada, II, págs. 285-302.

29 Puede verse reproducida en edición facsimilar por A. PÉREZ GÓMEZ, *Coplas de Mingo Revulgo* (1485), Valencia, 1953. También sueltas: *Las Coplas de Mingo Revulgo*, edición facsímil y paleográfica del Códice conservado en la Biblioteca Nacional. Introducción y notas de L. DE LA CUADRA, Madrid, 1963.

de las obras que se escribieron "para provocar a virtudes y refrenar vicios", y el comentario pretende "entender la doctrina que dicen so color de rusticidad". Estrofa tras estrofa, el pueblo, que se llama Revulgo, expone sus quejas, y Pulgar declara el significado con el mismo cuidado que si se tratase de una pieza magistral; parece como si el estilo elevado no se hubiese tenido como adecuado para la efectividad de la sátira, y esta imitación del estilo humilde representa un apurado artificio, que viene muy bien a esta época compleja. Más lisa es la expresión de las *Coplas del Provincial* [30] sobre las que Menéndez Pelayo lanzó indignadas palabras; no parece, sin embargo, que sean una obra tan tremenda si la situamos en el género que le corresponde y cuyo cultivo puede ser medio para difundir la infamia, pero también despropósito audaz de copleros reidores. En estos versos las alusiones van referidas a personas de la Corte, y es probable que fuesen escritas por varios autores y que creciesen en maledicencia en cada retoque. Las cuestiones del linaje son la obsesión de la sátira, y el asunto de los conversos aparece en aguda crisis; apúntanse ya situaciones de este orden, como el de Francisco Tovar, "muy pobre, más por eso triunfando de hidalguía", al que se acusa de confeso. Los problemas referidos antes al caso de los judíos están manifiestos, y también las acusaciones de deshonras familiares. Menéndez Pelayo vio claro al decir que era preciso que hubiese mucha vida en el fondo de aquella agitación monstruosa.

LA LÍRICA POPULAR EN LOS CANCIONEROS CASTELLANOS DE FINES DEL SIGLO XV

Una moda musical y literaria hizo posible recoger una buena cosecha de textos referentes a la lírica popular en los *Cancioneros* cor-

---

[30] A. Rodríguez Moñino, *El Cancionero manuscrito de Pedro del Pozo (1547)*, Madrid, 1950. Este *Cancionero* contiene las *Coplas*, y Rodríguez Moñino se refiere a ellas en las págs. 11-16; y el texto está en las págs. 59-80. Esta obra apareció en el "Boletín de la Real Academia Española", XXIX, 1949, págs. 453-509; XXX, 1950, págs. 123-146 y 263-312.

tesanos de la segunda mitad del siglo XV. Si bien se encuentran, de manera esporádica, canciones de esta clase en poetas anteriores (Juan Ruiz, Santillana, etc.), los músicos de la Corte de los Reyes Católicos buscaron intencionadamente estas poesías sencillas y emotivas para recogerlas en los Cancioneros, junto a las otras cortesanas, con las que las emparejan; después fueron los pliegos sueltos, que el pueblo compraba para pasatiempo común, y por fin la postura aprobatoria de los poetas de los Siglos de Oro acabó por asegurar su difusión. Algunos de estos grandes poetas la hicieron suya en estilo y en espíritu, hasta el punto de que en Lope es a veces difícil asegurar si un cantar fue de su invención o popular. Ya se sabe que no se ha de entender que ambas líricas (la culta y la popular) estuvieran enteramente apartadas, aun en la época en que no se conserva nada escrito de la popular. La red de interferencias se manifiesta de manera compleja. De la poesía popular, los Cancioneros gallego-portugueses recogieron en particular el paralelismo, y sobre él crearon una poética, tan difícil y limitada como pudiera serlo la de procedencia cortés[31]; a su vez hubo también cantares paralelísticos castellanos, que entran en estos Cancioneros[32]. Un *villancico* como forma estrófica aparece en los Cancioneros dando nombre, a partir del *Cancionero General,* a una determinada combinación que podía ser lo mismo popular que cortés; consta casi siempre en su parte primera de cuatro versos (de 8 ó 6 sílabas) en estrofa de redondilla, pero puede ser también de tres o dos versos solamente; la mudanza es una redondilla, por lo general; y la tercera parte o vuelta suele ser de cuatro versos también, de los cuales el último es el que tiene la rima de enlace con el principio. No hay que confundir, pues, este uso métrico del término *villancico* con el genérico de núcleo primario de la poesía popular. Este villancico métrico pudo tener raíces populares, pero aparece como una estrofa incorporada al arte cancioneril.

---

31 E. Asensio, *La poética del paralelismo,* en *Poética y realidad en el Cancionero Peninsular de la Edad Media,* obra citada, págs. 75-132.

32 E. Asensio, *Los cantares paralelísticos castellanos. Tradición y originalidad,* en la misma obra, págs. 181-224.

La adopción de la poesía popular en los Cancioneros de fines de la Edad Media no significa una conservación cuidadosa de la misma como tal, sino su incorporación a este complejo arte literario, y en consecuencia, un aspecto más de la diversidad propia de este período. Por tanto, la poesía popular pudo ser reelaborada, tanto en su desarrollo estrófico (pues a veces sólo se aprovechó parte de ella) que pudo acomodarse a nuevos sentidos, como en que lo pudiera haber sido su auténtico sentido en el arte popular. Un poeta como Gil Vicente está en el cruce de estas dos tendencias, sobre la transición misma entre la Edad Media y los tiempos que siguieron.

Por estos testimonios ha llegado a conocerse la gran variedad de esta lírica, que en asuntos y situaciones sobrepasa los precedentes conocidos: la canción de amigo castellana resulta de una gran variedad [33]. Y si bien los textos se recogieron en su mayor parte en los Siglos de Oro, su existencia puede retrotraerse hasta los más viejos precedentes. Las raíces van hondas hasta los orígenes literarios, y esta tradición común en su origen pudo sostenerse por una recreación constante en los diversos dialectos, a través de la reiteración oral de unas canciones que sólo por el capricho de un escritor o la fortuna de la moda hizo que pasasen a textos escritos, único medio que tenemos para conocerlas hoy por algo más que no sea una hipótesis de crítica literaria.

---

[33] Estas obras se han de buscar en las referencias de la lírica cortesana a la que pertenecen, en particular a la mencionada bibliografía de Cancioneros; una cuidada antología de estos textos se halla en *Poesía de la Edad Media y poesía de tipo tradicional*, selección y notas de D. ALONSO, Buenos Aires, 1942; la parte de poesía tradicional figura también en la *Antología de la poesía española. Poesía de tipo tradicional*, de D. ALONSO y J. M. BLECUA, 2.ª ed., Madrid, 1964.

Capítulo XVI

CONCIENCIA HISTÓRICA DE LA EDAD MEDIA

LA NOCIÓN DE EDAD MEDIA EN EL RENACIMIENTO

El período histórico que hoy se llama Edad Media se formó en sus orígenes por consideraciones de carácter negativo. El estudio de la literatura, asimilado en método a las materias históricas, buscó el acomodo en los esquemas historiográficos que inventaron los eruditos del Renacimiento. Uno de ellos, Alfonso García Matamoros (1490-1550) en su libro apologético *Pro adserenda hispanorum eruditione* [1], trazó las líneas generales del proceso de la cultura hispana, según su punto de vista. Para señalar el comienzo del destino histórico de los españoles, comienza por entroncarlos con los romanos. Para él, Adriano fue el emperador hispanorromano que dio realidad a los "siglos dorados": "Pues en aquellos antiguos y famosos siglos, en virtud de la costumbre nunca suficientemente alabada y que hoy quisiéramos con sumo afán ver restablecida entre nuestros príncipes, se sentaban a la mesa real los individuos más sobresalientes en la milicia, cultura,

---

[1] A. García Matamoros, *Apología "Pro adserenda hispanorum eruditione"*. Edición, estudio, traducción y notas de J. López de Toro, Madrid, 1943; datos de interés para su contraste con los españoles en el libro de F. Simone, *La conscienza della Rinascità negli umanisti francesi*, Roma, 1949.

política y linaje" [2]. Pero los germanos interrumpieron esta paz fructuosa: "Secuela de circunstancias tan desfavorables y de la violencia de los inquietos godos, la inmensa noche de la barbarie oscureció el firmamento de las letras con manto tan impenetrable, que hasta la aparición en la Bética del salvador agüero de los hermanos Cástores [se refiere a Leandro, Fulgencio e Isidoro], no hubo estrella alguna que rompiese la negrura de la herejía arriana, que entre los godos había tomado carta de naturaleza" [3]. La inmensa noche de la barbarie fue la expresión que quedó establecida para designar estos tiempos que corrieron desde la caída del Imperio Romano hasta que llegó un nuevo amanecer. García Matamoros sigue contando que después de los godos una nueva calamidad cayó sobre España: fueron los árabes. "De aquí arranca otra de las etapas más calamitosas que atravesó España, bien porque tomada casi toda ella por los sarracenos la nobleza goda, llevando consigo a los Dioses lares y el espíritu patrio, refugióse en Asturias y la Cantabria, bien porque en adelante la atención principal de los españoles la reclamarían, no el estudio de las letras, sino las luchas por sus vidas y fortunas" [4]. La herejía goda y la invasión árabe fueron, según esta concepción, factores negativos en el desarrollo de la cultura española; los nobles godos lograron sobrevivir y asegurar el camino de la liberación de la patria común de los españoles con sus sacrificios. Sólo en el reinado de Alfonso X, según estos juicios, se logró otra vez que las letras se juntasen con las armas: "Su favor y protección [se refiere al Rey Sabio] dilató el radio de acción de los estudios con atracción y fuerza tan misteriosa, que se tenían en poco las armas que no buscaban el auxilio de las letras" [5]. Y en el siglo XV con San Vicente Ferrer, Pablo y Alonso de Cartagena, y Alfonso de Madrigal se inició el predominio de las letras: "Fue esta edad un poco más culta; toda vez que estaba consolidado el reino de las Españas y los vientos de paz aseguraban la

---

2 *Obra citada*, párrafo 31.
3 *Idem*, párrafo 50.
4 *Idem*, párrafo 63.
5 *Idem*, párrafo 72.

continuidad del reposo, no hubo joven ávido de gloria que no se creyera obligado a emplearse de lleno en los estudios" [6].

De esta manera queda, pues, patente que el período que luego se llamó "Edad Media" es como un puente de transición entre una época áurea y los tiempos que para el historiador eran modernos, en que se sentía la presencia de un renacer general, de una nueva época áurea en el presente: "Así vemos que durante todo este tiempo, que databa de Boecio, penetró la barbarie hasta la misma médula de los pueblos, sin que, al menos para España, se vislumbrase el libertador, hasta que por fin al cabo de muchos siglos nació en Andalucía Antonio de Nebrija..." [7]. Esta manera de presentar la historia de este período se repitió muchas veces hasta venir a quedar en un lugar común, admitido por todos; el maestro sevillano Francisco de Medina escribió que los españoles, solicitados siempre por el ejercicio de las armas "apenas pueden difícilmente ilustrar las tinieblas de la oscuridad en que se hallaron por tan largo espacio de años" [8]. La existencia de un período que va desde la Antigüedad hasta los tiempos presentes viene a quedar implícitamente formulada por los autores que poseen más viva la conciencia de pertenecer a una época nueva, cuyas características estiman que son una gran pujanza creadora en todas las artes, y abundancia de grandes hombres en el gobierno, la milicia y las letras. Y esto a veces se siente de tal manera, que se llega a preferir la condición de las artes y de los hombres del presente, a las más altas obras y vidas del pasado. Tal es lo que viene a decir Cristóbal de Villalón. En la primera parte de su noble diálogo renacentista *Ingeniosa comparación entre lo antiguo y lo presente* se elogió

---

[6] *Idem*, párrafo 80.

[7] *Idem*, párrafo 84.

[8] *Obras de Garcilaso de la Vega con anotaciones de Fernando de Herrera*, Sevilla, 1580, Prefacio del Maestro Francisco de Medina, en los preliminares del libro. La asociación entre noche y tinieblas, y los tiempos medios perduró largo tiempo, y la usa el mismo MENÉNDEZ PELAYO ("en medio de las tinieblas de la Edad Media", *Orígenes de la novela*, edición de Obras Completas, I, pág. 201), que tanto hizo por poner luz de erudición y síntesis histórica a este período.

la grandeza de los tiempos pasados, y después un personaje hace la alabanza de los tiempos presentes en contraste con la otra, y quiere probar que "los hombres de ahora exceden a los que en aquel tiempo pudieron ser, en cualesquiera ciencias y artes, y así en todo lo demás" [9]. Las razones que da para esto se basan en hechos muy recientes: "y porque viérades esto por experiencia, quisiera traeros a la memoria muchos varones que son vivos al presente o murieron poco ha, los cuales en diversas ciencias y artes con grande eminencia han sobrepujado en saber" [10], y nos dice que mostraría "la eminencia de sus letras" [11]. Señala la función del arte de la imprenta en esta crecida del vigor creador de su tiempo en estos términos: "Y porque no hablo de cosa que por lejos o antigua pueda atreverme a mentir, véalos quien fuere curioso de ver cosas notables y confío que hallará que con mis palabras les menoscabo mucho de lo que son. ¿Pues cuánto excedemos a los antiguos en haber hallado tanta perfección y polideza en las imprentas...?". Y menciona las excelsas obras de Aldo Manucio, Froben, Gripho y nuestro Eguía en Alcalá. Lo interesante de la mención es que en el mismo desarrollo de la imprenta señale una primera época en la cual las obras no fueron tan perfectas como en su tiempo, si bien esto en la intención del escritor hay que aplicarlo aún más a la tradición de los manuscritos medievales: "...y veréis aquellos libros de las imprentas antiguas tan corruptos, mendosos y depravados que casi sus autores si resucitasen no conocerían ser aquellos sus trabajos y obras" [12].

De Boecio a Nebrija o Garcilaso hay, pues, un período bárbaro y oscuro, que no merece la consideración del humanista. El propio Nebrija creó para sí la fama de ser el que comenzó los estudios de la latinidad en España: "yo fui el primero que abrí tienda de la lengua latina..." [13]. Y esto hizo fortuna, y la fama de Nebrija fue

---

9 CRISTÓBAL DE VILLALÓN, *Ingeniosa comparación entre lo antiguo y lo presente*, [Valladolid, 1539], Madrid, 1898, pág. 156.

10 *Idem*, pág. 162.

11 *Idem*, pág. 163.

12 *Idem*, pág. 180.

13 Preliminares del *Lexicon*, 1492.

uno de los hitos para señalar el fin de la Edad Media, según lo difundieron los humanistas de la época. Pedro Mártir, en 1494, le proclama debelador de la barbarie, y en una poesía en latín personifica a esta "barbarie", y le hace decir: "Hacía mil trescientos años que mandaba yo en todo el mundo y lo gobernaba a mi gusto sin pizca de elegancia. Hace cincuenta años determinaron los hados hacerme la guerra... Los dioses enviaron al mundo hombres extraordinarios..." [14].

Si consideramos que esto se escribía en el quicio del siglo XV, estos 1300 años de que habla Pedro Mártir nos llevan hasta el siglo IV después de Cristo en que se puede considerar que comienza la Edad Media, de acuerdo con estos primeros juicios sobre la misma.

En el siglo XVIII, cuando se intenta un nuevo enjuiciamiento del período medieval, el primer trabajo de los eruditos es deshacer este lugar común tan asegurado por la repetición: "Séame lícito observar aquí cuán vana es la preocupación esparcida comúnmente entre los literatos, y multiplicada a manera de eco por las repeticiones de unos a otros, esto es, que España estuvo envuelta en densas tinieblas hasta que volvió a ella Antonio de Nebrija para disiparlas...", hubo de escribir el padre Juan Andrés con razonada expresión [15]. Pero en esto hay que distinguir entre las primeras formulaciones de la actitud renovadora del Humanismo renacentista, siempre extremosas, y lo que fue en realidad la relación de Nebrija y los demás con la tradición precedente; ellos no se volvieron de espaldas a lo que luego se llamó "Edad Media", ni podían persistir en crear de manera absoluta un tiempo nuevo. Por eso, por una parte, está el ademán negativo que perfila una actitud, y por otra un real aprecio por el Medievo, que ha señalado con muy justas referencias F. J. Sánchez Cantón: "Este amor singular de los humanistas españoles a la Edad Media es uno de los rasgos distintivos —apenas señalado— de nuestro Renacimien-

---

[14] Citado por F. G. OLMEDO, *Nebrija,* Madrid, 1942, pág. 122.

[15] *Origen, progresos y estado actual de toda la literatura,* obra escrita en italiano por el abate don J. ANDRÉS, y traducida al castellano por C. ANDRÉS, 1784, II, págs. 198-199.

to, y el que quizá explica mejor su carácter, de continuación de la historia de España, no de renovación revolucionaria de los ideales de cultura que en otras partes tuvo. Del gusto con que los hombres de letras de nuestro siglo XVI estudiaban obras y monumentos medievales son claros ejemplos: Nebrija, autor de la primera Gramática de la lengua vulgar; [Francisco Sánchez de las Brozas] el *Brocense*, que publica anotadas las obras de Juan de Mena; Juan Ginés de Sepúlveda, al escribir la vida de D. Gil de Albornoz; Covarrubias, al estudiar con suma erudición la dobla castellana y el maravedí viejo; Ambrosio de Morales, que admira las iglesias asturianas, busca con ahinco códices góticos y describe la Mezquita de Córdoba y las ruinas de Medina Azzahra; y fuera enojoso recordar, por de sobra conocidas, las colecciones de refranes y romances viejos, a porfía impresas y reimpresas durante todo el siglo XVI. Alvar Gómez de Castro, después de traducir a Epicteto, extractaba al canciller de Ayala, copiaba a Horacio y en la siguiente página recordaba estrofas del Arcipreste de Hita, y con la misma tinta con que se dirigía a Juan de Vergara una ciceroniana epístola, anotaba la suscripción de un manuscrito del siglo X; confusión de asuntos que juzgarían sacrílega un Budeo o un Valla" [16]. Este juicio, expuesto con tales pruebas por Sánchez Cantón, es de gran valor para lo que he de decir en el próximo párrafo; los efectos de esta tradición en los escritores de nuestros Siglos de Oro.

---

[16] F. J. SÁNCHEZ CANTÓN, estudio preliminar de la edición de *El "Arte de Trovar", de don Enrique de Villena,* "Revista de Filología Española", VI, 1919, pág. 161 (Otra ed., Madrid, 1923). Véase cómo valora E. R. CURTIUS la perduración de Alfonso de la Torre en los Siglos de Oro, cuya *Visión delectable* mantiene ideas del Renacimiento francés del siglo XII en autores como Lope de Vega. También el artículo "El 'retraso' cultural de España", Excurso XX del libro mencionado *Literatura Europea y Edad Media latina,* páginas 753-756.

EL MEDIEVALISMO DE LA LITERATURA DE LOS SIGLOS DE ORO

No existe en España, como en Francia, un renacimiento medieval del tipo del carolingio; tampoco aquí se plantea la cuestión de lo que se llamó *translatio studii* (o sea la conciencia de que la tradición antigua había pasado de Grecia a Roma y de esta a Francia). No hay tampoco, como en Italia, una situación política que permita el desarrollo de la *urbs* en donde el idioma vulgar es lengua de ciudad, que incorpora en seguida la experiencia provenzal y abre los nuevos caminos del verso europeo, mientras que la prosa asegura muy pronto el triunfo de la novela; y al mismo tiempo, afirmando aún más su técnica, el humanista interpreta y difunde los textos latinos. El episodio de la Corte alfonsí es de otro carácter, una novedad en el curso de la cultura europea. No se interrumpe la condición románica de España, y la fluencia entre la antigüedad que perduró y los tiempos medievales es incesante, pero varia y sin una disciplina de escuela, sujeta a los azares de las preferencias personales, y a veces signo de grupos siempre limitados, aun contando con la función de la Iglesia, que no se incorpora plenamente al sentido literario de la liturgia romana, hasta 1080, en que se abolió el rito mozárabe. Y por otra parte, cuando ocurrió la venida de los árabes, hubo en la mayor parte de la península (sobre todo, en las regiones más romanizadas) una desviación del proceso cultural común que en la mayor parte de Europa seguía fluyendo en un mismo lugar desde las fuentes de Roma, asimiladas por las poblaciones germanas. El humanismo de los españoles del siglo XVI, aun formulado de la manera agresiva que se indicó, no fue suficiente para asegurar el triunfo de un gusto literario dentro de una disciplina de orientación clásica. Y por otra parte, la existencia de una hispanidad romana fue otra del desdén o desvío hacia el magisterio de los autores romanos que alcanzaron la consideración de "clásicos". Si los humanistas querían sentirse a la vez de España y de Roma, entonces establecían el elogio del lugar nativo dentro de la universalidad del Imperio, y más si era posible señalarle a la patria (lugar de nacimiento) una ascendencia romana: por esto Elio Antonio Martínez de Cala adoptó como apellido el de Nebrija, latinización romanceada de su Lebrija natal. Esta misma cuestión, aplicada a las letras, tiene consecuencias importantes: si los autores de los siglos XVI y XVII dan preferencia a Séneca, Lucano, Marcial y Quintiliano por ser hispanorromanos, sobre Cicerón, Virgilio y Ovidio, ocurre entonces que los escritores del tiempo moderno tienen ante sí una gran diversidad de autores antiguos "españoles" como maestros. Los hispanorromanos fueron en el tiempo antiguo autores de "moda" que representaron una modalidad diferente a los "clásicos" propiamente dichos, y por tanto una desviación del sentido creador de los mismos; puede decirse que fueron modelo de extremosidades y renovadores de los géneros con estilos muy personales.

Faltó en España una consciente limitación que ciñera, como en otras partes, el estilo de los escritores a una imitación estrictamente "clásica". Según Curtius [17], el culteranismo y el conceptismo, aspectos de la literatura llamada "barroca" del siglo XVII, representan la persistencia de los ideales de la literatura antigua no clásica (como la de los mencionados hispanorromanos, para la que el profesor alemán propone en conjunto el nombre de "manierismo") y de la medieval. Tales ideales, rechazados en principio por Nebrija y los suyos en favor de las vías humanísticas más al uso en Italia, vuelven a aparecer en el siglo XVII, y acaba por triunfar entonces un criterio más amplio, menos cerrado a la imitación de unos "clásicos" romanos. Las innovaciones coinciden a veces con criterios que se creían ya acabados, que así reaparecen. De este modo la literatura española conserva el criterio de los tiempos medievales, también faltos de una selección de esta naturaleza, y no limita la influencia de las letras antiguas a un grupo de autores como puede bien observarse por el catálogo de los conocidos por Gracián o por cualquiera de los grandes escritores del siglo.

[17] E. R. CURTIUS, en su mencionado *Literatura europea y Edad Media latina*, en especial el capítulo XV, "Manierismo", págs. 384-422.

El caso se muestra bien claro cuando se trató de fijar el carácter literario del Emperador Carlos. Con este propósito escribí: "El perfil literario del Emperador muestra la subsistencia de los ideales medievales de Borgoña y de España en un príncipe cuyos caballeros le imitan y algunos —los menos, los innovadores— trabajan por abrir nuestras letras al influjo italiano, sin dejar por eso de cultivar la modalidad que mantiene la tradición cancioneril y popular. Perfil arcaizante, arrimado a la caballería y a la moral, cumple digna y conscientemente su función pública cuando los vientos de la historia están cambiando la dirección de la política" [18].

Esta corriente de gustos, algunos de raigambre medieval, forja en los Siglos de Oro unas características originales de creación. La primera es que los géneros literarios mantienen una continuidad que no se interrumpe con la aparición de modas y gustos nuevos, sino que se enlaza y armoniza con un nuevo vigor. Menéndez Pidal ha subrayado, según dije al principio, esta característica como una de las primordiales, y le ha dado un nombre que usa con frecuencia: literatura de *frutos tardíos*. Recordemos lo que se dijo en los comienozs de que el cambio fonético del castellano medieval al moderno se verifica en el curso del siglo XVI; el romancero, género de raíces medievales, se conserva en su mayor parte por textos de los Siglos de Oro, y perpetúa la tradición épica cuando desapareció el juglar; Cristóbal de Castillejo defiende el estilo tradicional, y crea en su cauce una obra fuertemente personal, de gran empuje poético, en la que puede expresar su condición innovadora; por razón de su verdad creadora, se enfrenta con los partidarios de la poesía italianizante. Pero aún hay más; los autores que desde Garcilaso representaron esta corriente que se desenvuelve hasta Góngora, si bien en su técnica siguen con el propósito renovador, algunos mantienen en cuanto a su sen-

---

18 La cita en F. LÓPEZ ESTRADA, *Perfil literario del Emperador Carlos*, "Anales de la Universidad Hispalense", XXII, 1962, págs. 63-84. Véase Andrés SORIA, *La literatura medieval europea en el Siglo de Oro*, en *Actas del Primer Congreso Internacional de Hispanistas*, obra citada, págs. 447-454.

sibilidad una cierta continuidad con la lírica medieval [19], manifestando un claro sentido conservador. Las formas de raigambre cancioneril, sobreviviendo con fuerza a la moda y triunfando en muchos aspectos en su adaptación a los nuevos tiempos, llegan hasta el fin de los Siglos de Oro. Si por una parte Juan de Mena fue publicado en la imprenta del Renacimiento con la técnica con que había que reproducir una obra digna de honores clásicos, tenemos que las glosas han de difundir reiteradamente la creación de autores de profundo sentido medieval, sobre todo los del siglo XV. Esto ocurre con Jorge Manrique, glosado por A. de Cervantes (1501), R. de Valdepeñas (antes de 1541), D. de Barahona (1541), F. de Guzmán (1548), L. de Aranda (1552), J. de Montemayor (1554), L. Pérez (1561), G. Silvestre (1582), aparte de textos manuscritos [20]. La ficción caballeresca triunfa con el *Amadís;* el teatro religioso medieval se prosigue en los triunfantes *Autos*. Y en España los libros de caballerías (al menos como tales libros con cuerpo de impresión) tienen su fin en el *Quijote,* obra que (entre otras significaciones que posee) interpreta genialmente la crisis entre la ideología de la caballería medieval, representada por don Quijote, y los tiempos nuevos que ocupan el ámbito en que se desarrolla la trama y mueven a las gentes con las que el héroe tiene que tratar en una convivencia imposible. Pero esto no es sólo privativo del dominio de la creación poética. También la erudición presenta esta perduración de las interpretaciones medievales de la tradición antigua. Así ocurre, por ejemplo, que Juan Pérez de Moya se refiere a las fuentes que utiliza para su *Philosophía Secreta* y a la interpretación de la obra en estos términos: los libros de fábulas (y Ovidio es una de sus más importantes fuentes) se inventaron y escribieron para "inducir a los

---

[19] L. ROSALES en *La poesía cortesana,* "Homenaje a D. Alonso", III, 1963, págs. 287-335, propone llamarle así (o escuela del amor cortés) a la que partiendo del mismo Garcilaso, se encuentra en Camoes, el conde de Salinas, Villamediana, etc.

[20] Véase A. PÉREZ GÓMEZ, *Noticias bibliográficas* [sobre las glosas a *Coplas de J. Manrique*], al fin de los seis tomos (Cieza, 1961-1963) en que publicó las ediciones facsimilares de los autores citados.

lectores a muchas veces leer y saber su escondida moralidad y provechosa doctrina" [21].

Por otra parte, no hay que pensar que la transición entre Edad Media y Siglos de Oro está representada por un aumento fulminante en la difusión de las obras literarias; aun cuando la imprenta es un instrumento decisivo en el cambio, la poesía lírica tarda en pasar al conocimiento común de las gentes. La perspectiva literaria que tenía en torno un lector de los Siglos de Oro, como ha mostrado Rodríguez Moñino [22], es muy diferente de la que posee un crítico (o simplemente, lector) actual, y la lentitud en la penetración persiste por diversas razones, de tal manera que a veces hay una similitud de condiciones entre la Edad Media y los Siglos de Oro. Por otra parte, en sentido contrario, la imprenta es a veces un factor conservador que hace que se sobrepasen los límites que habitualmente se asignan a los géneros literarios, de tal manera que los libros de caballerías no se acaban con el *Quijote*, sino que su materia se reitera en ediciones modestas de pliegos romanceriles hasta... el siglo XX.

EL NOMBRE DE LA "EDAD MEDIA"

La denominación precisa de este largo período de transición entre la Antigüedad y los tiempos nuevos en el juicio de los renacentistas no se fijó hasta más tarde. Es sabido que la primera vez que aparece un nombre para referirse a esta época fue ya en 1469, en una carta de Giovanni Andrea, impresa al frente de una edición romana de Apuleyo, donde se refiere a los grandes conocimientos del Cardenal Cusa en las letras antiguas, en las medias (que se señalan como pertenecientes a una "*media tempestas*") y modernas; otras menciones

---

21 J. PÉREZ DE MOYA, *Philosophía secreta* [Madrid, 1585], ed. E. GÓMEZ BAQUERO, Madrid, 1928, pág. 7.

22 Véase A. RODRÍGUEZ-MOÑINO, *Construcción crítica y realidad histórica en la poesía española de los siglos XVI y XVII*, obra citada, en especial páginas 38-50.

semejantes se documentan en 1518, *media aetas*, en 1604, *medium aevum*. La cuestión se presenta de difícil interpretación, porque en ocasiones no se puede precisar qué quiso expresar exactamente el autor que usa una de estas denominaciones, además de que los dominios histórico y filológico se interfirieron en su uso. Los eruditos se valieron de estos términos en sus tratados en lengua latina hasta que fueron incorporándose a las lenguas modernas [23].

Puede decirse que, desde el punto de vista historiográfico, el concepto quedó acuñado para su uso después de la obra de Cristóbal Cellarius (1638-1707), autor que terminó su *Historia Antigua* (1685) en Constantino, y escribió luego la *Historia Medii Aevi* (1688) en la que cuenta los hechos históricos hasta la caída de Constantinopla en manos de los turcos [24].

En español, como en otras lenguas, encontramos primero su uso con el significado del tiempo que transcurre entre los antiguos, y la época del que escribe, aun sin establecer de manera necesaria que ese límite sea un "Renacimiento". Esto ocurre, por ejemplo, en los *Anales de Madrid* de Antonio de León Pinelo. Cuenta ese historiador que en unas fiestas celebradas el día 15 de noviembre de 1649 en la Corte con ocasión de la entrada de doña Mariana de Austria, se levantó una tramoya que representaba el Parnaso, donde entre alegorías se hallaban "nueve poetas españoles de tres edades. De la antigua Séneca el trágico, Marcial y Lucano; de la edad media Juan de Mena, Garcilaso y Luis de Camoes; y de la moderna, don Francisco de Quevedo Villegas, don Luis de Góngora y Lope Félix de

---

23 Véase G. Gordon, *Medium Aevum and the Middle Ages*, XIX, "Society for Pure English", Oxford, 1925; N. Edelman, *The Early Uses of "Medium Aevum", "Moyen Âge"*, "Romanic Review", XXIX, 1938, págs. 3-25; *Other Early Uses of "Moyen Âge" and "Moyen Temps"*, ídem, XXX, 1939, páginas 327-330.

24 Sobre los problemas históricos de la periodificación véase la información de W. Bauer, *Introducción al estudio de la Historia*, obra citada, páginas 145-157.

Vega y Carpio" [25]. Como estos tres autores últimos habían muerto en 1645, 1627 y 1635 hay que considerar que para Pinelo la Edad Media representa la que existe entre los antiguos y los grandes autores de los que la fama es aún reciente, de sus mismos tiempos.

---

[25] *Annales o Historia de Madrid,* escrita por D. A. de León Pinelo (Manuscrito de la Biblioteca Nacional de Madrid, n.º 1764), folio 354 vuelto.

Capítulo XVII

PANORAMA FINAL SOBRE LA LITERATURA DEL MEDIEVO

Convertir en fórmula de pocas líneas un estudio que abarca cerca de cinco siglos, es siempre empresa aventurada, y mucho más si se trata de la creación poética, cuya unicidad es su más patente condición. Con los riesgos que esto supone, lo intento aquí, y el solo objeto es poner remate a este tratado.

La limitación cronológica que encierra el concepto de "literatura medieval", en cuanto al término que se tome como fin de la misma, procede de los criterios establecidos en la periodificación de la Historia, afirmados además por la conciencia que tuvieron los humanistas, encabezados por Nebrija, de hallarse ellos en el comienzo de una Edad renovadora; los hechos de la unificación de la nación española, el descubrimiento de América y el alejamiento de los judíos dieron también un nuevo perfil a la época, que ayudó a diferenciarla de los años anteriores, y aun de los más inmediatos. En cuanto al comienzo de la Edad Media en la literatura española, queda caracterizado (al menos en lo que en este libro se trata) por el uso escrito de la lengua castellana, y de los dialectos aragonés y leonés, al que hay que añadir las noticias e hipótesis sobre una literatura oral anterior. Desde el punto de vista lingüístico, la literatura medieval comprende el proceso del predominio del castellano, dialecto que comienza a afirmarse como lengua literaria alrededor de la actividad de Alfonso X, y que a fines del siglo XV aparece como predominante entre los mencionados; en el complejo curso de este proceso, la lengua patrimonial en su uso literario recibe, entre otras, primero una fuerte influencia del árabe hasta fines del siglo XIII, y después hasta el XV se cambia por la del latín, y en segundo grado, por la del italiano.

Las corrientes literarias quedan determinadas en los cauces del "género histórico", y los varios que aparecen, como es previsible, no cubren por entero la época medieval; hay géneros que acaban durante la misma, y otros que se prolongan más allá de su fin. Entre los que acaban en ella, está el mester de clerecía, que representa la primera intención de lograr una obra de técnica culta dentro de la condición mayoritaria que impone el uso de la lengua vulgar, entendida como medio de comunicación para un mayor número de oyentes o de lectores; el sentido de divulgación de este género es manifiesto, dentro de un determinado nivel al que se acomodan lo mismo argumentos de índole popular que los de índole libresca. El mester de juglaría significa la acción de un intérprete, el juglar, que prolonga una situación de poesía preliteraria en un tiempo en que (por lo menos en lo que nos es conocido) ya comenzaba a asegurarse la conservación escrita de la obra. Las grandes piezas del juglar fueron los cantares de gesta, cuyo número resulta escaso en la literatura castellana. La situación histórica del Medievo español, cuyas gentes estaban empeñadas en una guerra de reconquista que acompaña hasta su fin este período, hizo que estos cantares se refiriesen en especial a tales tratos y luchas, de las que se tenía una conciencia y memoria muy vivas; a esta situación se adaptaba el juglar, al menos en las obras más antiguas.

La poesía del pueblo, de carácter oral, se mantuvo a todo lo largo de este período con una gran fuerza, sostenida sobre todo por su función en la vida de la comunidad; la rememoración de las breves piezas por medio del canto sería constante, y de ahí la existencia de una tradición, común a todas las clases sociales, que algunas veces lograba llegar hasta el documento escrito, sobre todo a través de modas (jarchas, glosas en cancioneros, etc.). Esta poesía fue por una parte de sentido lírico; y por otra, procedente de la condición guerrera de la vida castellana, también tuvo carácter épico, en confluencia con la obra juglaresca. Desde el siglo XIV hay noticias de los romances, que vinieron a constituir un género histórico abierto, de gran fortuna en la literatura española, pues a través de los pliegos sueltos entran en abundancia en el siglo XVI, asegurando aún más su persistencia en la tradición común del pueblo y creando una estructura de extraordinaria flexibilidad que recreó cualquier clase de asunto en forma accesible al pueblo español.

La técnica literaria de la poesía recibió un fuerte impulso desde la modalidad europea de la lírica provenzal, que en castellano no arraigó hasta fecha tardía, a través sobre todo de las experiencias en las lenguas hispánicas occidental y oriental (gallego y catalán); más inmediato fue el impulso recibido de los italianos, cuyo ejemplo resultó de gran efecto, sobre todo en sus derivaciones. El *Cancionero* impone una modalidad poética claramente determinada, a partir del de Baena, que ya señala la diversidad de sus manifestaciones. Esta variedad persiste hasta penetrar en el Renacimiento, y reunirse con una nueva corriente italianizante que triunfó en el dominio profano en 1543 con la edición de las obras de Boscán y Garcilaso, y en el dominio religioso en 1575 con la publicación de las mismas, vertidas a lo divino por Sebastián de Córdoba. Así se mantiene otra vez una coexistencia entre las modalidades que proceden de la Edad Media, y las que se estiman renovadas.

El desarrollo de la prosa, siempre más próxima al habla común que el verso, mantuvo el ritmo mencionado en un proceso asimilador de los influjos árabe y latino (y también europeo); la técnica literaria de la prosa afirmó los avances de la Retórica en el uso para la expresión de la Historia, y sobre todo en relación con los fines moralizadores que se consideraban propios de una literatura con un contenido que no fuese de orden lírico. Esta Retórica, desarrollada con gran vigor en los siglos XII y XIII en lengua latina por Europa, pudo penetrar en la obra escrita en lengua vulgar por cualquier vía, en forma directa o indirecta, tanto por la prosa como por el verso. La condición de cada obra señala la intensidad del factor retórico, y a la situación personal de cada autor hay que añadir el determinismo del género histórico correspondiente. La prosa de los cuentos recoge primero el influjo árabe, que se une al europeo de los apólogos; las frases sentenciosas proceden del refrán popular y del aforismo libresco, fragmento a veces de obras mayores. La historia orienta la modalidad de la *Crónica,* que se hace cada vez más limitada en su contenido de hechos reales. La ficción organiza relatos más complejos, de carácter caballeresco unos, y sentimental, otros. Los libros de caballerías son más bien escasos, y los que se escriben en castellano aparecen con un fuerte carácter moralizador *(Cifar)*; sólo al fin del período aparece el *Amadís,* una obra reelaborada que logra gran fortuna en España y en Europa. Los de carácter sentimental son más numerosos, y encaminan el argumento hacia la descripción de los estados del amor cortés, siguiendo también modelos italianos, que exacerban las características, ya de por sí convencionales, en su arraigo en español.

Dos manifestaciones resultan con un sentido muy definido: la alegoría y la glosa. La alegoría es manifestación característica del arte medieval, y por su mediación el sentido moralizador adopta el más alto grado de la condición artística en el lenguaje. El influjo francés y el italiano (menos el de Dante, más el de Petrarca y Boccaccio) intensifican una tendencia existente en la tradición antigua y medieval, y la alegoría encamina tanto las manifestaciones más elevadas y objetivas de la poesía de Cancionero, como el aparato argumental de la prosa de los libros sentimentales; esto se corresponde también con el uso de la alegoría de la vida social de la época, y en general con el predominio del valor del signo (que es a la vez artístico y social) como representación en este caso de valores humanos.

El sentido religioso, propio en general de la literatura de la Edad Media, además de las manifestaciones persuasivas del sermón y de la representación (que es una ampliación de la liturgia), complementadas por los libros doctrinales, adopta en el siglo XV una modalidad que va en aumento hacia el fin del mismo, y penetra con vigor en el Renacimiento: es la poesía devota, con el asunto dominante de la contemplación y ejemplaridad de la vida de Cristo. Esta poesía recoge la tradición cancioneril, y aprovechándose de la expresión profana, y en particular de la alegórica, establece su proyección sobre un público popular, que busca una religiosidad de carácter emotivo; y así penetra con gran fuerza en el Renacimiento.

La glosa, entendida en un sentido general, sirvió para recrear el contenido (y también la letra) de obras muy variadas; y así pudo servir para establecer conexiones entre la lírica popular (motivo) y la cortés (extensión), y también para orientar en un sentido moralizador e incluso a lo divino cualquier contenido. El uso artístico de la exégesis puede tener función creadora, y sólo así cabe entender, por ejemplo, este aspecto del *Libro de Buen Amor* en cuanto a su estructura, cualquiera que sea la razón que se dé a la misma.

En el curso de la literatura medieval se nota una tendencia a la exaltación de determinados personajes (bien sean históricos o imaginados), en los que se halla la expresión de situaciones que forman parte de la vida del pueblo: el rey Rodrigo y el Cid se reúnen con Amadís y la Celestina, y constituyen así una mezcla de personas y de personajes que se estiman como patrimonio de la colectividad. El Romancero insiste también en estas figuras, y continúa y crea otras, de menor cuantía, pero presentes en la representación poética del pueblo, que constituyen el fondo legendario de esta literatura, en el que se hallan también representadas las leyendas comunes europeas. Esta condición literaria se manifiesta a veces por la confusión de la persona real (el autor) con la criatura literaria, como ocurre con el caso del *Libro de Buen Amor,* siguiendo también corrientes cultas; la exuberancia del poder creador de Juan Ruiz alcanzó con ello la nota más original de la literatura de este período en una obra que no entró, sin embargo, en el caudal de la tradición, pues permaneció oculta hasta que la erudición primero, y la interpretación crítica después, sacaron a la luz sus valores poéticos. Otras manifestaciones, sobre todo en la literatura sentimental, abrieron las modalidades del género de ficción biográfico y epistolar, en los que domina, sin embargo, una orientación esquemática en la sicología, que sólo desmenuza el amor como sentimiento de índole literaria.

Inmediato a este personalismo se halla el desarrollo del carácter dramático de la obra literaria: el diálogo puede aplicarse en principio al juego de la expresión de la lírica, formularse en el aparato alegórico, o intervenir en el canto o declamación de los poemas narrativos creando situaciones de orden dramático en diversos grados; cualquier comunicación lingüística implica la presencia de interlocutores, y la obra literaria, que en principio es un hecho de habla, participa de esta condición, sólo que esto pasa al plano de la intención en unos casos, y en otros no. La obra literaria medieval es una serie sucesiva de planteamientos de esta relación; la función de las personas que intervienen en los géneros históricos no se establece de una manera tajante, y la oscilación por entre las personas de los géneros preceptivos (lírico-épico-dramático) es una de sus características. El teatro propiamente dicho (como representación visible ante un público) en este período es común a los varios países de Europa, sobre todo en las manifestaciones que dependen de la Iglesia. La literatura española conserva escasos restos de este género histórico, y el teatro primitivo en lengua romance, de carácter profano, apenas está testimoniado hasta el siglo XVI, en que se desarrolla el período llamado prelopista. La aparición de la *Celestina* en el fin mismo del siglo XV es un caso excepcional, pues se pasa desde el teatro humanístico en latín a una obra, formulada en la lengua romance, enteramente lograda en su propósito y alcances.

La literatura española ofrece en la Edad Media un desarrollo muy peculiar; resulta ser sumamente pobre en el teatro, escasa en los cantares épicos, tardía en sus manifestaciones líricas de carácter cortés, y más completa en cuanto a los poemas narrativos tanto de clerecía como de carácter alegórico. Por otra parte, se muestra abundante en los cuentos, pero con escasa difusión de la prosa de ficción propia. Un medio para intentar comprender el conjunto de esta situación consiste en examinar la relación entre el autor y el público;

es bien sabido que, salvando el hecho de la libertad de la iniciativa, en la tensión de la expresividad que se establece entre ambos, el autor y el público, se halla situada la posibilidad de la creación y de la conservación luego de la obra literaria. De ahí que la condición en que se desenvuelve la literatura de la Edad Media muestre un público, cuyas clases sociales (rey, señorío, común del pueblo, cortes, ciudades y aldeas) viven en unas relaciones muy determinadas, en las que aparece patente el enfrentamiento entre la nobleza y los reyes para lograr un dominio de carácter político por sobre los otros estados. De tanto en tanto, bien por iniciativa propia o por los sucesos interiores del reino granadino, todos se juntan para ordenar una acción común contra el árabe peninsular, casi siempre transitoria; con esto se prosigue una guerra de reconquista ya secular, animada también por la condición de lucha de religión entre el Cristianismo y el Islam, que se realza cuando así resulta conveniente para los fines políticos de una situación, dentro de lo que se estima herencia insoslayable de los antepasados. El moro, por su parte, tiene durante la Edad Media su propia ley, que es irreconciliable desde el punto de vista religioso (y lo que por él constituye una forma de vida) con la del cristiano; pero esto no impide unas relaciones de diverso efecto poético: influjo, situaciones argumentales, circulación de ideas y comunicación de sentidos de vida, sobre todo en aquellos lugares en que la relación compenetra los usos y costumbres (criterios artísticos, frontera, etc.), muy patentes en el romancero morisco. La vida política del Reino no permite la formación de un público de cuantía que impulse las modalidades que se basan en el predominio de las ciudades por sobre las cortes; la obra literaria resulta así, por un lado, de carácter cortés, y en principio el poeta ha de ser (o al menos ponerse en el lugar del) señor. No obstante, estas Cortes no resultan moradas en que domine el refinamiento extremado, y existe en ellas una ordenación de clases en la que resulta posible la comunicación de los medios expresivos de cada una de ellas, en particular en el orden poético. La presencia de la Iglesia evita también que prosperen las modalidades diferentes de una moral común, y el carácter de la economía y las necesidades de la guerra imponen en algunos lugares una relación entre las clases sociales, cuya función resulta compensadora de la escasa acción literaria de las ciudades. En el caso de la literatura moralizadora, el escritor actúa como consejero, y entonces su condición religiosa en unos casos, o su formación humanística en otros, le dan ocasión para manifestarse. La poesía tradicional tiene un sistema de trasmisión conservadora, mantenido por un público, que es partícipe a la vez en la creación, a través de los intérpretes (no profesionales en este caso) que mejor saben mantener la obra, y aun renovarla.

La literatura española no suele ofrecer fronteras insalvables a las varias manifestaciones que forman un género o que aglutinan un público; son frecuentes las relaciones, trasposiciones, difusiones entre géneros o públicos diversos (clerecía-juglaría; cortés-popular; narración-diálogo, etc.). Por otra parte, las clases sociales adquieren una progresiva rigidez, sobre todo en el siglo XV, hacia la formación de un concepto de honor, que es a la vez personal y social, y que afirma el aprecio del linaje por la herencia (prestigio de los godos). La división de los judíos, que habían integrado la vida común del Reino hasta el siglo XIV como una casta definida, en dos grupos: el de los fieles a su ley (obligados a abandonar España en 1492), y el de los conversos (que permanecieron en el suelo español) creó una situación social cuyos efectos en la literatura se discuten; mientras unos consideran que los conversos dieron un tono decisivo a la creación literaria, otros lo niegan, y señalan que estos efectos proceden de que ellos eran propensos al cultivo de las profesiones radicadas en la Corte, en relación con la hacienda o con el ejercicio intelectual, y por tanto de las letras.

El cuadro general hasta aquí descrito es el resultado de los estudios sobre la literatura medieval realizados sobre todo en los años de nuestro siglo XX. No hay, sin embargo, una relación directa entre la sucesión de los criterios metodológicos de la erudición y de la crítica, y el progreso en el conocimiento de la literatura medieval española. El inventario cronológico de los estudios muestra que aún persisten cuestiones tales como la preparación de ediciones de textos, de índole positivista, propia de la segunda mitad del siglo XIX, junto con los estudios de carácter estructural. Hasta hace poco no comenzó la publicación exhaustiva del Romancero; los incunables se conocen gracias a los métodos de la reproducción facsímil, y aumentó el número de las ediciones modernizadas. No cesa la exploración de archivos y bibliotecas, y por fin se dispone ya de bibliografías sobre el período medieval. La parte de acopio de datos y la reproducción de textos ha logrado así un gran avance, y ha habido un gran número de traducciones de obras de carácter metodológico, informativo y crítico (especialmente del inglés), de tal manera que hoy pueden leerse en español la mayor parte de los trabajos publicados en otras lenguas sobre la Edad Media hispánica. Al mismo tiempo, la obra literaria medieval ha pasado a integrar las interpretaciones culturales más audaces y personales, conmoviendo lo que había sido hasta entonces poco menos que materia de erudición. Sobre el *Poema del Cid,* el *Libro de Buen Amor* y la *Celestina* ha recaído en particular el estudio de los críticos; el primero abrió el camino en el siglo actual con el estudio de una obra (y con ella el mester de juglaría, la épica medieval, el romancero, etc.); el *Libro de Buen Amor* entró en el propósito de renovación crítica por la vía de su interpretación estilística (y luego, con las implicaciones que trajo el estudio de una obra singular); y, finalmente, la *Celestina,* que por los problemas de autor y texto ya había sido asunto debatido, en el estudio de su penetración poética planteó el estudio de la condición de su estructura. Los caminos de la estilística también han penetrado en el estudio de la poesía medieval; y junto con ella se han aprovechado las procedimientos de la nueva teoría lingüística, cuya técnica se ha aplicado, a veces con tanteos, a la consideración de la obra literaria. La Retórica, renacida esta vez no como norma para la enseñanza sino como instrumento de la crítica, hizo comprender mejor algunos aspectos de la creación y de la técnica de la obra literaria de la Edad Media. El criterio estructural ha dado un nuevo sentido a la organización de los datos, que ahora se hace en función de un conjunto que es la obra poética, y los análisis no son ya un inventario de piezas aisladas. Signo de la condición universal de nuestro tiempo, se abrió el campo de la exploración comparatista; este resulta muy propicio para la literatura medieval, que en cierto modo constituye un conjunto europeo, más cohesivo en esta época que en las posteriores; los factores comunes, ordenables históricamente, son muchos, y de su contrastada valoración se deducen consecuencias importantes. Una de ellas es que en España el resurgimiento medieval adoptó una modalidad en la que se reunía la tradición antigua y la oriental; también se ha puesto de manifiesto que no hubo hasta el fin del período (y esto como señal de su terminación) un renacimiento de fuerte tensión humanística, suficiente para dar un carácter nuevo a la presencia de la tradición de la antigüedad en el hecho de la creación poética.

La literatura medieval española resulta un período en el que el número de obras (al menos, de las conservadas o conocidas por noticias) resulta relativamente reducido si se compara con el que se creó luego en los siglos XVI y XVII. A lo largo de más de cuatro siglos, la lengua vulgar, vernácula, coloquial, va ampliando el dominio de la expresividad literaria con un ritmo expansivo que se acelera sobre todo en el siglo XV; esta centuria está ya en inmediata conexión con los siglos de Oro, y en él se sitúa un período a la vez de enlace y con notas propias, cuyas características han constituido una nueva unidad historiográfica. A través del mismo penetra en los siglos siguientes un abundante número de recursos literarios, que llegan a constituir una nota especial en el curso de la literatura española; esto le da un aspecto conservador que los críticos han puesto de realce comparándolo con otras literaturas en que había un cambio más profundo de expresión, técnica, asuntos y géneros; por otra parte, tampoco conviene insistir mucho en esto ni resulta tan insólito si consideramos que la noción de "Edad Media" es una creación de la crítica histórica moderna. La idea de esta persistencia, considerada como característica literaria, no aparece en los escritores de los siglos de Oro, que no mostraron gran curiosidad por los orígenes de la literatura, ni aun demasiada por la de sus predecesores cercanos, pues consideraron que la poesía, en cualquiera de sus manifestaciones, acompañaba el curso de sus vidas como una función tan natural en el conjunto de la sociedad como lo era el uso de la lengua. Incluso la formación de catálogos, dentro del espíritu de la erudición, resulta tardía. La crítica del siglo XVIII anima los atisbos de una consideración ya histórica del Medievo, y el Romanticismo es el puente hacia los tiempos modernos, a través del cual la Edad Media toma ya un concepto definido, mezclado con el convencionalismo literario de la época, después del cual siguió el desarrollo de una crítica cada vez más compleja, más en consonancia con el rigor interpretativo que solicita nuestro tiempo. El estudio de la literatura de la Edad Media queda, en cuanto a su progresión de índole científica, en un ámbito profesional, en el que trabajan historiadores, eruditos, críticos y ensayistas. Pero esto no es impedimento para que la obra literaria de este período sea conocida y gustada en círculos más amplios. Así ocurre que es parte del conjunto de la literatura española, sin la cual esta queda incompleta. Por otra parte se refiere a creaciones humanas de entidad poética tan vigorosa como cualquiera de las de nuestro tiempo, y que precisamente por su condición humana pueden atraer al menos la curiosidad. Además, la penetración en esta poesía no es aventura demasiado difícil para cualquiera que use (o conozca) la lengua española. Y, finalmente, la literatura medieval se halla, por medio de numerosos testimonios, a veces no reconocibles, constituyendo parte de la tradición existente en la integridad actual de la cultura hispánica.

INDICE DE NOMBRES, OBRAS Y ASUNTOS

ÍNDICE GENERAL

BIBLIOTECA ROMÁNICA HISPÁNICA

BIBLIOTECA ROMÁNICA HISPÁNICA

Dirigida por: DÁMASO ALONSO

I. TRATADOS Y MONOGRAFÍAS

1. Walther von Wartburg: *La fragmentación lingüística de la Romania.* Segunda edición aumentada. 208 págs. 17 mapas.
2. René Wellek y Austin Warren: *Teoría literaria.* Con un prólogo de Dámaso Alonso. Cuarta edición. Reimpresión. 432 págs.
3. Wolfgang Kayser: *Interpretación y análisis de la obra literaria.* Cuarta edición revisada. Reimpresión. 594 págs.
4. E. Allison Peers: *Historia del movimiento romántico español.* Segunda edición. Reimpresión. 2 vols.
5. Amado Alonso: *De la pronunciación medieval a la moderna en español.* 2 vols.
6. Helmut Hatzfeld: *Bibliografía crítica de la nueva estilística aplicada a las literaturas románicas.* Segunda edición, en prensa.
9. René Wellek: *Historia de la crítica moderna (1750-1950).* 3 vols. Volumen IV, en prensa.
10. Kurt Baldinger: *La formación de los dominios lingüísticos en la Península Ibérica.* Segunda edición corregida y muy aumentada. 496 págs. 23 mapas.
11. S. Griswold Morley y Courtney Bruerton: *Cronología de las comedias de Lope de Vega.* 694 págs.
12. Antonio Martí: *La preceptiva retórica española en el Siglo de Oro.* Premio Nacional de Literatura. 346 págs.
13. Vítor Manuel de Aguiar e Silva: *Teoría de la literatura.* 550 págs.
14. Hans Hörmann: *Psicología del lenguaje.* 496 págs.

II. ESTUDIOS Y ENSAYOS

1. Dámaso Alonso: *Poesía española (Ensayo de métodos y límites estilísticos).* Quinta edición. Reimpresión. 672 págs. 2 láminas.
2. Amado Alonso: *Estudios lingüísticos (Temas españoles).* Tercera edición. Reimpresión. 286 págs.
3. Dámaso Alonso y Carlos Bousoño: *Seis calas en la expresión literaria española* (*Prosa - Poesía - Teatro*). Cuarta edición. 446 págs.
4. Vicente García de Diego: *Lecciones de lingüística española (Conferencias pronunciadas en el Ateneo de Madrid).* Tercera edición. Reimpresión. 234 págs.

5. Joaquín Casalduero: *Vida y obra de Galdós (1843-1920)*. Cuarta edición ampliada. 312 págs.
6. Dámaso Alonso: *Poetas españoles contemporáneos*. Tercera edición aumentada. Reimpresión. 424 págs.
7. Carlos Bousoño: *Teoría de la expresión poética*. Premio «Fastenrath». Quinta edición muy aumentada. Versión definitiva. 2 vols.
9. Ramón Menéndez Pidal: *Toponimia prerrománica hispana*. Reimpresión. 314 págs. 3 mapas.
10. Carlos Clavería: *Temas de Unamuno*. Segunda edición. 168 págs.
11. Luis Alberto Sánchez: *Proceso y contenido de la novela hispanoamericana*. Segunda edición corregida y aumentada. 630 págs.
12. Amado Alonso: *Estudios lingüísticos (Temas hispanoamericanos)*. Tercera edición. 360 págs.
16. Helmut Hatzfeld: *Estudios literarios sobre mística española*. Segunda edición corregida y aumentada. 424 págs.
17. Amado Alonso: *Materia y forma en poesía*. Tercera edición. Reimpresión. 402 págs.
18. Dámaso Alonso: *Estudios y ensayos gongorinos*. Tercera edición. 602 págs. 15 láminas.
19. Leo Spitzer: *Lingüística e historia literaria*. Segunda edición. Reimpresión. 308 págs.
20. Alonso Zamora Vicente: *Las sonatas de Valle Inclán*. Segunda edición. Reimpresión. 190 págs.
21. Ramón de Zubiría: *La poesía de Antonio Machado*. Tercera edición. Reimpresión. 268 págs.
24. Vicente Gaos: *La poética de Campoamor*. Segunda edición corregida y aumentada, con un apéndice sobre la poesía de Campoamor. 234 págs.
27. Carlos Bousoño: *La poesía de Vicente Aleixandre*. Segunda edición corregida y aumentada. 486 págs.
28. Gonzalo Sobejano: *El epíteto en la lírica española*. Segunda edición revisada. 452 págs.
31. Graciela Palau de Nemes: *Vida y obra de Juan Ramón Jiménez (La poesía desnuda)*. Segunda edición completamente renovada. 2 vols.
34. Eugenio Asensio: *Poética y realidad en el cancionero peninsular de la Edad Media*. Segunda edición aumentada. 308 págs.
36. José Luis Varela: *Poesía y restauración cultural de Galicia en el siglo XIX*. 304 págs.
39. José Pedro Díaz: *Gustavo Adolfo Bécquer (Vida y poesía)*. Tercera edición corregida y aumentada. 514 págs.
40. Emilio Carilla: *El Romanticismo en la América hispánica*. Segunda edición revisada y ampliada. 2 vols.

41. Eugenio G. de Nora: *La novela española contemporánea (1898-1967)*. Premio de la Crítica. Reimpresión. 3 vols.
42. Christoph Eich: *Federico García Lorca, poeta de la intensidad*. Segunda edición revisada. 206 págs.
43. Oreste Macrí: *Fernando de Herrera*. Segunda edición corregida y aumentada. 696 págs.
44. Marcial José Bayo: *Virgilio y la pastoral española del Renacimiento (1480-1550)*. Segunda edición. 290 págs.
45. Dámaso Alonso: *Dos españoles del Siglo de Oro*. Reimpresión. 258 págs.
46. Manuel Criado de Val: *Teoría de Castilla la Nueva (La dualidad castellana en la lengua, la literatura y la historia)*. Segunda edición ampliada. 400 págs. 8 mapas.
47. Ivan A. Schulman: *Símbolo y color en la obra de José Martí*. Segunda edición. 498 págs.
49. Joaquín Casalduero: *Espronceda*. Segunda edición. 280 págs.
51. Frank Pierce: *La poesía épica del Siglo de Oro*. Segunda edición revisada y aumentada. 396 págs.
52. E. Correa Calderón: *Baltasar Gracián. Su vida y su obra*. Segunda edición aumentada. 426 págs.
53. Sofía Martín-Gamero: *La enseñanza del inglés en España (Desde la Edad Media hasta el siglo XIX)*. 274 págs.
54. Joaquín Casalduero: *Estudios sobre el teatro español*. Tercera edición aumentada. 324 págs.
55. Nigel Glendinning: *Vida y obra de Cadalso*. 240 págs.
57. Joaquín Casalduero: *Sentido y forma de las «Novelas ejemplares»*. Segunda edición corregida. 272 págs.
58. Sanford Shepard: *El Pinciano y las teorías literarias del Siglo de Oro*. Segunda edición aumentada. 210 págs.
60. Joaquín Casalduero: *Estudios de literatura española*. Tercera edición aumentada. 478 págs.
61. Eugenio Coseriu: *Teoría del lenguaje y lingüística general (Cinco estudios)*. Tercera edición revisada y corregida. 330 págs.
62. Aurelio Miró Quesada S.: *El primer virrey-poeta en América (Don Juan de Mendoza y Luna, marqués de Montesclaros)*. 274 págs.
63. Gustavo Correa: *El simbolismo religioso en las novelas de Pérez Galdós*. Reimpresión. 278 págs.
64. Rafael de Balbín: *Sistema de rítmica castellana*. Premio «Francisco Franco» del C. S. I. C. Segunda edición aumentada. 402 páginas.

65. Paul Ilie: *La novelística de Camilo José Cela.* Con un prólogo de Julián Marías. Segunda edición. 242 págs.

67. Juan Cano Ballesta: *La poesía de Miguel Hernández.* Segunda edición aumentada. 356 págs.

69. Gloria Videla: *El ultraísmo.* Segunda edición. 246 págs.

70. Hans Hinterhäuser: *Los «Episodios Nacionales» de Benito Pérez Galdós.* 398 págs.

71. Javier Herrero: *Fernán Caballero: un nuevo planteamiento.* 346 páginas.

72. Werner Beinhauer: *El español coloquial.* Con un prólogo de Dámaso Alonso. Segunda edición corregida, aumentada y actualizada. Reimpresión. 460 págs.

73. Helmut Hatzfeld: *Estudios sobre el barroco.* Tercera edición aumentada. 562 págs.

74. Vicente Ramos: *El mundo de Gabriel Miró.* Segunda edición corregida y aumentada. 526 págs.

75. Manuel García Blanco: *América y Unamuno.* 434 págs. 2 láminas.

76. Ricardo Gullón: *Autobiografías de Unamuno.* 390 págs.

77. Marcel Bataillon: *Varia lección de clásicos españoles.* 444 págs. 5 láminas.

80. José Antonio Maravall: *El mundo social de «La Celestina».* Premio de los Escritores Europeos. Tercera edición revisada. 188 págs.

81. Joaquín Artiles: *Los recursos literarios de Berceo.* Segunda edición corregida. 272 págs.

82. Eugenio Asensio: *Itinerario del entremés desde Lope de Rueda a Quiñones de Benavente (Con cinco entremeses inéditos de Don Francisco de Quevedo).* Segunda edición revisada. 374 págs.

83. Carlos Feal Deibe: *La poesía de Pedro Salinas.* Segunda edición. 270 págs.

84. Carmelo Gariano: *Análisis estilístico de los «Milagros de Nuestra Señora» de Berceo.* Segunda edición corregida. 236 págs.

85. Guillermo Díaz-Plaja: *Las estéticas de Valle-Inclán.* Reimpresión. 298 págs.

86. Walter T. Pattison: *El naturalismo español (Historia externa de un movimiento literario).* Reimpresión. 192 págs.

88. Javier Herrero: *Angel Ganivet: un iluminado.* 346 págs.

89. Emilio Lorenzo: *El español de hoy, lengua en ebullición.* Con un prólogo de Dámaso Alonso. Segunda edición actualizada y aumentada. 240 págs.

90. Emilia de Zuleta: *Historia de la crítica española contemporánea.* Segunda edición notablemente aumentada. 482 págs.

91. Michael P. Predmore: *La obra en prosa de Juan Ramón Jiménez*. Segunda edición, en prensa.

92. Bruno Snell: *La estructura del lenguaje*. Reimpresión. 218 págs.

93. Antonio Serrano de Haro: *Personalidad y destino de Jorge Manrique*. Segunda edición, en prensa.

94. Ricardo Gullón: *Galdós, novelista moderno*. Tercera edición revisada y aumentada. 374 págs.

95. Joaquín Casalduero: *Sentido y forma del teatro de Cervantes*. Reimpresión. 288 págs.

96. Antonio Risco: *La estética de Valle-Inclán en los esperpentos y en «El Ruedo Ibérico»*. 278 págs.

97. Joseph Szertics: *Tiempo y verbo en el romancero viejo*. Segunda edición. 208 págs.

98. Miguel Batllori, S. I.: *La cultura hispano-italiana de los jesuitas expulsos*. 698 págs.

99. Emilio Carilla: *Una etapa decisiva de Darío (Rubén Darío en la Argentina)*. 200 págs.

100. Miguel Jaroslaw Flys: *La poesía existencial de Dámaso Alonso*. 344 págs.

101. Edmund de Chasca: *El arte juglaresco en el «Cantar de Mío Cid»*. Segunda edición aumentada. 418 págs.

102. Gonzalo Sobejano: *Nietzsche en España*. 688 págs.

103. José Agustín Balseiro: *Seis estudios sobre Rubén Darío*. 146 págs.

104. Rafael Lapesa: *De la Edad Media a nuestros días (Estudios de historia literaria)*. Reimpresión. 310 págs.

105. Giuseppe Carlo Rossi: *Estudios sobre las letras en el siglo XVIII*. 336 págs.

106. Aurora de Albornoz: *La presencia de Miguel de Unamuno en Antonio Machado*. 374 págs.

107. Carmelo Gariano: *El mundo poético de Juan Ruiz*. 262 págs.

108. Paul Bénichou: *Creación poética en el romancero tradicional*. 190 páginas.

109. Donald F. Fogelquist: *Españoles de América y americanos de España*. 348 págs.

110. Bernard Pottier: *Lingüística moderna y filología hispánica*. Reimpresión. 246 págs.

111. Josse de Kock: *Introducción al Cancionero de Miguel de Unamuno*. 198 págs.

112. Jaime Alazraki: *La prosa narrativa de Jorge Luis Borges (Temas-Estilo)*. Segunda edición aumentada. 438 págs.

114. Concha Zardoya: *Poesía española del siglo XX (Estudios temáticos y estilísticos)*. Segunda edición muy aumentada. 4 vols.

115. Harald Weinrich: *Estructura y función de los tiempos en el lenguaje*. 430 págs.

116. Antonio Regalado García: *El siervo y el señor (La dialéctica agónica de Miguel de Unamuno)*. 220 págs.

117. Sergio Beser: *Leopoldo Alas, crítico literario*. 372 págs.

118. Manuel Bermejo Marcos: *Don Juan Valera, crítico literario*. 256 páginas.

119. Solita Salinas de Marichal: *El mundo poético de Rafael Alberti*. 272 págs.

120. Óscar Tacca: *La historia literaria*. 204 págs.

121. *Estudios críticos sobre el modernismo*. Introducción, selección y bibliografía general por Homero Castillo. Reimpresión. 416 páginas.

122. Oreste Macrí: *Ensayo de métrica sintagmática (Ejemplos del «Libro de Buen Amor» y del «Laberinto» de Juan de Mena)*. 296 páginas.

123. Alonso Zamora Vicente: *La realidad esperpéntica (Aproximación a «Luces de bohemia»)*. Premio Nacional de Literatura. Segunda edición ampliada. 220 págs.

124. Cesáreo Bandera Gómez: *El «Poema de Mío Cid»: Poesía, historia, mito*. 192 págs.

125. Helen Dill Goode: *La prosa retórica de Fray Luis de León en «Los nombres de Cristo»*. 186 págs.

126. Otis H. Green: *España y la tradición occidental (El espíritu castellano en la literatura desde «El Cid» hasta Calderón)*. 4 vols.

127. Ivan A. Schulman y Manuel Pedro González: *Martí, Darío y el modernismo*. Con un prólogo de Cintio Vitier. Reimpresión. 268 páginas.

128. Alma de Zubizarreta: *Pedro Salinas: el diálogo creador*. Con un prólogo de Jorge Guillén. 424 págs.

129. Guillermo Fernández-Shaw: *Un poeta de transición. Vida y obra de Carlos Fernández Shaw (1865-1911)*. X + 330 págs. 1 lámina.

130. Eduardo Camacho Guizado: *La elegía funeral en la poesía española*. 424 págs.

131. Antonio Sánchez Romeralo: *El villancico (Estudios sobre la lírica popular en los siglos XV y XVI)*. 624 págs.

132. Luis Rosales: *Pasión y muerte del Conde de Villamediana*. 252 páginas.

133. Othón Arróniz: *La influencia italiana en el nacimiento de la comedia española*. 340 págs.

134. Diego Catalán: *Siete siglos de romancero (Historia y poesía)*. 224 páginas.

135. Noam Chomsky: *Lingüística cartesiana (Un capítulo de la historia del pensamiento racionalista).* Reimpresión. 160 págs.
136. Charles E. Kany: *Sintaxis hispanoamericana.* 552 págs.
137. Manuel Alvar: *Estructuralismo, geografía lingüística y dialectología actual.* Segunda edición ampliada. 266 págs.
138. Erich von Richthofen: *Nuevos estudios épicos medievales.* 294 páginas.
139. Ricardo Gullón: *Una poética para Antonio Machado.* 270 págs.
140. Jean Cohen: *Estructura del lenguaje poético.* Reimpresión. 228 páginas.
141. Leon Livingstone: *Tema y forma en las novelas de Azorín.* 242 páginas.
142. Diego Catalán: *Por campos del romancero (Estudios sobre la tradición oral moderna).* 310 págs.
143. María Luisa López: *Problemas y métodos en el análisis de preposiciones.* Reimpresión. 224 págs.
144. Gustavo Correa: *La poesía mítica de Federico García Lorca.* 250 páginas.
145. Robert B. Tate: *Ensayos sobre la historiografía peninsular del siglo XV.* 360 págs.
146. Carlos García Barrón: *La obra crítica y literaria de Don Antonio Alcalá Galiano.* 250 págs.
147. Emilio Alarcos Llorach: *Estudios de gramática funcional del español.* Reimpresión. 260 págs.
148. Rubén Benítez: *Bécquer tradicionalista.* 354 págs.
149. Guillermo Araya: *Claves filológicas para la comprensión de Ortega.* 250 págs.
150. André Martinet: *El lenguaje desde el punto de vista funcional.* 218 págs.
151. Estelle Irizarry: *Teoría y creación literaria en Francisco Ayala.* 274 págs.
152. Georges Mounin: *Los problemas teóricos de la traducción.* 338 páginas.
153. Marcelino C. Peñuelas: *La obra narrativa de Ramón J. Sender.* 294 págs.
154. Manuel Alvar: *Estudios y ensayos de literatura contemporánea.* 410 págs.
155. Louis Hjelmslev: *Prolegómenos a una teoría del lenguaje.* Segunda edición. 198 págs.
156. Emilia de Zuleta: *Cinco poetas españoles (Salinas, Guillén, Lorca, Alberti, Cernuda).* 484 págs.

157. María del Rosario Fernández Alonso: *Una visión de la muerte en la lírica española.* Premio Rivadeneira. Premio nacional uruguayo de ensayo. 450 págs. 5 láminas.
158. Ángel Rosenblat: *La lengua del «Quijote».* 380 págs.
159. Leo Pollmann: *La «Nueva Novela» en Francia y en Iberoamérica.* 380 págs.
160. José María Capote Benot: *El período sevillano de Luis Cernuda.* Con un prólogo de F. López Estrada. 172 págs.
161. Julio García Morejón: *Unamuno y Portugal.* Con un prólogo de Dámaso Alonso. Segunda edición corregida y aumentada. 580 páginas.
162. Geoffrey Ribbans: *Niebla y soledad (Aspectos de Unamuno y Machado).* 332 págs.
163. Kenneth R. Scholberg: *Sátira e invectiva en la España medieval.* 376 págs.
164. Alexander A. Parker: *Los pícaros en la literatura (La novela picaresca en España y Europa. 1599-1753).* 220 págs. 11 láminas.
165. Eva Marja Rudat: *Las ideas estéticas de Esteban de Arteaga (Orígenes, significado y actualidad).* 340 págs.
166. Ángel San Miguel: *Sentido y estructura del «Guzmán de Alfarache» de Mateo Alemán.* Con un prólogo de Franz Rauhut. 312 páginas.
167. Francisco Marcos Marín: *Poesía narrativa árabe y épica hispánica.* 388 págs.
168. Juan Cano Ballesta: *La poesía española entre pureza y revolución (1930-1936).* 284 págs.
169. Joan Corominas: *Tópica hespérica (Estudios sobre los antiguos dialectos, el substrato y la toponimia romances).* 2 vols.
170. Andrés Amorós: *La novela intelectual de Ramón Pérez de Ayala.* 500 págs.
171. Alberto Porqueras Mayo: *Temas y formas de la literatura española.* 196 págs.
172. Benito Brancaforte: *Benedetto Croce y su crítica de la literatura española.* 152 págs.
173. Carlos Martín: *América en Rubén Darío (Aproximación al concepto de la literatura hispanoamericana).* 276 págs.
174. José Manuel García de la Torre: *Análisis temático de «El Ruedo Ibérico».* 362 págs.
175. Julio Rodríguez-Puértolas: *De la Edad Media a la edad conflictiva (Estudios de literatura española).* 406 págs.
176. Francisco López Estrada: *Poética para un poeta (Las «Cartas literarias a una mujer» de Bécquer).* 246 págs.
177. Louis Hjelmslev: *Ensayos lingüísticos.* 362 págs.

178. Dámaso Alonso: *En torno a Lope (Marino, Cervantes, Benavente, Góngora, los Cardenios).* 212 págs.
179. Walter Pabst: *La novela corta en la teoría y en la creación literaria (Notas para la historia de su antinomia en las literaturas románicas).* 510 págs.
180. Antonio Rumeu de Armas: *Alfonso de Ulloa, introductor de la cultura española en Italia.* 192 págs.
181. Pedro R. León: *Algunas observaciones sobre Pedro de Cieza de León y la Crónica del Perú.* 278 págs.
182. Gemma Roberts: *Temas existenciales en la novela española de postguerra.* 286 págs.
183. Gustav Siebenmann: *Los estilos poéticos en España desde 1900.* 582 págs.
184. Armando Durán: *Estructura y técnica de la novela sentimental y caballeresca.* 182 págs.
185. Werner Beinhauer: *El humorismo en el español hablado (Improvisadas creaciones espontáneas).* Con un prólogo de Rafael Lapesa. 270 págs.
186. Michael P. Predmore: *La poesía hermética de Juan Ramón Jiménez (El «Diario» como centro de su mundo poético).* 234 págs.
187. Albert Manent: *Tres escritores catalanes: Carner, Riba, Pla.* 338 páginas.
188. Nicolás A. S. Bratosevich: *El estilo de Horacio Quiroga en sus cuentos.* 204 págs.
189. Ignacio Soldevila Durante: *La obra narrativa de Max Aub (1929-1969).* 472 págs.
190. Leo Pollmann: *Sartre y Camus (Literatura de la existencia).* 286 páginas.
191. María del Carmen Bobes Naves: *La semiótica como teoría lingüística.* 238 págs.
192. Emilio Carilla: *La creación del «Martín Fierro».* 308 págs.
193. Eugenio Coseriu: *Sincronía, diacronía e historia* (*El problema del cambio lingüístico*). Segunda edición, revisada y corregida. 290 págs.
194. Óscar Tacca: *Las voces de la novela.* 206 págs.
195. J. L. Fortea: *La obra de Andrés Carranque de Ríos.* 240 págs.
196. Emilio Náñez Fernández: *El diminutivo (Historia y funciones en el español clásico y moderno).* 458 págs.
197. Andrew P. Debicki: *La poesía de Jorge Guillén.* 362 págs.
198. Ricardo Doménech: *El teatro de Buero Vallejo (Una meditación española).* 372 págs.
199. Francisco Márquez Villanueva: *Fuentes literarias cervantinas.* 374 págs.
200. Emilio Orozco Díaz: *Lope y Góngora frente a frente.* 410 págs. 8 láminas.

201. Charles Muller: *Estadística lingüística.* 416 págs.
202. Josse de Kock: *Introducción a la lingüística automática en las lenguas románicas.* 246 págs.
203. Juan Bautista Avalle-Arce: *Temas hispánicos medievales (Literatura e historia).* 390 págs.
204. Andrés R. Quintián: *Cultura y literatura españolas en Rubén Darío.* 302 págs.
205. E. Caracciolo Trejo: *La poesía de Vicente Huidobro y la vanguardia.* 140 págs.
206. José Luis Martín: *La narrativa de Vargas Llosa (Acercamiento estilístico).* 282 págs.
207. Ilse Nolting-Hauff: *Visión, sátira y agudeza en los «Sueños» de Quevedo.* 318 págs.
208. Allen W. Phillips: *Temas del modernismo hispánico y otros estudios.* 360 págs.
209. Marina Mayoral: *La poesía de Rosalía de Castro.* Con un prólogo de Rafael Lapesa. 596 págs.
210. Joaquín Casalduero: *«Cántico» de Jorge Guillén y «Aire nuestro».* 268 págs.
211. Diego Catalán: *La tradición manuscrita en la «Crónica de Alfonso XI».* 416 págs.
212. Daniel Devoto: *Textos y contextos (Estudios sobre la tradición).* 610 págs.
213. Francisco López Estrada: *Los libros de pastores en la literatura española (La órbita previa).* 576 págs. 16 láminas.
214. André Martinet: *Economía de los cambios fonéticos (Tratado de fonología diacrónica).* 564 págs.
215. Russell P. Sebold: *Cadalso: el primer romántico «europeo» de España.* 294 págs.
216. Rosario Cambria: *Los toros: tema polémico en el ensayo español del siglo XX.* 386 págs.
217. Helena Percas de Ponseti: *Cervantes y su concepto del arte (Estudio crítico de algunos aspectos y episodios del «Quijote»).* 690 págs.
218. Göran Hammarström: *Las unidades lingüísticas en el marco de la lingüística moderna.* 190 págs.

III. MANUALES

1. Emilio Alarcos Llorach: *Fonología española.* Cuarta edición aumentada y revisada. Reimpresión. 290 págs.
2. Samuel Gili Gaya: *Elementos de fonética general.* Quinta edición corregida y ampliada. Reimpresión. 200 págs. 5 láminas.
3. Emilio Alarcos Llorach: *Gramática estructural (Según la escuela de Copenhague y con especial atención a la lengua española).* Segunda edición. Reimpresión. 132 págs.

4. Francisco López Estrada: *Introducción a la literatura medieval española.* Tercera edición renovada. Reimpresión. 342 págs.
6. Fernando Lázaro Carreter: *Diccionario de términos filológicos.* Tercera edición corregida. Reimpresión. 444 págs.
8. Alonso Zamora Vicente: *Dialectología española.* Segunda edición muy aumentada. Reimpresión. 588 págs. 22 mapas.
9. Pilar Vázquez Cuesta y Maria Albertina Mendes da Luz: *Gramática portuguesa.* Tercera edición corregida y aumentada. 2 vols.
10. Antonio M. Badia Margarit: *Gramática catalana.* 2 vols.
11. Walter Porzig: *El mundo maravilloso del lenguaje.* Segunda edición corregida y aumentada. 486 págs.
12. Heinrich Lausberg: *Lingüística románica.* Reimpresión. 2 vols.
13. André Martinet: *Elementos de lingüística general.* Segunda edición revisada. Reimpresión. 274 págs.
14. Walther von Wartburg: *Evolución y estructura de la lengua francesa.* 350 págs.
15. Heinrich Lausberg: *Manual de retórica literaria (Fundamentos de una ciencia de la literatura).* 3 vols.
16. Georges Mounin: *Historia de la lingüística (Desde los orígenes al siglo XX).* Reimpresión. 236 págs.
17. André Martinet: *La lingüística sincrónica (Estudios e investigaciones).* Reimpresión. 228 págs.
18. Bruno Migliorini: *Historia de la lengua italiana.* 2 vols. 36 láminas.
19. Louis Hjelmslev: *El lenguaje.* Segunda edición aumentada. 196 páginas. 1 lámina.
20. Bertil Malmberg: *Lingüística estructural y comunicación humana.* Reimpresión. 328 págs. 9 láminas.
21. Winfred P. Lehmann: *Introducción a la lingüística histórica.* 354 páginas.
22. Francisco Rodríguez Adrados: *Lingüística estructural.* Segunda edición revisada y aumentada. 2 vols.
23. Claude Pichois y André-M. Rousseau: *La literatura comparada.* 246 págs.
24. Francisco López Estrada: *Métrica española del siglo XX.* 226 páginas.
25. Rudolf Baehr: *Manual de versificación española.* Reimpresión. 444 págs.
26. H. A. Gleason, Jr.: *Introducción a la lingüística descriptiva.* 770 páginas.
27. A. J. Greimas: *Semántica estructural (Investigación metodológica).* 398 págs.
28. R. H. Robins: *Lingüística general (Estudio introductorio).* 488 páginas.
29. Iorgu Iordan y Maria Manoliu: *Manual de lingüística románica.* Revisión, reelaboración parcial y notas por Manuel Alvar. 2 vols.

30. Roger L. Hadlich: *Gramática transformativa del español.* 464 págs.
31. Nicolas Ruwet: *Introducción a la gramática generativa.* 514 págs.
32. Jesús-Antonio Collado: *Fundamentos de lingüística general.* 308 páginas.
33. Helmut Lüdtke: *Historia del léxico románico.* 336 págs.

IV. TEXTOS

1. Manuel C. Díaz y Díaz: *Antología del latín vulgar.* Segunda edición aumentada y revisada. Reimpresión. 240 págs.
2. María Josefa Canellada: *Antología de textos fonéticos.* Con un prólogo de Tomás Navarro. Segunda edición ampliada. 266 páginas.
3. F. Sánchez Escribano y A. Porqueras Mayo: *Preceptiva dramática española del Renacimiento y el Barroco.* Segunda edición muy ampliada. 408 págs.
4. Juan Ruiz: *Libro de Buen Amor.* Edición crítica de Joan Corominas. Reimpresión. 670 págs.
5. Julio Rodríguez-Puértolas: *Fray Iñigo de Mendoza y sus «Coplas de Vita Christi».* 634 págs. 1 lámina.
6. *Todo Ben Quzmān.* Editado, interpretado, medido y explicado por Emilio García Gómez. 3 vols.
7. *Garcilaso de la Vega y sus comentaristas (Obras completas del poeta y texto íntegro de El Brocense, Herrera, Tamayo y Azara).* Edición de Antonio Gallego Morell. Segunda edición revisada y adicionada. 700 págs. 10 láminas.
8. *Poética de Aristóteles.* Edición trilingüe. Introducción, traducción castellana, notas, apéndices e índice analítico por Valentín García Yebra. 542 págs.

V. DICCIONARIOS

1. Joan Corominas: *Diccionario crítico etimológico de la lengua castellana.* En reimpresión.
2. Joan Corominas: *Breve diccionario etimológico de la lengua castellana.* Tercera edición muy revisada y mejorada. 628 págs.
3. *Diccionario de Autoridades.* Edición facsímil. 3 vols.
4. Ricardo J. Alfaro: *Diccionario de anglicismos.* Recomendado por el «Primer Congreso de Academias de la Lengua Española». Segunda edición aumentada. 520 págs.
5. María Moliner: *Diccionario de uso del español.* Reimpresión. 2 vols.

VI. ANTOLOGÍA HISPÁNICA

1. Carmen Laforet: *Mis páginas mejores.* 258 págs.
2. Julio Camba: *Mis páginas mejores.* Reimpresión. 254 págs.

VII. CAMPO ABIERTO

1. Alonso Zamora Vicente: *Lope de Vega (Su vida y su obra).* Segunda edición. 288 págs.
2. Enrique Moreno Báez: *Nosotros y nuestros clásicos.* Segunda edición corregida. 180 págs.
3. Dámaso Alonso: *Cuatro poetas españoles (Garcilaso - Góngora Maragall - Antonio Machado).* 190 págs.
6. Dámaso Alonso: *Del Siglo de Oro a este siglo de siglas (Notas y artículos a través de 350 años de letras españolas).* Segunda edición. 294 págs. 3 láminas.
8. Segundo Serrano Poncela: *Formas de vida hispánica (Garcilaso-Quevedo - Godoy y los ilustrados).* 166 págs.
9. Francisco Ayala: *Realidad y ensueño.* 156 págs.
10. Mariano Baquero Goyanes: *Perspectivismo y contraste (De Cadalso a Pérez de Ayala).* 246 págs.
11. Luis Alberto Sánchez: *Escritores representativos de América.* Primera serie. Tercera edición. 3 vols.
12. Ricardo Gullón: *Direcciones del modernismo.* Segunda edición aumentada. 274 págs.
13. Luis Alberto Sánchez: *Escritores representativos de América.* Segunda serie. Reimpresión. 3 vols.
14. Dámaso Alonso: *De los siglos oscuros al de Oro (Notas y artículos a través de 700 años de letras españolas).* Segunda edición. Reimpresión. 294 págs.
16. Ramón J. Sender: *Valle-Inclán y la dificultad de la tragedia.* 150 páginas.
17. Guillermo de Torre: *La difícil universalidad española.* 314 págs.
18. Ángel del Río: *Estudios sobre literatura contemporánea española.* Reimpresión. 324 págs.
19. Gonzalo Sobejano: *Forma literaria y sensibilidad social (Mateo Alemán, Galdós, Clarín, el 98 y Valle-Inclán).* 250 págs.
20. Arturo Serrano Plaja: *Realismo «mágico» en Cervantes («Don Quijote» visto desde «Tom Sawyer» y «El Idiota»).* 240 págs.
21. Guillermo Díaz-Plaja: *Soliloquio y coloquio (Notas sobre lírica y teatro).* 214 págs.
22. Guillermo de Torre: *Del 98 al Barroco.* 452 págs.
23. Ricardo Gullón: *La invención del 98 y otros ensayos.* 200 págs.
24. Francisco Ynduráin: *Clásicos modernos (Estudios de crítica literaria).* 224 págs.
25. Eileen Connolly: *Leopoldo Panero: La poesía de la esperanza.* Con un prólogo de José Antonio Maravall. 236 págs.
26. José Manuel Blecua: *Sobre poesía de la Edad de Oro (Ensayos y notas eruditas).* 310 págs.

3. Dámaso Alonso y José M. Blecua: *Antología de la poesía española. Lírica de tipo tradicional.* Segunda edición. Reimpresión. LXXXVI + 266 páginas.
6. Vicente Aleixandre: *Mis poemas mejores.* Tercera edición aumentada. 322 págs.
7. Ramón Menéndez Pidal: *Mis páginas preferidas (Temas literarios).* Reimpresión. 372 págs.
8. Ramón Menéndez Pidal: *Mis páginas preferidas (Temas lingüísticos e históricos).* Reimpresión. 328 págs.
9. José M. Blecua: *Floresta de lírica española.* Tercera edición aumentada. 2 vols.
11. Pedro Laín Entralgo: *Mis páginas preferidas.* 338 págs.
12. José Luis Cano: *Antología de la nueva poesía española.* Tercera edición. Reimpresión. 438 págs.
13. Juan Ramón Jiménez: *Pájinas escojidas (Prosa).* Reimpresión. 264 págs.
14. Juan Ramón Jiménez: *Pájinas escojidas (Verso).* Reimpresión. 238 págs.
15. Juan Antonio de Zunzunegui: *Mis páginas preferidas.* 354 págs.
16. Francisco García Pavón: *Antología de cuentistas españoles contemporáneos.* Segunda edición renovada. Reimpresión. 454 páginas.
17. Dámaso Alonso: *Góngora y el «Polifemo».* Quinta edición muy aumentada. 3 vols.
21. Juan Bautista Avalle-Arce: *El inca Garcilaso en sus «Comentarios» (Antología vivida).* Reimpresión. 282 págs.
22. Francisco Ayala: *Mis páginas mejores.* 310 págs.
23. Jorge Guillén: *Selección de poemas.* Segunda edición aumentada. 354 págs.
24. Max Aub: *Mis páginas mejores.* 278 págs.
25. Julio Rodríguez-Puértolas: *Poesía de protesta en la Edad Media castellana (Historia y antología).* 348 págs.
26. César Fernández Moreno y Horacio Jorge Becco: *Antología lineal de la poesía argentina.* 384 págs.
27. Roque Esteban Scarpa y Hugo Montes: *Antología de la poesía chilena contemporánea.* 372 págs.
28. Dámaso Alonso: *Poemas escogidos.* 212 págs.
29. Gerardo Diego: *Versos escogidos.* 394 págs.
30. Ricardo Arias y Arias: *La poesía de los goliardos.* 316 págs.
31. Ramón J. Sender: *Páginas escogidas.* Selección y notas introductorias por Marcelino C. Peñuelas. 344 págs.
32. Manuel Mantero: *Los derechos del hombre en la poesía hispánica contemporánea.* 536 págs.

27. Pierre de Boisdeffre: *Los escritores franceses de hoy*. 168 págs.
28. Federico Sopeña Ibáñez: *Arte y sociedad en Galdós*. 182 págs.
29. Manuel García-Viñó: *Mundo y trasmundo de las leyendas de Bécquer*. 300 págs.
30. José Agustín Balseiro: *Expresión de Hispanoamérica*. Con un prólogo de Francisco Monterde. Segunda edición revisada. 2 volúmenes.
31. José Juan Arrom: *Certidumbre de América (Estudios de letras, folklore y cultura)*. Segunda edición ampliada. 230 págs.
32. Vicente Ramos: *Miguel Hernández*. 378 págs.
33. Hugo Rodríguez-Alcalá: *Narrativa hispanoamericana. Güiraldes-Carpentier-Roa Bastos-Rulfo (Estudios sobre invención y sentido)*. 218 págs.

VIII. DOCUMENTOS

2. José Martí: *Epistolario (Antología)*. Introducción, selección, comentarios y notas por Manuel Pedro González. 648 págs.

IX. FACSÍMILES

1. Bartolomé José Gallardo: *Ensayo de una biblioteca española de libros raros y curiosos*. 4 vols.
2. Cayetano Alberto de la Barrera y Leirado: *Catálogo bibliográfico y biográfico del teatro antiguo español, desde sus orígenes hasta mediados del siglo XVIII*. XIII + 728 págs.
3. Juan Sempere y Guarinos: *Ensayo de una biblioteca española de los mejores escritores del reynado de Carlos III*. 3 vols.
4. José Amador de los Ríos: *Historia crítica de la literatura española*. 7 vols.
5. Julio Cejador y Frauca: *Historia de la lengua y literatura castellana (Comprendidos los autores hispanoamericanos)*. 7 vols.

OBRAS DE OTRAS COLECCIONES

Dámaso Alonso: *Obras completas*.

Tomo I: *Estudios lingüísticos peninsulares*. 706 págs.

Tomo II: *Estudios y ensayos sobre literatura*. Primera parte: *Desde los orígenes románicos hasta finales del siglo XVI*. 1.090 págs.

Tomo III: *Estudios y ensayos sobre literatura*. Segunda parte: *Finales del siglo XVI, y siglo XVII*. 1.008 págs.

Tomo IV: En prensa.

Juan Luis Alborg: *Historia de la literatura española.*
Tomo I: *Edad Media y Renacimiento.* 2.ª edición. Reimpresión. 1.082 págs.
Tomo II: *Época Barroca.* 2.ª edición. 996 págs.
Tomo III: *El siglo XVIII.* 980 págs.

Homenaje Universitario a Dámaso Alonso. Reunido por los estudiantes de Filología Románica. 358 págs.

Homenaje a Casalduero. 510 págs.

Homenaje a Antonio Tovar. 470 págs.

Studia Hispanica in Honorem R. Lapesa. Vol. I: 622 págs. Vol. II: 634 págs. Vol. III: En prensa.

José Luis Martín: *Crítica estilística.* 410 págs.

Vicente García de Diego: *Gramática histórica española.* 3.ª edición revisada y aumentada con un índice completo de palabras. 624 págs.

Graciela Illanes: *La novelística de Carmen Laforet.* 202 págs.

François Meyer: *La ontología de Miguel de Unamuno.* 196 páginas.

Beatrice Petriz Ramos: *Introducción crítico-biográfica a José María Salaverría (1873-1940).* 356 págs.

Los «Lucidarios» españoles. Estudio y edición de Richard P. Kinkade. 346 págs.

Vittore Bocchetta: *Horacio en Villegas y en Fray Luis de León.* 182 páginas.

Elsie Alvarado de Ricord: *La obra poética de Dámaso Alonso.* Prólogo de Ricardo J. Alfaro. 180 págs.

José Ramón Cortina: *El arte dramático de Antonio Buero Vallejo.* 130 págs.

Mireya Jaimes-Freyre: *Modernismo y 98 a través de Ricardo Jaimes Freyre.* 208 páginas.

Emilio Sosa López: *La novela y el hombre.* 142 págs.

Gloria Guardia de Alfaro: *Estudios sobre el pensamiento poético de Pablo Antonio Cuadra.* 260 págs.

Ruth Wold: *El Diario de México, primer cotidiano de Nueva España.* 294 págs.

Marina Mayoral: *Poesía española contemporánea. Análisis de textos.* 254 págs.

Gonzague Truc: *Historia de la literatura católica contemporánea (de lengua francesa).* 430 págs.

Wilhelm Grenzmann: *Problemas y figuras de la literatura contemporánea.* 388 págs.

Antonio Medrano: *Lingüística inglesa.* 408 págs.

Veikko Väänänen: *Introducción al latín vulgar.* 414 págs.

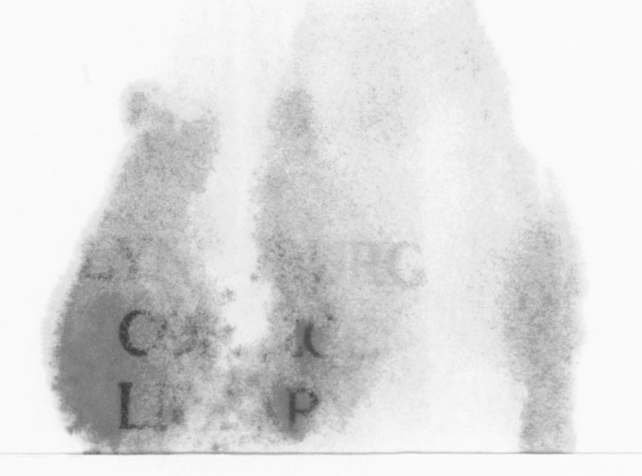

Juan Luis Alborg: *Historia de la literatura española.*
Tomo I: *Edad Media y Renacimiento.* 2.ª edición. Reimpresión. 1.082 págs.
Tomo II: *Época Barroca.* 2.ª edición. 996 págs.
Tomo III: *El siglo XVIII.* 980 págs.

Homenaje Universitario a Dámaso Alonso. Reunido por los estudiantes de Filología Románica. 358 págs.

Homenaje a Casalduero. 510 págs.

Homenaje a Antonio Tovar. 470 págs.

Studia Hispanica in Honorem R. Lapesa. Vol. I: 622 págs. Vol. II: 634 págs. Vol. III: En prensa.

José Luis Martín: *Crítica estilística.* 410 págs.

Vicente García de Diego: *Gramática histórica española.* 3.ª edición revisada y aumentada con un índice completo de palabras. 624 págs.

Graciela Illanes: *La novelística de Carmen Laforet.* 202 págs.

François Meyer: *La ontología de Miguel de Unamuno.* 196 páginas.

Beatrice Petriz Ramos: *Introducción crítico-biográfica a José María Salaverría (1873-1940).* 356 págs.

Los «Lucidarios» españoles. Estudio y edición de Richard P. Kinkade. 346 págs.

Vittore Bocchetta: *Horacio en Villegas y en Fray Luis de León.* 182 páginas.

Elsie Alvarado de Ricord: *La obra poética de Dámaso Alonso.* Prólogo de Ricardo J. Alfaro. 180 págs.

José Ramón Cortina: *El arte dramático de Antonio Buero Vallejo.* 130 págs.

Mireya Jaimes-Freyre: *Modernismo y 98 a través de Ricardo Jaimes Freyre.* 208 páginas.

Emilio Sosa López: *La novela y el hombre.* 142 págs.

Gloria Guardia de Alfaro: *Estudios sobre el pensamiento poético de Pablo Antonio Cuadra.* 260 págs.

Ruth Wold: *El Diario de México, primer cotidiano de Nueva España.* 294 págs.

Marina Mayoral: *Poesía española contemporánea. Análisis de textos.* 254 págs.

Gonzague Truc: *Historia de la literatura católica contemporánea (de lengua francesa).* 430 págs.

Wilhelm Grenzmann: *Problemas y figuras de la literatura contemporánea.* 388 págs.

Antonio Medrano: *Lingüística inglesa.* 408 págs.

Veikko Väänänen: *Introducción al latín vulgar.* 414 págs.